Points de vue – Sichtweisen

Dieses Buch ist das Ergebnis vieler Recherchen, Diskussionen und Überarbeitungen. Mehr als 20 Mitarbeiter und Praktikanten des dfi aus Deutschland und Frankreich haben an der Entstehung aktiv mitgewirkt. Ihnen allen gilt unser herzlicher Dank.
Ce livre est le fruit de nombreuses recherches, discussions et révisions. Plus de 20 collaborateurs et stagiaires français et allemands du dfi ont contribué à sa genèse. Nous les remercions chaleureusement.

Isabelle Villegas, Silvia Wientzek, Xavier Froidevaux
Aurélie Daoulas, Nathalie Lerch, Dominik Grillmayer, Anna Mafalda Kaiser, Nuria Kürten, Julia Lieb, Wibke Ljucovic, Pauline Philizot, Benjamin Schreiber, Susanne Ebner, Michael Schmöller, Monika Hinz, Sophie Jean, Jeanne Guérout, Isabelle Kempf, Anna-Christine Weirich, Sarah Feick , Pauline Millot-Henry, Anaïs Sanglier.

ISBN : 978-3-87576-589-2 (NDV)
ISBN : 978-2-906545-83-0 (EDITIONS DOUMIC)

Gestaltung, Layout / Mise en page et composition :
Deep Thought Kommunikation, Frankfurt/Main

Gesamtherstellung / Impression :
medienHaus Plump, Rheinbreitbach

Bildnachweise (Seitenhinweise) / Crédits photos:
Baumgart Berlin (11), data2map.de (52, 53), Deutsche Bahn AG (145), Deutscher Bundestag (124), dfi (90), Getty Images (93, 96, 97, 176, 220), iStockphoto (Cover), Le Conseil économique et social (69), Les Éditions Albert René/Goscinny-Uderzo (249), Presse- und Informationsamt der Bundesregierung (16, 17, 21, 24), vekha - Fotolia.com (47), wikipedia.org (13, 122, 189, 223), private

Points de vue – Sichtweisen

France – Allemagne, un regard comparé
Deutschland – Frankreich, ein vergleichender Blick

von Frank Baasner / Bérénice Manac'h / Alexandra von Schumann

NDV
EDITIONS DOUMIC

01

Einführung

Introduction

Vorwort

Préface

Unsere Zielsetzung

Das dichte Netz bilateraler Zusammenarbeit zwischen Deutschland und Frankreich ist weltweit einmalig. Viele Nachbarstaaten, die mit ihrer konfliktreichen Geschichte so nicht umgehen können, staunen angesichts der großartigen Errungenschaften der deutsch-französischen Verständigung und der engen Beziehungen.

Die Erfolge der deutsch-französischen Kooperation dürfen allerdings eine einfache Wahrheit nie vergessen lassen, die Zusammenarbeit ist kein Selbstläufer: Beide Staaten sind in vielerlei Hinsicht völlig unterschiedlich organisiert. Die Praktiken der Arbeitswelt sind verschieden, die alltäglichen Gewohnheiten sind nicht nur für junge Menschen immer wieder gewöhnungsbedürftig. Man kann es überspitzt auf den Punkt bringen, trotz der positiven Grundeinstellung, die Deutsche und Franzosen einander entgegen bringen, wissen sie herzlich wenig voneinander. Zu oft scheitern gut gemeinte Kooperationsvorhaben an der Unkenntnis, und zu oft sind motivierte Menschen frustriert, weil sie Kooperationen aufgrund geringer Kenntnisse mit zu hohen Erwartungshaltungen beginnen. Oft bleibt man in der gegenseitigen Wahrnehmung oberflächlich, man reproduziert damit nur die pauschalen Vorstellungen, die mit der gelebten Wirklichkeit im Land nicht viel zu tun haben. Man wird Vorurteile nicht ganz auflösen können und viele

Notre objectif

La densité du réseau de coopération bilatérale entre la France et l'Allemagne est unique au monde. Certains pays, qui ont eux-mêmes des situations de conflits historiques à résoudre avec un voisin, sont émerveillés par les réussites du rapprochement franco-allemand et par la qualité des relations.

Les succès de la coopération franco-allemande ne doivent pourtant pas faire oublier une simple vérité : la coopération ne va jamais de soi. Les deux Etats, français et allemand, sont organisés de façon complètement différente à bien des égards. Les pratiques culturelles dans le monde du travail sont différentes, et même les comportements de la vie quotidienne exigent, dans les échanges, une faculté d'adaptation individuelle. Malgré l'opinion « globalement positive » qu'Allemands et Français ont aujourd'hui l'un de l'autre, on constate qu'ils se connaissent bien mal. Trop souvent, des projets de coopération bien intentionnés échouent par ignorance des réalités qui existent chez le partenaire, et trop souvent, des gens motivés pour la coopération sont frustrés parce qu'ils abordent leur projet sans informations suffisantes ou en partant d'idées fausses sur les conditions réelles de la coopération. Souvent, la perception réciproque reste superficielle et ne fait que reproduire des idées reçues qui ne correspondent pas à la réalité du pays partenaire. Certes, on ne pourra probablement jamais dissoudre complètement les préju-

Stereotype haben einen wahren Kern, aber es ist möglich, die Wahrnehmung zu verfeinern und die Urteile zu differenzieren.

Wir haben uns daher entschlossen, ein einführendes Buch als vergleichende Landeskunde zu schreiben, das grundlegende Informationen, Analysen und Kommentare in allgemeinverständlicher Sprache in Deutsch und Französisch zur Verfügung stellt. In unzähligen Gesprächen und Versammlungen wurde deutlich, wie notwendig eine solche informative, mit aktuellen Zahlen angereicherte Publikation ist. Der vergleichende Blick durchzieht das ganze

gés, et bien des stéréotypes contiennent d'ailleurs peut-être un grain de vérité, mais il est sûrement possible d'affiner la perception et de rendre les jugements plus prudents.

C'est ce constat qui nous a amenés à concevoir ce livre d'introduction à la civilisation des deux pays, à leur réalités sociale et culturelle d'aujourd'hui, qui propose – en français et en allemand – des informations, des analyses et des commentaires dans un langage accessible à un large public. D'innombrables discussions et réunions ont montré à quel point on avait besoin d'une telle publication, nourrie d'informations et de statistiques récentes.

Dieses Symbol verweist auf historische oder zeitgenössische Persönlichkeiten, die für die Entwicklung der Gesellschaft oder die deutsch-französische Kooperation besondere Bedeutung haben.

Ce symbole renvoie à des personnalités historiques ou contemporaines importantes en Allemagne, en France, ou dans la coopération franco-allemande.

Buch, es wird dadurch zu einer Darstellung der gesellschaftlichen Aktualität in beiden Ländern. Es hat den Anspruch, allen Akteuren der deutsch-französischen Zusammenarbeit eine Orientierungshilfe an die Hand zu geben. Unser Ziel ist es, zur Versachlichung und Vertiefung der deutsch-französischen Arbeit beizutragen. Das Buch und entsprechende Daten sollen in regelmäßigen Abständen durch Neuauflagen aktualisiert werden.

Si une perspective comparative anime tout le livre, il ne s'agit pourtant pas d'une étude sur les relations franco-allemandes, mais d'une présentation de l'actualité politique, sociale, économique et culturelle des deux pays. Nous souhaitons fournir un guide, une orientation à tous ceux qui travaillent dans la coopération franco-allemande. Notre objectif est de contribuer à une amélioration et à un approfondissement des compétences dans le travail de coopération. Cette publication sera régulièrement actualisée.

Unser Zielpublikum

Tausende von Deutschen und Franzosen sind alltäglich und dauerhaft im deutsch-französischen Austausch engagiert. Viele

Notre public

Des milliers d'Allemands et de Français sont engagés, quotidiennement et durablement,

Hier werden zahlreiche politische Ämter, offizielle Institutionen und private Initiativen vorgestellt, welche die stabile Grundlage der deutsch-französischen Kooperation bilden.

Cette rubrique présente les institutions officielles et des organisations publiques ou privées qui forment le tissu de la coopération franco-allemande.

sind notwendigerweise innerhalb dieser Kooperation tätig, denn in vielen Bereichen der Wirtschaft geht ohne den wichtigsten Handelspartner nichts. Vom Schüler über den Lehrer, den Gemeinderat, den Landesbeamten, den Studenten und Professoren bis hin zum Bürgermeister, Techniker, Ingenieur, Manager, Funktionär und Politiker müssen sich zahllose Bürger mit der soziopolitischen Realität des Partners auseinander setzen. Damit man die praktischen Fragen zur aktuellen Situation des anderen (und eigenen) Landes schnell beantworten kann, haben wir ein leicht verständliches, für alle Berufs- und Altersgruppen sinnvoll nutzbares Buch zusammengestellt. Unsere Publikation wendet sich an all diejenigen, die sich für das andere Land interessieren, die im deutsch-französischen Austausch aktiv sind oder über das andere Land unterrichten wollen.

Die Leser können bei der Lektüre von einer Sprache in die andere wechseln. Die beiden Fassungen sind bewusst nicht völlig identisch – es geht nicht um eine bloße Übersetzungsübung. Manche Tatsachen und Beobachtungen sind in der einen Sprache ausführlicher erläutert als in der anderen, manche Information wird nur in einer Sprache gegeben.

Unsere Arbeitsweise

Wie soll man die Aktualität in Politik, Wirtschaft, Gesellschaft und Kultur zweier

dans la coopération franco-allemande. Certains d'entre eux y sont même engagés indépendamment de leur volonté, puisque les deux pays sont des partenaires économiques incontournables. Elève, professeur, universitaire, fonctionnaire territorial, technicien, ingénieur, cadre, maire, conseiller municipal ou élu à tous les niveaux : d'innombrables citoyens sont confrontés à la réalité sociale et culturelle de l'autre pays. Pour que ces publics variés puissent répondre vite aux questions qu'ils se posent sur l'autre pays (et sur le leur), nous avons choisi d'écrire dans un style non académique ce livre qui, nous l'espérons, pourra être utile à toutes les tranches d'âge et à toutes les catégories socioprofessionnelles. Nous nous adressons à tous ceux qui s'intéressent au pays partenaire, qui sont engagés dans la coopération franco-allemande ou souhaitent enseigner la civilisation de l'autre pays.

Les lecteurs peuvent passer d'une langue à l'autre pendant la lecture. Les deux versions sont parallèles sans être identiques, puisqu'il ne s'agit pas d'un exercice de traduction. Certaines informations ou observations demandent des explications plus complètes dans une des deux langues, d'autres ne sont nécessaires que dans une langue.

Notre façon de travailler

Comment présenter l'actualité politique, économique, sociale et culturelle de deux pays, avec des comparaisons, dans un livre

Länder und dazu noch die wichtigsten Unterschiede in einem lesbaren Buch beschreiben? Statistiken alleine bringen wenig Erkenntnis, rein subjektive Eindrücke ohne Faktenbasis halten nicht lange Stand. Das Buch versucht eine Kombination aus Fakten, vergleichenden Analysen und erlebter subjektiver Wirklichkeit in Worte zu fassen. Damit die Subjektivität, die jede Analyse gesellschaftlicher Praxis in sich trägt, nicht beliebig wird, haben das Buch drei Autoren mit ganz unterschiedlichen Hintergründen und Lebenserfahrungen geschrieben. Eine Französin, die Jahrzehnte lang in Deutschland gearbeitet hat und nun wieder in Frankreich lebt, einen Deutschen, der viele Jahre in Frankreich gelebt und über deutsch-französischen Kulturvergleich gearbeitet hat, und schließlich eine Deutsch-Belgierin, die in Deutschland und Frankreich lange gelebt, studiert und gearbeitet hat. Die langen und intensiven Diskussionen zwi-

unique qui reste lisible ? Les statistiques sans commentaires apportent bien peu d'éclairage, et les impressions subjectives sans ancrage dans les faits ne mènent pas loin. Ce livre essaie de combiner les faits, les analyses comparées et les impressions subjectives vécues dans cette réalité. Pour que cette part subjective, qui est inhérente à toute analyse de la pratique sociale, ne l'emporte pas sur les faits, nous avons réuni trois auteurs ayant des parcours et des expériences personnelles très différents : une Française qui a travaillé et vécu pendant des décennies en Allemagne avant de revenir en France, un Allemand qui a vécu des années en France et qui a travaillé sur la comparaison des civilisations, et enfin une Belge qui a vécu et travaillé dans les deux pays. Les discussions, longues et vives, qui ont eu lieu entre les auteurs, ont montré que chaque regard est différent et que seule une confrontation de ces multiples regards peut donner une image différenciée de la réalité.

Statistiken, Graphiken, Internetquellen oder Worterklärungen geben objektive Informationen und ergänzen den fortlaufenden Text.
Les statistiques, graphiques, sites internet ou explications sémantiques proposent des informations concrètes qui complètent les textes des différents chapitres.

schen den Autoren haben gezeigt, dass jeder Blick ein wenig anders ist und dass man nur durch die Gegenüberstellung unterschiedlicher Erfahrungen zu einem differenzierten Bild kommen kann.
Zusätzlich zu dieser Gemeinschaftsarbeit haben Dutzende von jungen Praktikanten

Au-delà de ce travail en commun, des douzaines de jeunes stagiaires au dfi, Allemands et Français, ont contribué à la genèse de ce livre ; ils en ont été les premiers lecteurs, ils y ont contribué avec leurs propres expériences et en effectuant de nombreuses recherches pour les différents chapitres.

am dfi, Deutsche und Franzosen, an der Entstehung des Buches mitgewirkt, sie haben als Testleser gearbeitet, ihre eigenen Erfahrungen eingebracht und durch viele Recherchen die einzelnen Kapitel angereichert.

Jedem Leser steht es frei, seine eigenen Erfahrungen und Kenntnisse mit den hier dargestellten Aspekten des Lebens in Deutschland und Frankreich zu vergleichen und zu kontrastieren. Wenn wir zu Diskussionen über unsere Gesellschaften anregen, haben wir eine wichtige Zielsetzung des Projekts erreicht.

Frank Baasner, Bérénice Manac'h, Alexandra von Schumann

Chaque lecteur est invité à confronter et à comparer ses propres connaissances et ses impressions avec notre présentation de la réalité actuelle en Allemagne et en France. Si nous provoquons des discussions sur nos deux sociétés, nous aurons atteint un des objectifs majeurs de ce projet.

Grußwort

Das deutsch-französische Verhältnis hat im 20. Jahrhundert eine großartige Wandlung erfahren: Durch viele Jahrzehnte standen sich Deutschland und Frankreich als „Erbfeinde" gegenüber, die Kriege gegeneinander führten. Heute verbindet die beiden Nachbarn eine enge Partnerschaft.

Seit den 50er Jahren haben Generationen junger Menschen in Schüleraustauschen und Jugendbegegnungen das jeweils andere Land kennengelernt. Persönliche Freundschaften sind ebenso gewachsen wie der gemeinsame Wunsch, Motor der europäischen Einigung zu sein. Angesichts der tiefen Feindschaft, die noch im Zwei-

Avant-propos

Les relations franco-allemandes ont connu, au 20e siècle, une transformation remarquable : depuis des dizaines d'années, la France et l'Allemagne étaient des « ennemis héréditaires » qui se faisaient la guerre. Et voici aujourd'hui les deux pays unis dans une étroite collaboration.

Depuis les années cinquante, des générations entières ont eu l'occasion de faire la connaissance des voisins grâce aux échanges scolaires et aux rencontres de jeunes. Si ces contacts ont pu donner naissance à des amitiés personnelles, ils ont aussi fait naître le désir de s'associer pour construire ensemble l'intégration européenne. Si l'on songe

ten Weltkrieg prägend war, ist dies ein riesiger Erfolg der Aussöhnungspolitik seit der Nachkriegszeit.

Dieses enge Miteinander im zusammenwachsenden Europa will gepflegt, die Neugier aufeinander stets aufs Neue geweckt werden. Nur so wird es gelingen, das Projekt einer engen und auf den Frieden in Europa gerichteten Kooperation zwischen Deutschland und Frankreich wie einen Staffelstab von Generation zu Generation weiterzutragen.

à la haine qui existait entre les deux pays à l'époque du second conflit mondial, il s'agit là d'un magnifique succès de la politique de réconciliation menée après la guerre.

Ce partenariat étroit dans une Europe qui est en train de s'unir demande à être cultivé et entretenu, avec toujours de nouvelles occasions de découvrir le voisin et d'avoir envie de mieux le connaître. C'est le seul moyen pour réussir à transmettre de génération en génération, tel le témoin dans une course de relais, ce projet de coopération franco-alle-

Klaus Wowereit
Regierender Bürgermeister von Berlin, Bevollmächtigter für die deutsch-französische kulturelle Zusammenarbeit
Maire de Berlin, Plénipotentiaire pour la coopération culturelle franco-allemande

In diesem Sinne begrüße ich es sehr, dass sich die beiden Verlage entschlossen haben, dieses Landeskundebuch zu veröffentlichen. Es informiert Deutsche und Franzosen über den jeweiligen Partner, gewährt Einblicke in Staat und Gesellschaft sowie in Kultur und Wirtschaft und trägt so dazu bei, dass wir alle mehr über unsere Nachbarn erfahren und neugierig auf noch mehr werden. Ich wünsche dem Buch eine große Verbreitung, allen Leserinnen und Lesern eine anregende und lehrreiche Lektüre und der deutsch-französischen Freundschaft eine gute Zukunft.

Klaus Wowereit

mande étroite pour une Europe de paix.

Dans cet esprit, je salue chaleureusement l'initiative des deux maisons d'édition de publier ce livre sur nos deux pays. Il informe les Français et les Allemands sur leur partenaire respectif, donne un aperçu de l'Etat et de la société, de la culture et de l'économie, et contribue ainsi à une meilleure connaissance de l'autre et à l'envie d'en savoir davantage. Je souhaite à ce livre une large diffusion, à ses lecteurs et lectrices des moments stimulants et instructifs, et à l'amitié franco-allemande un bel avenir.

02

Das politische System

Le système politique

Parlamentarische Demokratien in Europa

Les démocraties parlementaires en Europe

Die Mitgliedstaaten der Europäischen Union teilen einige politische Grundüberzeugungen. Obwohl jedes Land eine eigene Geschichte hat und auf unterschiedlichen Traditionen aufbaut, sind sich alle Mitglieder darin einig, dass nur die demokratische Regierungsform für Europa in Frage kommt. Der erste Grundsatz ist die Gewaltenteilung in Legislative (gesetzgebende Gewalt), Exekutive (die ausführende Regierungsgewalt) und Judikative (die unabhängige Gerichtsbarkeit). Zu den Mindestanforderungen gehört zudem eine unabhängige und freie Presse, die zur Gestaltung der öffentlichen Meinung beiträgt. Was uns selbstverständlich scheint, ist das Ergebnis von Jahrhunderte langen Kämpfen: die Gleichheit vor dem Gesetz, gleiches Wahlrecht für alle, Wahrung der Menschenrechte und Minderheitenschutz. Alle Mitgliedstaaten der EU müssen diese Kriterien erfüllen und der Beitritt zur Union setzt die Einhaltung dieser Grundwerte voraus.

Für alle Bürger Europas ist es selbstverständlich, dass sie in regelmäßigen Abständen ein nationales Parlament wählen

Les Etats membres de l'Union européenne ont en commun un certain nombre de principes fondamentaux. Certes, chaque pays a sa propre histoire et se construit sur un ensemble de traditions qui lui sont propres. Toutefois, tous les pays membres s'accordent pour définir le régime démocratique comme le seul régime politique acceptable en Europe. Le premier principe fondamental est la séparation des pouvoirs entre pouvoir législatif (initiative et adoption des textes de lois), pouvoir exécutif (gestion de la politique courante de l'Etat) et pouvoir judiciaire (garant du respect de l'application de la loi). Au nombre des exigences minimales, l'on compte aussi la liberté et l'indépendance de la presse, qui contribue à la formation de l'opinion publique. Ce qui aujourd'hui nous semble une évidence est en fait le résultat de siècles de combats : l'égalité de tous devant la loi, l'égalité d'accès au droit de vote, la défense des Droits de l'Homme, la protection des minorités. Tous les Etats membres de l'UE sont contraints de remplir ces critères et l'adhésion de nouveaux membres est conditionnée par le respect de ces valeurs fondamentales.

Einführung des allgemeinen Wahlrechts: Für Männer in Deutschland 1867/71, in Frankreich 1848; für Frauen in Deutschland 1919, in Frankreich 1944.

Introduction du suffrage universel : en Allemagne pour les citoyens masculins en 1867/71, pour les femmes en 1919 ; en France pour les citoyens masculins en 1848 et pour les femmes en 1944.

« On ne saurait fonder le suffrage universel sur autre chose que sur cette faculté universellement répandue de dire non ou de dire oui. » Jean-Paul Sartre

und damit ihr wichtigstes demokratisches Grundrecht ausüben. Dabei gehen sie davon aus, dass es mehrere demokratische Parteien zur Auswahl gibt, die ihrerseits um die Stimmen werben. Die Bürger können sich in der Presse, im Radio oder im Fernsehen über die Politik in ihrem Land informieren. Ebenso klar ist allen Europäern, dass sie im Zweifelsfall ihre Rechte vor Gericht einklagen können. So gesehen leben die Bürger Europas in einem gemeinsamen politischen System.

Au sein de l'Union européenne, il va de soi que les citoyens de chaque Etat membre sont appelés, à intervalle régulier, à élire un parlement national, exerçant ainsi leur droit démocratique premier. Lors des élections sont représentés plusieurs partis politiques démocratiques qui font chacun leur propre campagne d'information pour recueillir le maximum de voix auprès des électeurs. Tout citoyen peut s'informer par voie de presse, par la radio ou la télévision sur la politique dans son pays. De même, il est évident pour

Der französische Philosoph Montesquieu (1689-1755) hat mit seinen Schriften erheblichen Einfluss auf die politische Theorie der Moderne gehabt. Sein Werk, das auf die Autoren der französischen Verfassung von 1791 großen Einfluss hatte, begründet die Gewaltenteilung in Legislative, Exekutive und Judikative und damit die Prinzipien jeder Demokratie.

Les écrits du philosophe Montesquieu ont eu une influence majeure sur le développement de la pensée politique moderne. Son œuvre, qui inspira les auteurs de la Constitution française de 1791, est à l'origine du principe de la séparation des pouvoirs législatif, exécutif et judiciaire, base de toute démocratie.

Wenn man genauer hinsieht, kann man jedoch schnell erhebliche Unterschiede ausmachen. In vielen Ländern hat sich die Monarchie gehalten, und die Bürger der jeweiligen Länder sind mehrheitlich Anhänger dieser Tradition. Andere Länder sind seit langem Republik und legen großen Wert darauf. Einige sind stark zentralisiert, andere eher föderal organisiert. Bei genauem Hinsehen stellt sich heraus, dass gerade Deutschland und Frankreich in vielen Punkten sehr unterschiedlich sind. Die Unterschiede sind so groß, dass man

tout Européen qu'il peut faire valoir ses droits devant un tribunal. De ce point de vue, tous les citoyens européens vivent dans un même système politique.

Cependant, si l'on examine de plus près la situation dans chaque pays, l'on constate rapidement de grandes différences. Ainsi, le régime monarchique perdure encore dans beaucoup de pays et les citoyens des Etats concernés sont majoritairement partisans de cette tradition. D'autres pays, en revanche, vivent depuis très longtemps sous un régime républicain et y sont très attachés. Certains

manchmal sogar von völlig entgegen gesetzten politischen Systemen spricht. Die Unterschiede, die in diesem Kapitel dargestellt und erläutert werden, beziehen sich sowohl auf die Merkmale des politischen Systems, als auch auf die politische Kultur und damit auf die Wahrnehmungsgewohnheiten sowie die Erwartungshaltungen der Bürger gegenüber ihrem Staat.

Die Verfassungen

Das politische System Deutschlands basiert auf dem Grundgesetz von 1949. Man hatte den Namen „Grundgesetz" und nicht „Verfassung" gewählt, weil man auf eine baldige Wiedervereinigung Deutschlands in Freiheit und Selbstbestimmung hoffte und sich erst dann eine Verfassung geben wollte. Als am 3. Oktober 1990 die Einheit Deutschlands wiederhergestellt wurde, hatte sich das Grundgesetz bewährt und blieb als Verfassung für ganz Deutschland gültig.

Etats sont très centralisés, d'autres plutôt organisés sur une base fédérale. Un examen approfondi révèle de grandes différences tout particulièrement entre la France et l'Allemagne. Les écarts sont tels que l'on parle parfois de systèmes politiques contraires. Les différences présentées et expliquées dans ce chapitre portent aussi bien sur les spécificités propres à chaque système politique que sur la culture politique de chaque pays et donc sur la perception de l'Etat par les citoyens et leurs attentes vis-à-vis de celui-ci.

Les textes constitutionnels

Le système politique allemand repose sur la Loi fondamentale – *Grundgesetz* – de 1949. A l'époque, les rédacteurs du texte ont préféré le titre de « Loi fondamentale » à celui de « Constitution », espérant assister rapidement, dans un esprit de liberté et d'autodétermination, à la réunification de leur pays. La Loi fondamentale n'était donc qu'un texte provisoire, destiné un jour à être remplacé

i

Die **Weimarer Verfassung** war die Verfassung der Weimarer Republik (1918-1933) und die erste demokratische Verfassung für Deutschland. Sie begründete eine parlamentarisch-demokratische und föderative Republik, in der die „Staatsgewalt vom Volke" ausging.
La Constitution de la République de Weimar (1918-1933) est la première constitution démocratique de l'Allemagne entière. Elle définit une République démocratique, parlementaire et fédérale dans laquelle le « pouvoir de l'Etat émane du peuple ».

Frankreich lebt heute unter der Verfassung der V. Republik. Diese Verfassung war von Charles de Gaulle am 4. Oktober 1958 durchgesetzt worden, um die Regierbarkeit des Landes zu gewährleisten.

par une Constitution. Toutefois, lorsque le 3 octobre 1990 l'Allemagne s'est réunifiée, la Loi fondamentale est restée en vigueur, ayant dès lors valeur de Constitution pour toute l'Allemagne.

Frankreich befindet sich in der V. Republik. Die I. Republik (1792-1795) wurde während der Revolution ausgerufen, die II. Republik (1848-1852) folgte auf die Februar-Revolution von 1848, die sehr lange dauernde III. Republik (1871-1940) wurde nach dem deutsch-französischen Krieg 1871 ausgerufen. Während der deutschen Besatzung im II. Weltkrieg ab 1940 wurde die Republik außer Kraft gesetzt. In der Nachkriegszeit galt von 1946-1958 die Verfassung der IV. Republik. Staatspräsident de Gaulle war der politische Vater der V. Republik, die seit 1958 die Grundlage der französischen Politik bildet.

Les Républiques qui se sont succédées en France : La 1ère République (1792-1795) a été proclamée pendant la Révolution, la IIe République (1848-1852) a suivi la révolution de 1848. La IIIe République a été proclamée après la guerre de 1870 et a duré jusqu'en 1940. En raison de l'occupation allemande, la République a été suspendue pendant la Seconde Guerre mondiale à partir de 1940. Après la guerre, la France a connu la IVe République (1946-1958). La Ve République actuelle a pour base la Constitution de 1958, adoptée à l'initiative du général de Gaulle.

In den früheren Verfassungen hatte das Parlament so große Rechte gegenüber der Exekutive erhalten, dass die Regierungen keinen klaren Kurs verfolgen konnten. Die schwach entwickelten Parteien konnten auch keine Stabilität garantieren, weshalb de Gaulle und sein Premierminister Michel Debré die Rechte des Präsidenten stärken wollten.

Die Exekutive

Wer die Aktualität im Fernsehen verfolgt, hat sich daran gewöhnt, bei den regelmäßigen deutsch-französischen Gipfeltreffen die deutsche Bundeskanzlerin und den französischen Staatspräsidenten gemeinsam auf dem Bildschirm zu sehen. Aber auch hier gilt: der zweite Blick lohnt sich. Denn neben dem Staatspräsidenten sitzt bei manchen Pressekonferenzen der französische Premierminister. Der deutsche Bundespräsident hingegen hat bei den Regierungstreffen keine Aufgabe. Was in den Fernsehbildern zum Ausdruck kommt, deutet auf unterschiedliche Rollenverteilung in der Exekutive hin. Daher soll die

La France, quant à elle, vit à l'heure actuelle sous le régime de la Vème République. La Constitution de la Vème République, dont le Général de Gaulle fut l'instigateur, fut promulguée le 4 octobre 1958 afin de renforcer l'autorité de l'Etat. En effet, les constitutions précédentes accordaient des droits beaucoup plus larges au Parlement (au détriment du pouvoir exécutif), si bien que les gouvernements ne pouvaient suivre une ligne politique bien arrêtée. Les partis politiques, faibles, ne pouvaient garantir aucune stabilité : c'est ce qui a incité De Gaulle et son Premier Ministre, Michel Debré, à vouloir renforcer les pouvoirs du Président.

Le pouvoir exécutif

Pour qui suit l'actualité, il est désormais habituel de voir apparaître sur les écrans de télévision, côte à côte, la Chancelière allemande et le Président de la République française à l'occasion de chaque sommet franco-allemand. Là encore, il est intéressant de s'attarder sur ces images officielles. Ainsi, à l'occasion de bon nombre de conférences de presse l'on peut voir le Premier Ministre français aux cô-

vergleichende Betrachtung mit der Exekutive beginnen.

Der deutsche Bundeskanzler

Der Bundeskanzler bildet gemeinsam mit den Bundesministern die Regierung der Bundesrepublik Deutschland. Er leitet die Sitzungen des Bundeskabinetts und hat das Recht, seine Minister dem Bundespräsidenten zur Ernennung oder zur Entlassung vorzuschlagen. Vor allem aber besitzt er die so genannte Richtlinienkompetenz, mit der die großen Linien der Politik vorgegeben werden. An diese Richtlinien müssen sich alle Minister halten.

Im Übrigen ist die Unabhängigkeit der Bundesminister im deutschen System relativ groß. Die Minister sind für ihren Bereich persönlich verantwortlich. Wenn ein bestimmtes Thema behandelt wird (z.B. Jugend), dann ist das jeweils zuständige Ministerium (in diesem Fall das Ministerium für Familie, Senioren, Frauen und Jugend) „federführend". Damit ist gemeint, dass die Hauptverantwortung und die

tés du Président de la République. Le Président de la République fédérale d'Allemagne, quant à lui, n'exerce aucune fonction lors des rencontres inter-gouvernementales. Ce que ces images mettent en exergue, c'est une différence dans la répartition des rôles au niveau du pouvoir exécutif entre les deux pays. Par conséquent, notre analyse comparative commence ici par la présentation des pouvoirs exécutifs.

Le Chancelier fédéral allemand

Le Chancelier fédéral et les ministres fédéraux constituent le gouvernement de la République fédérale allemande. Le Chancelier préside les séances du Conseil des Ministres. Il choisit ses ministres : il les propose au Président fédéral pour nomination ou révocation. La position de force du Chancelier repose avant tout sur sa compétence à fixer les lignes directrices de la politique gouvernementale. Chaque ministre est tenu de respecter ces lignes directrices.

Dans le système allemand, l'indépendance des ministres fédéraux est cependant rela-

Der Fall der Berliner Mauer am
9. November 1989
La chute du mur de Berlin le 9 novembre 1989

Charles de Gaulle und Konrad Adenauer am Tag der Unterzeichung des Elysée-Vertrages (22.01.1963).
Charles de Gaulle et Konrad Adenauer lors de la signature du traité de l'Elysée.

Entscheidungsgewalt bei diesem Ministerium liegen, auch wenn andere Ministerien (z.B. das Bildungsministerium) betroffen sind und daher ein Wörtchen mitzureden haben. Diese Form der Organisation der Zuständigkeit nennt man „Ressortprinzip". Dessen ungeachtet kann der jeweilige Regierungschef in einigen Politikbereichen seinen Einfluss geltend machen, das ist in den letzten Jahren vor allem in der Europapolitik der Fall gewesen.

Der Bundeskanzler wird vom Deutschen Bundestag gewählt und ist diesem gegenüber verantwortlich. Ein Wechsel im Amt des Kanzlers ist nur nach Neuwahlen möglich oder wenn ein anderer Kandidat im Bundestag eine Mehrheit gegen den amtierenden Kanzler vorweisen kann. Dieses Verfahren nennt man „konstruktives Misstrauensvotum". Der Kanzler ist die zentrale Figur der politischen Macht und hat in den vergangenen Jahren die Bedeutung des Parlaments in den Hintergrund gedrängt. Dies liegt auch an dem großen Einfluss der

tivement grande. Les ministres sont personnellement responsables de la bonne marche de leur domaine. Lorsqu'un thème particulier doit être traité (par exemple celui de la jeunesse), c'est le ministère correspondant (dans ce cas le Ministère de la Famille, des Personnes Agées, de la Femme et de la Jeunesse) qui est compétent. En d'autres termes, le ministère en question a le pouvoir de décision et porte la responsabilité de cette décision et ce, même si d'autres ministères (par exemple le Ministère de l'Education) sont concernés par ce thème et consultés lors de la prise de décision. Ce principe d'autonomie de chaque ministre pour les affaires de son ministère est dénommé *Ressortprinzip*. Toutefois le chef du gouvernement peut faire valoir son influence dans certains domaines politiques. Ces dernières années on a pu observer ce phénomène dans le domaine de la politique européenne.

Le Chancelier fédéral est élu par le *Bundestag*, la première chambre parlementaire allemande, aussi est-il responsable en première

Helmut Kohl und François Mitterrand, Verdun 1984.
Helmut Kohl et François Mitterrand à Verdun en 1984.

Gerhard Schröder und Jacques Chirac bei den Feierlichkeiten zum 60. Jahrestag der Landung der Alliierten in der Normandie (Caen, 2004).
Gerhard Schröder et Jacques Chirac lors des célébrations du 60ème anniversaire du débarquement allié en Normandie (Caen, 2004).

1963 wurde unter Staatspräsident de Gaulle und Bundeskanzler Adenauer der deutsch-französische Freundschaftsvertrag („Elysée-Vertrag") geschlossen, der die Grundlage für intensive und dauerhafte Kooperation zwischen beiden Ländern bildet. Am 22. Januar 2003 wurde anlässlich des 40. Jahrestages des Elysée-Vertrags eine noch intensivere Zusammenarbeit vereinbart. Zweimal im Jahr tagen beide Regierungen gemeinsam: Nicht nur die Regierungs- bzw. Staatschefs sondern auch alle Fachminister verabreden gemeinsame Initiativen, um die bilaterale Zusammenarbeit zu verbessern und für Europa gemeinsame Projekte zu entwickeln. 2003 wurde auch das Amt des Beauftragten für die deutsch-französische Zusammenarbeit geschaffen, der für die Koordinierung der deutsch-französischen Regierungsarbeit zuständig ist. Eine so intensive und vertrauensvolle Zusammenarbeit ist auf bilateraler Ebene weltweit einmalig.

En 1963, le général de Gaulle et le Chancelier allemand Adenauer signèrent le traité d'amitié franco-allemand, dit « Traité de l'Elysée », qui est à la base de la coopération étroite et durable entre les deux pays. Le 22 janvier 2003, lors du 40e anniversaire du traité de l'Elysée, les deux gouvernements ont encore renforcé leur coopération : ce ne sont plus seulement les chefs d'Etat ou de gouvernement qui se rencontrent deux fois par an, désormais les ministres participent également à ces sommets pour se concerter et préparer des projets communs pour l'Europe. La fonction de Secrétaire général de la coopération franco-allemande, créée en 2003, est chargée de coordonner cette coopération, dont l'intensité est unique au monde.

Medien, die sich sehr stark auf die herausragenden Persönlichkeiten konzentrieren.

Der französische Staatspräsident

Im Vergleich zum deutschen Kanzler hat der französische Staatspräsident wesentlich mehr Macht. Er wird in direkter Wahl alle 5 Jahre vom Volk gewählt und hat somit eine unmittelbare Legitimation, unabhängig von der jeweiligen Mehrheit im Parlament. Die Wahl erfolgt nach dem Mehrheitssystem: Im ersten Wahlgang können beliebig viele Kandidaten aufgestellt werden, die dann eine gewisse Prozentzahl von Stimmen auf sich vereinen. Die beiden Kandidaten mit den meisten Stimmen kommen in den zweiten Wahlgang, der den neuen Präsidenten ermittelt. Da viele Bürger den ersten Wahlgang nutzen, um ihren Gefühlen, manchmal auch ihrem Ärger Ausdruck zu verleihen, können sich die

ligne vis-à-vis de celle-ci. Un changement de chancelier en cours de mandat n'est possible que dans le cadre d'élections anticipées ou à la suite d'un « vote de défiance constructif », c'est-à-dire si le Bundestag élit, à la majorité de ses membres, un successeur au Chancelier au pouvoir. Le Chancelier est la figure centrale du pouvoir politique, reléguant depuis quelques années le rôle du Parlement au second plan. Cette situation résulte pour partie de l'influence croissante des médias qui concentrent essentiellement leur attention sur ces personnalités de la vie publique.

Le Président de la République française

Comparé à ceux du Chancelier allemand, les pouvoirs du Président de la République française sont beaucoup plus étendus. Celui-ci est élu tous les cinq ans par les citoyens, au suffrage universel direct, ce qui lui confère une légitimité directe, indépendante de tou-

Stimmen auf sehr viele Kandidaten verteilen, obwohl diese keinerlei Chance haben, den Sieg davonzutragen. So konnte es 2002 geschehen, dass neben dem Amtsinhaber Chirac der rechtsextreme Kandidat Le Pen in die zweite Wahlrunde kam, und nicht der „eigentliche" Gegenkandidat zu Chirac, der Sozialist Jospin.

Der Präsident ist die zentrale Figur in der gesamten Verfassung und wird von den Bürgern als Garant der republikanischen Werte und der nationalen Einheit angesehen. Er leitet nicht nur die Kabinettssitzungen der Regierung, sondern hat auch Rechte, die er ganz alleine ausüben kann. Dazu gehört die Ernennung und Entlassung des Premierministers, die Möglichkeit, das Parlament aufzulösen, die Möglichkeit, ein Referendum anzusetzen, die Verfügung über die Streitkräfte und damit über den Einsatz von Atomwaffen sowie die Ratifizierung von internationalen Verträgen. Überhaupt hat der Präsident auf dem internationalen Parkett die dominierende Rolle, obwohl das von der Verfassung gar nicht ausdrücklich vorgesehen ist. Seit de Gaulle wird aber nicht in Frage gestellt, dass der Präsident in Sicherheits- und außenpolitischen Fragen

te majorité parlementaire. L'élection se fait au scrutin majoritaire à deux tours. Au premier tour, le nombre de candidats n'est pas limité : au dépouillement, le calcul se fait en pourcentage de voix obtenues par chaque candidat. Ne participent au second tour que les deux candidats ayant obtenu le plus de voix. Souvent au premier tour des élections, une part non négligeable des citoyens pratique le « vote protestataire », exprimant ainsi leur mécontentement vis-à-vis de la politique pratiquée par le pouvoir en place. Par conséquent, les voix peuvent se répartir entre un grand nombre de candidats qui n'ont cependant quasiment aucune chance de remporter les élections. C'est une situation similaire qui, lors des élections en 2002, a permis au candidat de l'extrême-droite – Le Pen – d'être retenu pour le second tour des élections aux côtés du Président sortant – Jacques Chirac –, supprimant alors toute possibilité au véritable leader de l'opposition – le socialiste Jospin – de continuer la course à la Présidentielle.

Le Président est la figure centrale de la Constitution ; il est considéré par les citoyens comme le garant des valeurs républicaines et de l'unité nationale. Non seulement il préside les réunions du Conseil des ministres, mais il détient aussi des pouvoirs qui lui sont propres. Ainsi, il est le seul à pouvoir nommer et révo-

---

Das Kabinett ≠ le cabinet

„Das Kabinett" ist die Gesamtheit der Mitglieder einer Regierung .

„Le cabinet" auf Französisch bezeichnet die Gruppe von engen Mitarbeitern und Beratern eines Ministers (oder Premierministers), die eng in seine Arbeit eingebunden sind. Es handelt sich um politische Posten, die von der eigentlichen Ministerialverwaltung zu unterscheiden sind *(„les services")*. Eine richtige Übersetzung gibt es nicht, man könnte höchstens von einem sehr großen Ministerbüro sprechen. Ein „cabinet" kann bis zu 30 Mitarbeiter haben.

En allemand, le « *Kabinett* » est l'ensemble des ministres qui forment le gouvernement.

Le « cabinet » désigne en France le groupe de collaborateurs et de conseillers qui entourent directement un ministre (ou le Premier ministre). Il s'agit de postes « politiques » qu'il ne faut pas confondre avec l'administration ministérielle (« les services »). Il n'y a pas d'équivalent en Allemagne.

alleine entscheidet – man spricht hier vom *domaine réservé* des Präsidenten.

Diese Machtfülle zeigt deutlich, dass der Präsident das Herzstück der Exekutive ist. Gleichzeitig aber scheint er über den Parteien zu schweben, denn er wird direkt vom Volk gewählt und muss nicht unbedingt eine Mehrheit im Parlament haben. Wenn man die Fernsehansprachen sieht und hört, die der Präsident in unregelmäßigen Abständen an „sein Volk" richtet, kann man etwas von diesem besonderen Verhältnis zwischen dem Präsidenten und dem Volk spüren: erhabener Ton, allumfassende Gestik, die Sorge um das Allgemeinwohl der Nation und Verständnis für die Sorgen der Bürger, auch wenn diese sich als Kritik an der eigenen, vom Präsidenten eingesetzten Regierung äußern. Diese besondere Situation kann auch das Paradox erklären helfen, dass der Präsident auch bei komfortabler parlamentarischer Mehrheit der eigenen Partei den Premierminister austauscht, ihn also gewissermaßen für die Folgen der vom Präsidenten selbst vorgegebenen Politik büßen lässt. So kann er gegenüber seinen Wählern, dem Volk, den Eindruck erwecken, er höre auf die Stimme des Volkes.

Der Premierminister

Der Premierminister ist der Regierungschef. Allerdings haben wir soeben festgestellt, dass der Staatspräsident der eigentlich entscheidende Teil der Exekutive ist. Aufgrund dieser Aufgabenteilung spricht man von „doppelköpfiger Exekutive". Der Premierminister wird vom Staatspräsidenten ernannt und auch entlassen, aber er

quer le Premier Ministre, dissoudre l'Assemblée nationale, signer les traités internationaux. De surcroît, il est le chef des armées et détient ainsi la mainmise sur l'utilisation de la force atomique. Sur la scène internationale, il joue le premier rôle, bien que cela ne soit pas expressément prévu par la Constitution. Depuis De Gaulle, le pouvoir du Président de la République de décider seul sur les questions de sécurité et en matière d'affaires étrangères n'a jamais été remis en question : il s'agit là des « domaines réservés » du Président.

Cette concentration de pouvoirs entre les mains du Président montre clairement que celui-ci constitue le cœur de l'exécutif. Paradoxalement, il semble se situer au-dessus des partis, puisqu'il est élu directement par le peuple et n'a pas besoin de disposer d'une majorité au Parlement. Une analyse des allocutions télévisées que le Président de la République adresse à intervalles irréguliers à « son peuple », permet de mieux saisir la relation particulière qui le lie aux citoyens : ton solennel, gestuelle ample, souci du bien-être de la nation et compréhension pour les préoccupations des citoyens, même lorsque celles-ci se révèlent des critiques envers le gouvernement qu'il a lui-même mis en place. Cette situation particulière permet d'expliquer le fait – en soi paradoxal – que le Président, même s'il dispose d'une majorité parlementaire confortable, puisse révoquer le Premier Ministre, lui faisant ainsi porter la responsabilité de la politique gouvernementale dont il est lui-même l'initiateur. Il peut ainsi donner à ses électeurs, les citoyens, l'impression qu'il écoute la voix du peuple.

Angela Merkel (CDU),
Bundeskanzlerin
seit/depuis 2005

Nicolas Sarkozy,
Président
seit/depuis 2007

braucht zum Regieren eine Mehrheit in der ersten Parlamentskammer, denn diese kann ihm das Vertrauen entziehen. Der Premierminister leitet zwar nicht die Kabinettssitzungen, die jeden Mittwoch stattfinden, denn das tut der Staatspräsident. Seine Stellung gegenüber den anderen Ministern ist dennoch deutlich herausgehoben, denn sobald mehr als ein Ministerium von einem Vorgang betroffen ist, übernimmt er die Oberaufsicht. Anders als beim deutschen Prinzip des federführenden Ressorts machen die Ministerien die Sache nicht unter sich aus, sondern der Premierminister bekommt die Macht, zwischen unterschiedlichen Standpunkten oder Interessen zu entscheiden. In vielen Fällen müssen Entscheidungen aus Matignon (so heißt der Amtssitz des Premierministers) dann nochmals vom Staatschef im Elysée-Palast abgesegnet werden – ähnlich wie im deutschen System, wo der Bundeskanzler ein „Machtwort" sprechen und seine Richtlinienkompetenz ins Feld führen kann.

Le Premier Ministre

Le Premier Ministre est le Chef du gouvernement. Toutefois, ainsi que nous l'avons constaté ci-dessus, le véritable représentant de l'exécutif est le Président de la République. Cette répartition des fonctions amène à parler d'un « exécutif à deux têtes ». Le Premier Ministre est nommé et révoqué par le Chef de l'Etat. Pour gouverner, il doit cependant disposer d'une majorité à l'Assemblée Nationale. En effet, celle-ci peut lui retirer sa confiance. Le Premier Ministre ne préside pas les réunions du Conseil des Ministres qui se tiennent tous les mercredis : c'est le rôle du Chef de l'Etat. Toutefois, sa position est clairement supérieure à celle des autres ministres. En effet, dès que la gestion d'un dossier concerne plusieurs ministères, « Matignon » (le siège du Premier Ministre) en assure la direction. A la différence du *Ressortprinzip* allemand, les ministères ne sont pas compétents pour décider entre eux des dossiers : le Premier Ministre a la primauté et il lui revient de trancher entre des points de vue ou des intérêts divergents. Très souvent, les déci-

Aus Sicht der Bürger ist der jeweilige Premierminister unmittelbar für die politische Situation des Landes verantwortlich. Anders als der Präsident wird er eindeutig einem politischen Lager zugerechnet und spricht nicht für die gesamte Nation.

Die beiden Teile der Exekutive hängen von zwei unterschiedlichen Wahlen ab. Solange Präsident und Premier demselben politischen Lager angehören, kann das System gut funktionieren. Nun ist es aber vorgekommen, dass die Mehrheit im Parlament nicht mit der politischen Zugehörigkeit des Präsidenten übereinstimmt. Unter Staatspräsident Mitterrand und auch unter Präsident Chirac gab es diese Situation, die man *cohabitation* nennt. In diesem Fall kommt es zu der merkwürdigen Situation, dass der Staatspräsident die Kabinettssitzungen leitet, obwohl die gesamte Regierung zum politischen Gegner gehört. Auf internationalem Parkett treten dann gewöhnlich Präsident und Premierminister gemeinsam auf und bemühen sich, in wichtigen Fragen dieselbe Meinung zu vertreten.

Das Amt des Premierministers ist natürlich sehr begehrt, aber auch gefährlich. Wer Premierminister wird, erfüllt damit eine der unausgesprochenen Voraussetzungen, um später als Kandidat zur Wahl des Präsidenten in Frage zu kommen. Gleichzeitig riskiert jeder Premierminister, den Zorn der Bevölkerung zu spüren zu bekommen und dann als „glücklos" entlassen zu werden. In diesem Fall verkehrt sich der Startvorteil in sein Gegenteil und kann die politische Karriere beenden.

sions prises par Matignon doivent ensuite être soumises pour approbation au Chef de l'Etat, à l'Elysée. En cela, le système français est comparable au système allemand qui accorde au Chancelier le droit de trancher en cas de litige, faisant ainsi entrer en jeu sa compétence en terme de définition des lignes directrices.

Pour les citoyens, le Premier Ministre est directement responsable de la situation politique du pays. A la différence du Président, il est toujours perçu comme le représentant d'un parti et ne parle pas au nom de la nation entière.

La désignation des deux têtes de l'exécutif se fait à l'occasion de deux élections distinctes. Aussi longtemps que le Président et son Premier Ministre sont issus du même parti, le système fonctionne bien. Cependant, il arrive que la majorité au Parlement ne soit pas détenue par le camp auquel appartient le Président. Cette situation particulière, appelée « cohabitation », s'est déjà produite sous le mandat des Présidents Mitterrand et Chirac. Dans un régime de cohabitation, le Président dirige les réunions d'un Conseil des Ministres composé exclusivement de membres du parti adverse au sien. Sur la scène internationale, la France est alors représentée par le Président et le Premier Ministre qui, sur les questions de fond, s'efforcent de défendre la même position.

Bien évidemment, le poste de Premier Ministre est très envié, mais il est aussi très dangereux. Occuper cette fonction est en effet un atout pour espérer plus tard être un candidat sérieux pour l'élection présidentielle. Parallèlement, chaque Premier Ministre court le risque de subir le courroux populaire et d'être renvoyé de son poste. Dans ce cas, le capital

Der deutsche Bundespräsident

Das Staatsoberhaupt der Bundesrepublik Deutschland ist der Bundespräsident. Er wird von der Bundesversammlung alle 5 Jahre gewählt. Die Bundesversammlung, die einzig und allein zur Wahl des Bundespräsidenten zusammentritt, besteht aus den Abgeordneten des Bundestages und aus genauso vielen Vertretern der Bundesländer. Die Bundesländer können auch Delegierte benennen, die nicht Mitglied des Landtags, sondern Persönlichkeiten der Zivilgesellschaft sind. Der Bundespräsident kann einmal wiedergewählt werden.

Seine Aufgaben sind in erster Linie repräsentative Aufgaben, er ist nicht direkt Teil der Exekutive. Als Staatsoberhaupt hat er aber in der Außenpolitik wichtige Aufgaben wahrzunehmen. Im Namen der Bundesrepublik unterzeichnet er Verträge mit anderen Staaten, empfängt und entsendet die Botschafter. In der Regel nimmt er diese Aufgaben in enger Abstimmung mit der jeweiligen Regierung wahr, gleich ob sie ihm politisch nahe steht oder nicht. Der Bundespräsident steht also deutlich über den politischen Parteien und vertritt die Gesamtinteressen des Staates. Ohne seine Unterschrift tritt kein Gesetz in Kraft, er prüft alle Gesetze auf ihre Verfassungskonformität.

Wenn seine politische Macht also begrenzt ist und sein Einfluss eher im Hintergrund wirkt, hat er dennoch eine wichtige Rolle für die Öffentlichkeit. Viele Bundespräsidenten haben ihr Amt auch als eine moralische Aufgabe verstanden und sich in großen, weithin beachteten Reden an die gesamte Nation gewandt – als Beispiele mögen die „Ruckrede" von Roman Herzog

positif de départ s'inverse du tout au tout et peut marquer l'arrêt d'une carrière politique.

Le Président fédéral allemand

Le Président fédéral est le premier représentant de la République fédérale d'Allemagne. Il est élu tous les cinq ans par l'Assemblée fédérale, organe constitutionnel qui ne se réunit qu'à cette fin. Elle se compose des députés du *Bundestag* et d'un nombre équivalent de délégués élus par les parlements des *Länder*. D'éminentes personnalités de la société civile peuvent être nommées à l'Assemblée fédérale bien qu'elles ne soient pas membres d'un Parlement de *Land*. Le Président ne peut être réélu qu'une seule fois.

Ses attributions sont essentiellement représentatives, il ne fait pas directement partie de l'exécutif. En tant que premier représentant de l'Etat, il assume cependant d'importantes fonctions en politique extérieure. Au nom de la République fédérale, il signe les traités avec les pays étrangers, il accrédite et reçoit les ambassadeurs. En règle générale, il exerce ses fonctions en étroite concertation avec le gouvernement, que celui-ci soit ou non de la même sensibilité politique que le Président. Le Président fédéral est clairement indépendant des partis politiques et représente ainsi les intérêts communs de la nation. Aucune loi ne peut entrer en vigueur sans sa signature et il a le devoir de vérifier la conformité de chaque loi à la Constitution.

Même si ses pouvoirs politiques sont limités et si son influence s'exerce plutôt au second plan, il joue un rôle essentiel vis-à-vis de l'opinion publique. Il représente une autorité morale pour les citoyens. De nombreux présidents fédéraux ont ainsi saisi l'occasion de leurs discours à la nation pour exercer cette

Horst Köhler ist der 9. Bundespräsident. Wie seine Vorgänger erhebt er immer dann die Stimme, wenn es seiner Meinung nach das Wohl der deutschen Gesellschaft erfordert. Er ist bis 2009 gewählt und kann ein Mal wieder gewählt werden.

Horst Köhler est le 9e président de la République fédérale. Comme ses prédécesseurs, il s'exprime en public lorsqu'il estime que l'intérêt du pays l'exige. Elu par le Parlement en 2004 pour 5 ans, il aurait le droit de se représenter pour un second mandat.

oder die Rede zum 8. Mai von Richard von Weizsäcker (1985) gelten. Auch der amtierende Bundespräsident Horst Köhler hat durch sein Handeln und seine Reden große Beliebtheit bei den Bürgern erlangt.

Die Legislative

Die gesetzgebende Macht liegt in den parlamentarischen Demokratien beim Volk und den von ihm gewählten Abgeordneten. In den meisten Ländern gibt es zwei Kammern, so auch in Deutschland und Frankreich. Im deutschen Föderalismus liegt ein Teil der gesetzgebenden Gewalt bei den Landesparlamenten. Neben der repräsentativen Demokratie, bei der die Gesetze durch die Parlamente erarbeitet werden, gibt es in vielen Ländern auch Formen der direkten Demokratie, und zwar durch Volksabstimmungen oder Bürgerbegehren.

Das französische Parlament

Das Parlament besteht aus zwei Kammern, der *Assemblée nationale* und dem *Sénat*. Die Wahlen zur ersten Kammer erfolgen alle 5 Jahre in einer Mehrheitswahl. In jedem Wahlkreis gibt es einen ersten Durchgang, bei dem zur Direktwahl die absolute Mehrheit erforderlich ist. Alle Kandidaten, die im ersten Durchgang mindestens 12,5%

autorité. Parmi les plus célèbres discours, citons ici le discours dit « *Ruckrede* » (« Discours secousse » d'avril 1997) de Roman Herzog ou le « Discours du 8 mai » de Richard von Weizsäcker (1985). Horst Köhler, l'actuel Président, a par son action et ses discours d'ores et déjà gagné la sympathie et l'estime des citoyens allemands.

Le pouvoir législatif

Dans les démocraties parlementaires, le pouvoir législatif repose entre les mains du peuple et de ses députés qu'il élit. Dans la plupart des pays, et c'est le cas en France et en Allemagne, il existe deux chambres. Dans le système fédéral allemand, les parlements des *Länder* détiennent aussi une partie du pouvoir législatif. Parallèlement au système de démocratie représentative, dans lequel le Parlement fait les lois, beaucoup de pays pratiquent aussi la démocratie directe, par voie référendaire ou d'initiative populaire.

Le parlement français

Le Parlement se compose de deux chambres : l'Assemblée nationale et le Sénat. Les membres de l'Assemblée nationale sont élus tous les cinq ans au scrutin uninominal majoritaire à deux tours. Pour être élu dès le premier tour dans sa circonscription, un candidat doit obtenir la majorité absolue des

der Stimmen aller eingetragenen Wähler erhalten haben, können in der zweiten Runde antreten, wobei dann eine einfache Mehrheit genügt. Oft einigen sich die Kandidaten, die sich politisch nahe stehen, auf den aussichtsreichsten Kandidaten, um so das eigene Lager zu stärken. Insgesamt gibt es in Frankreich 577 Wahlkreise.

Die Macht der Nationalversammlung ist durch bestimmte Vorrechte der Regierung begrenzt. So legt diese die Tagesordnung in der Nationalversammlung fest. Zudem kann die Exekutive die Mitsprache des Parlaments umgehen, indem per Dekret regiert wird, das sofort in Kraft treten kann.

Die zweite Kammer im französischen parlamentarischen System heißt *Sénat*. In ihm sind die Kommunen und die *départements* vertreten. Die Amtszeit der Senatoren

suffrages exprimés. Si aucun candidat n'est élu au premier tour, tous les candidats ayant obtenu un nombre de suffrages au moins égal à 12,5% des électeurs inscrits peuvent se présenter au second tour. Pour être élu au second tour, la majorité relative suffit. Bien souvent, les candidats de courants politiques proches s'allient derrière celui d'entre eux qui a le plus de chances d'être élu, et ce afin de consolider la position de leur camp.

Le pays est composé de 577 circonscriptions. L'attribution au gouvernement d'un certain nombre de prérogatives restreint les pouvoirs de l'Assemblée nationale. Ainsi, c'est le gouvernement qui fixe l'ordre du jour des séances de l'Assemblée. De surcroît, l'exécutif peut gouverner sans l'approbation du parlement, en publiant des décrets dont l'entrée en vigueur est immédiate.

---

i

Avec son discours sur le 8 mai 1945, le président von Weizsäcker définit pour la première fois ce jour, qui scella la victoire des alliés sur l'Allemagne nazie, comme une libération du peuple allemand.

La *Ruckrede* (discours secousse) de Roman Herzog, prononcé à Berlin à le 26 avril 1997, visait à accélérer la prise de conscience du fait que l'Allemagne ne s'adaptait pas assez rapidement aux changements de sa propre société et aux transformations mondiales.

« *Hier herrscht ganz überwiegend Mutlosigkeit, Krisenszenarien werden gepflegt. Ein Gefühl der Lähmung liegt über unserer Gesellschaft* ».

---

beträgt 6 Jahre, wobei alle drei Jahre die Hälfte neu gewählt wird, wodurch eine kontinuierliche Veränderung in der Zusammensetzung des Senats erfolgt. Die Wahl der Senatoren erfolgt durch Wahlmänner, ist also eine indirekte Wahl, bei der die Gewählten aus den Gemeinden, den *départements* und den Regionen mitwirken.

Le Sénat constitue la seconde chambre dans le système parlementaire français. En son sein sont représentés les communes et les départements. Les sénateurs sont élus pour un mandat de six ans. Le Sénat est renouvelé par moitié tous les trois ans, ce qui implique une régulière modification de sa composition. Les élections se font au suffrage universel in-

Der Senat kann Gesetzesvorschläge einbringen und er wirkt an allen Gesetzgebungsverfahren durch Beratung oder Änderungsvorschläge mit. Im Zweifelsfall hat allerdings die Nationalversammlung das letzte Wort. Nur bei Verfassungsänderungen hat der Senat ein Vetorecht. Es ist auffällig, dass im französischen System viele ehemalige Minister oder auch Premierminister ihre Karriere als Mitglied des Senats fortsetzen, auch wenn ihre Partei nicht an der Macht ist. Der Senat macht somit bisweilen den Eindruck, er habe auch die Funktion, den Notablen Frankreichs einen Ort des politischen Einflusses zu gewährleisten.

Das deutsche Parlament

Der deutsche Bundestag wird alle 4 Jahre gewählt. Bei der Wahl zum Bundestag, die eine Mischung aus Mehrheits- und Verhältniswahlrecht darstellt, hat jeder Wähler zwei Stimmen. Mit der ersten Stimme wählt man den Kandidaten aus seinem eigenen Wahlkreis. Wer von diesen Erststimmen in einem Wahlkreis die einfache Mehrheit hat, zieht mit einem so genannten Direktmandat auf jeden Fall in den Bundestag ein. Die zweite Stimme gilt der Landesliste einer Partei, d.h. einer Liste von Personen, die für eine bestimmte Partei in einer bestimmten hierarchischen Ordnung kandidieren. Hier gilt das Verhältniswahlrecht: Je nach prozentualem Anteil von Zweitstimmen ziehen mehr oder weniger der Kandidaten von der Landesliste in den Bundestag ein. Der

direct, exercé par un collège électoral. Ce collège est composé de députés, de conseillers généraux et régionaux et de délégués des conseils municipaux.

Le Sénat dispose de l'initiative législative, qui peut se traduire par le dépôt de propositions de lois. Grâce à son droit de conseil et d'amendement, il participe à toutes les procédures législatives. En cas de désaccord entre les deux chambres, l'Assemblée nationale statue cependant en dernier. Le Sénat ne dispose du droit de veto que dans le cadre d'une procédure de révision de la Constitution. Il est très courant de voir d'anciens ministres ou Premiers Ministres poursuivre leur carrière politique au Sénat, même lorsque leur parti n'est plus au pouvoir. Le Sénat donne ainsi l'impression de servir de plateforme aux « notables » de France pour continuer d'exercer leur influence politique.

Le pouvoir législatif en Allemagne

Les élections du Parlement allemand, le *Bundestag*, se font tous les quatre ans. Les élections au *Bundestag* procèdent d'une combinaison de suffrage majoritaire et de suffrage proportionnel. Chaque électeur possède deux voix. Avec la première voix, il élit le candidat de sa circonscription à la majorité relative, ce qui signifie que le candidat qui obtient le plus de voix rentre par mandat direct au *Bundestag*. Avec sa seconde voix, l'électeur choisit la liste de *Land* d'un parti qui nomme ses candidats à l'échelon de chaque *Land* fédéré selon une hiérarchie déterminée. Le vote se fait dans ce cas au

---

Welche Farbe hat das Parlament?
Die deutschen Abgeordneten sitzen in blauen Sesseln, ihre französischen Kollegen tagen in rotem Samt.

Quelle couleur pour le Parlement?
Les députés français et les sénateurs siègent dans du velours rouge, leurs collègues allemands ont des fauteuils bleus.

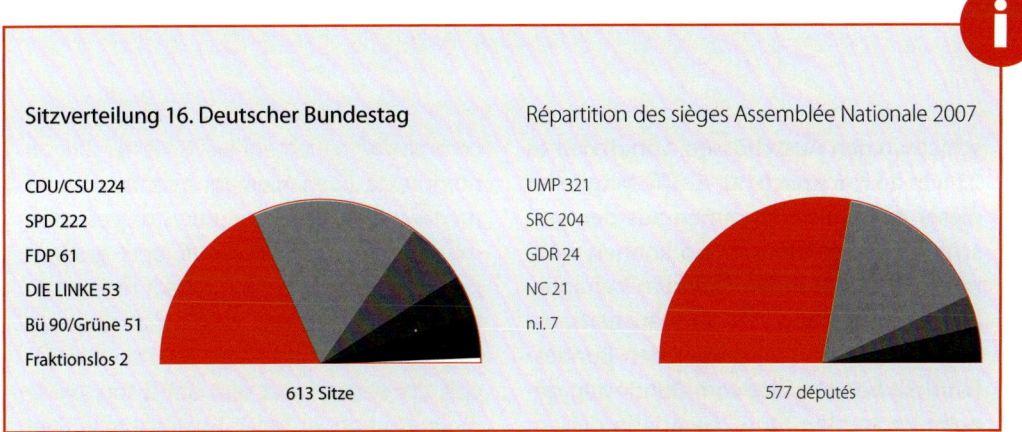

Sitzverteilung 16. Deutscher Bundestag	Répartition des sièges Assemblée Nationale 2007
CDU/CSU 224	UMP 321
SPD 222	SRC 204
FDP 61	GDR 24
DIE LINKE 53	NC 21
Bü 90/Grüne 51	n.i. 7
Fraktionslos 2	
613 Sitze	577 députés

Bundestag setzt sich also zur Hälfte (299 Sitze) aus den direkt gewählten Abgeordneten und zur Hälfte (299) aus den Landeslisten zusammen. Der entscheidende Faktor für die Sitzverteilung im Bundestag ist der prozentuale Anteil, den die Parteien in den Ländern bekommen haben. Wenn nun eine Partei mehr Direktmandate erhalten hat, als ihr eigentlich prozentual nach Zweitstimmen in dem Bundesland zustehen würde, darf trotzdem jeder direkt gewählte Abgeordnete sein Mandat behalten – sozusagen zusätzlich zur Gesamtzahl der Abgeordneten. In diesem Fall spricht man von Überhangmandaten. Ein direkt gewählter Abgeordneter darf auch dann sein Mandat behalten, wenn seine Partei an der 5%-Hürde gescheitert ist. Deshalb kann die Gesamtzahl der Sitze im Bundestag schwanken – im 16. Bundestag sind es 613 Abgeordnete.

Der Bundestag diskutiert über Gesetzesvorhaben und stimmt über die Gesetze ab. Er wählt den Kanzler und kontrolliert die Regierung. Im Bundestag finden die wichtigsten politischen Debatten statt, dort werden die gegensätzlichen Standpunkte der verschiedenen Parteien vorgetragen. Die praktische Arbeit im Parlament, d.h. die Vorbereitung von Gesetzestexten, ge-

scrutin proportionnel : les candidats d'une liste sont élus ou non au *Bundestag* en fonction du pourcentage de seconde voix que la liste a obtenu. Le *Bundestag* se compose pour moitié (299 sièges) de députés élus directement dans les circonscriptions et pour moitié (299) de députés élus sur les listes de *Land*. La répartition des pourcentages de secondes voix obtenus par les partis dans chaque *Land* constitue le facteur déterminant pour l'attribution des sièges au *Bundestag*. Si dans un *Land,* un parti obtient plus de mandats directs qu'il ne lui en revient en fonction de son pourcentage de voix, chaque député élu directement peut conserver son mandat. Dans ce cas, on parle de « mandats excédentaires ». Un député élu directement garde aussi son mandat, même si son parti n'a pas réussi à franchir la barre des 5%. Par conséquent, le nombre total de sièges au *Bundestag* peut varier. Ainsi, le 16ème *Bundestag* compte 613 députés.

Le *Bundestag* discute et vote les lois. Il élit le chancelier et contrôle le gouvernement. L'assemblée plénière du *Bundestag* est le forum des grands débats politiques, lors desquels les représentants des divers partis expriment leurs points de vue, aussi divergents soient-ils. Le travail de fond, c'est-à-dire la préparation des textes de lois est effectué en

schieht in den Ausschüssen, von denen es 22 gibt (in Frankreich nur 6). Die Mitglieder dieser Ausschüsse stammen aus den verschiedenen Fraktionen und können während ihrer Beratungen Experten befragen. Besonders wichtig ist der Haushaltsausschuss, denn hier wird über den Bundeshaushalt beraten, der vom Bundestag genehmigt werden muss. Gerade in diesem Ausschuss pocht der Bundestag gerne auf die Haushaltshoheit, die beim Bundestag liegt. Jedes Gesetzgebungsverfahren erfolgt in 3 Lesungen, d.h. ein Text wird eingebracht, dort diskutiert und dann an die Ausschüsse verwiesen. In der zweiten Lesung können dann weitere Änderungsvorschläge eingearbeitet werden, bevor es zur dritten Lesung und zur entscheidenden Abstimmung kommt.

Der Bundestag kann nicht ohne weiteres aufgelöst werden, er hat kein Selbstauflösungsrecht. In letzter Instanz kann nur der Bundespräsident die Entscheidung über vorgezogene Neuwahlen fällen. Diese Regelung ist vor dem Hintergrund der instabilen parlamentarischen Erfahrung der Weimarer Republik zu verstehen. Das System der Bundesrepublik zielt auf eine möglichst große parlamentarische Stabilität. Der Bundestag ist 1999 von Bonn nach Berlin umgezogen.

Die zweite deutsche Kammer heißt Bundesrat. In dieser Länderkammer, die sich aus den Regierungen der 16 Bundesländer zusammensetzt, gibt es insgesamt 69 Sitze und Stimmen. Die Mehrheit ist also mit 35 Stimmen gegeben. Die Anzahl der Stimmen variiert von Bundesland zu Bundesland. Dabei gibt es einen demographischen

commission parlementaire. Celles-ci sont au nombre de 22 en Allemagne contre 6 seulement en France. Les membres de ces commissions sont issus des différents groupes parlementaires et peuvent, pour réaliser ces travaux préparatoires, consulter des experts. La commission budgétaire joue un rôle décisif, car c'est en son sein qu'est formulé le projet de budget fédéral sur lequel le *Bundestag* doit ensuite délibérer. Le *Bundestag* fait valoir son pouvoir de décision finale en matière budgétaire, tout particulièrement à travers cette commission. Chaque projet de loi parcourt trois lectures : le texte est soumis au parlement où il est discuté, puis est renvoyé aux commissions compétentes. En seconde lecture, les députés peuvent apporter de nouvelles propositions de modification avant que le texte ne soit définitivement voté en troisième lecture.

La dissolution prématurée du *Bundestag* n'est possible qu'à titre exceptionnel. Le parlement lui-même ne dispose pas du droit d'auto-dissolution. En dernier recours, seul le Président fédéral peut décider de la tenue ou non d'élections anticipées. Cette réglementation a été instaurée en réaction à la constante instabilité politique de la République de Weimar. Le système politique de la République fédérale vise désormais à garantir la plus grande stabilité parlementaire possible. En 1999, le *Bundestag* a déménagé de Bonn à Berlin.

Le *Bundesrat* constitue la seconde chambre. Il représente les 16 *Länder* et est constitué de membres des gouvernements de chaque *Land*. Il compte en tout 69 sièges et voix : la majorité est donc atteinte avec 35 voix. Le nombre de voix varie d'un *Land* à l'autre en

Die deutsch-französische Parlamentariergruppe veranstaltet regelmäßig Gespräche und wechsel-seitige Informationsreisen. Seit dem Jahr 2000 findet das Kolloquium „Paris-Berlin" statt. Deutsche und französische Parlamentarier diskutieren mit Journalisten und Experten aus Wirtschaft und Wissenschaft gesellschaftspolitische Themen, die beide Nationen betreffen und vor Herausfor-derungen stellen. Ziel ist es, Gemeinsamkeiten und Spezifika zu ermitteln und möglicherweise gemeinsame Lösungsansätze auch und vor allem für die gesetzgeberische Seite zu finden.

Le groupe d'amitié France-Allemagne, qui réunit depuis 1959 des députés français et allemands, or-ganise régulièrement des débats et des voyages d'information. La conférence annuelle « Paris-Berlin » permet depuis l'an 2000 aux députés de débattre avec des journalistes et des experts sur des sujets d'actualité qui touchent les deux sociétés. Leur objectif est d'identifier les similitudes et les particulari-tés des deux pays afin de progresser ensemble, le cas échéant, vers des propositions de solutions et de législations communes.

Quelle/Source: www.andreas-schockenhoff.de, www.bundestag.de, www.assemblee-nationale.fr

Faktor (großes Bundesland – viele Stim-men), aber auch die kleinen Bundesländer haben eine Mindestanzahl von Stimmen. Das Grundgesetz, in dem diese Auftei-lung festgelegt wurde, wollte vermeiden, dass die Interessen der kleinen Länder von den großen Bundesländern ignoriert wer-den, und gleichzeitig verhindern, dass die kleinen die Entscheidungen der größeren blockieren können. Die Stimmenanzahl variiert von 3 bis 6 Stimmen, obwohl die Einwohnerzahl von 660.000 (Bremen) bis 18 Millionen (Nordrhein-Westfalen) reicht. Über den Bundesrat wirken die Länder an der Bundesgesetzgebung mit. Es ist also kein „Länderparlament", sondern eine ge-meinsame Bundesinstitution. Viele Gesetze der Bundesrepublik müssen nicht nur vom Bundestag, sondern auch vom Bundesrat beschlossen werden. Sobald Länderkom-petenzen oder die Haushalte der Bundes-länder betroffen sind, hat der Bundesrat ein Mitentscheidungsrecht. Dies führt zu einem doppelten Problem: Länderinteres-sen und Bundesinteressen stimmen nicht

fonction du nombre d'habitants (critère dé-mographique : plus le Land est grand, plus il a de voix). Pour les petits Länder, il existe cependant un nombre de voix minimum. Les rédacteurs de la Loi fondamentale, dans laquelle est fixée cette répartition, voulaient non seulement éviter que les intérêts des petits Länder soient ignorés par les grands Länder, mais aussi que les petits Länder puissent bloquer les décisions des grands. Le nombre de voix va de trois à six et ce bien que le nombre d'habitants s'étende de 660 000 (Brême) à 18 millions (Rhénanie du Nord-Westphalie).

Par leur représentation au Bundesrat, les Län-der apportent leur concours à la législation. Le Bundesrat n'est donc pas un parlement des Länder, mais une véritable institution fédérale. Une partie des lois de la Républi-que fédérale est votée non seulement par le Bundestag, mais aussi par le Bundesrat. Ainsi, dès que la compétence ou les budgets des Länder sont concernés, le Bundesrat a un pouvoir de co-décision. De cette situation

Stimmenverteilung im Bundesrat / Répartition des voix au *Bundesrat*

Bundesland	Stimmen	Bundesland	Stimmen
Baden-Württemberg	6	Niedersachsen	6
Bayern	6	Nordrhein-Westfalen	6
Berlin	4	Rheinland-Pfalz	4
Brandenburg	4	Saarland	3
Bremen	3	Sachsen	4
Hamburg	3	Sachsen-Anhalt	4
Hessen	5	Schleswig-Holstein	4
Mecklenburg-Vorpommern	3	Thüringen	4

immer überein, selbst wenn die Landesregierungen und die Bundesregierung dieselbe politische Richtung vertreten. Besonders kompliziert wird es, wenn die Mehrheit im Bundesrat eine andere politische Couleur hat als die des Bundestages, dann nämlich kann durch diese Mehrheit das Gesetzgebungsverfahren blockiert oder erheblich hinausgezögert werden.

Die Judikative

In einem Rechtsstaat gehört die wechselseitige Kontrolle der verschiedenen Verfassungsorgane zum Grundprinzip. Besonderes Gewicht in diesem Kontrollverfahren haben die Verfassungsgerichte (in Deutschland das Bundesverfassungsgericht, in Frankreich der Verfassungsrat), die über die Einhaltung der Verfassung wachen müssen.

Das Grundgesetz schreibt dem Bundesverfassungsgericht erhebliche Macht zu – vor dem Hintergrund der jüngeren deutschen Geschichte schien es sinnvoll, die Politik einer Kontrolle zu unterstellen. Jeder Bürger hat das Recht, sich an die Gerichte (und in letzter Instanz an das

découle un double problème : les intérêts des *Länder* ne s'accordent pas toujours avec ceux de la Fédération, même lorsque le gouvernement du *Land* et le gouvernement fédéral suivent la même ligne politique. La situation se complique encore, lorsque la majorité au *Bundesrat* et celle du *Bundestag* sont de couleur politique opposée : le processus législatif peut alors être en grande partie bloqué ou retardé.

Le pouvoir judiciaire

Dans un Etat de droit, le contrôle mutuel des différents organes constitutionnels est un principe fondamental. Le système de contrôle repose tout particulièrement sur les tribunaux constitutionnels (en Allemagne la Cour constitutionnelle fédérale, en France le Conseil constitutionnel) qui veillent au respect de la Constitution.

La Loi fondamentale octroie de larges pouvoirs à la Cour constitutionnelle fédérale. En effet, au regard de l'histoire récente, il a semblé judicieux aux pères de la Loi fondamentale de juguler les pouvoirs politiques au sein de l'Etat. Quiconque se considère lésé dans ses droits fondamentaux peut faire

Bundesverfassungsgericht) zu wenden, sobald er sich in seinen in der Verfassung verbrieften Grundwerten beeinträchtigt fühlt. Auch öffentliche Organe wie ein Bundesland, die Regierung, die Abgeordneten oder die Gerichte können das Verfassungsgericht anrufen. Durch seine Grundsatzentscheidungen hat „Karlsruhe" (Sitz des Verfassungsgerichts) die deutsche Politik sehr stark beeinflusst, hat also mehr getan, als nur die neuen Gesetze auf ihre Verfassungskonformität zu überprüfen. Zu brisanten gesellschaftlichen Themen wie Abtreibung, Stellung der Familie oder die Abgabenlast der Bürger hat das Bundesverfassungsgericht das letzte Wort gesprochen – die jeweilige Regierung muss die gültigen Gesetze der Grundsatzentscheidung anpassen. Insgesamt hat Karlsruhe in mehr als 140.000 Fällen sein Urteil gefällt – in der überwiegenden Mehrzahl der Fälle wurden die Klagen allerdings abgewiesen.

Mit dem Verfassungsrat ist in der französischen Verfassung von 1958 ein ganz neues Organ geschaffen worden. Die 9 Mitglieder werden je zu einem Drittel vom Staatspräsidenten und von den Präsidenten von Nationalversammlung und Senat für 9 Jahre ernannt. Der Verfassungsrat hat die Aufgabe, die allgemeinen Wahlen und Referenden zu überwachen, die Gewaltenteilung zwischen Regierung und Parlament zu gewährleisten und schließlich die Verfassungsmäßigkeit der Gesetze zu prüfen. Allerdings konnten bis 1974 nur der Staatspräsident, der Premierminister und die Präsidenten der beiden Kammern das Verfassungsgericht anrufen. 1974 änderte sich das: 60 Abgeordnete der Nationalversammlung oder 60 Senatoren

appel au tribunal compétent (et en dernier ressort adresser un recours à la Cour constitutionnelle fédérale). De même, les organes publics tels qu'un *Land*, le gouvernement fédéral, les députés ou les tribunaux eux-mêmes peuvent saisir la Cour constitutionnelle fédérale. Par son pouvoir de décision fondamental, « Karlsruhe » (siège de la Cour Constitutionelle) ne se limite donc pas à vérifier la conformité constitutionnelle des nouvelles lois, mais influence très fortement la politique allemande. La Cour constitutionnelle a régulièrement statué sur des thèmes d'une grande portée sociale tels que l'avortement, le statut de la famille ou les charges et contributions sociales : les gouvernements fédéraux de tous les courants politiques ont dû se plier aux décisions des juges de « Karlsruhe ». Jusqu'à présent, la Cour constitutionnelle a jugé plus de 140 000 affaires, qui dans leur plus grande majorité n'ont pas obtenu gain de cause.

En France, c'est la Constitution de 1958 qui a créé le Conseil constitutionnel en tant que nouvel organe. Le Conseil constitutionnel est composé de neuf membres : trois sont nommés par le Président de la République, trois par le Président de l'Assemblée nationale et trois par le Président du Sénat. Leur mandat est de neuf ans. Le Conseil constitutionnel assure une fonction de contrôle – contrôle des consultations nationales (élections et référendums), contrôle de constitutionnalité des lois. Il est aussi le garant de la répartition des pouvoirs entre parlement et gouvernement. Cependant, jusqu'en 1974 seuls le Président de la République, le Premier Ministre et les Présidents des deux chambres parlementaires pouvaient saisir le Conseil constitutionnel.

können Gesetze daraufhin überprüfen lassen, ob sie der Verfassung entsprechen. Von dieser Möglichkeit wird seither oft Gebrauch gemacht.

Depuis 1974, le Conseil peut aussi être saisi par 60 députés ou 60 sénateurs pour effectuer un contrôle des lois. Depuis lors, il est très fréquemment fait usage de cette possibilité.

Die großen Referenden in Frankreich:
De Gaulle, 27.4.1969 über die Schaffung von Regionen und über eine Reform des Senats. Nach der Ablehnung (52,4% dagegen) tritt de Gaulle zurück.
Mitterrand, 20.9.1992 über den EU-Vertrag von Maastricht, mit dem u.a. die Schaffung einer gemeinsamen Währung vereinbart wird. Dank des großen persönlichen Engagements Mitterrands geht das Referendum positiv aus, wenn auch nur mit 51%.
Chirac, 29.5.2005 über den Verfassungsvertrag für die Europäische Union, über 54% stimmen dagegen, wodurch der europäische Einigungsprozess in eine schwere Krise gerät.

Exkurs: Referenden und Volksbegehren

In Frankreich haben Referenden ein gewisses Gewicht. Das letzte Bespiel war die Volksabstimmung über den Verfassungsvertrag für die Europäische Union am 29. Mai 2005. Das größte Problem dieser Form direkter Demokratie ist, dass die Bürger die Gelegenheit nutzen können, um ihrer allgemeinen Stimmung und ihrem Unmut Ausdruck zu verleihen. Ein Referendum läuft immer Gefahr, zur Abstimmung über die Regierung (oder einzelne Personen) und nicht über die eigentliche Sachfrage zu werden. Trotzdem hat das Referendum einen hohen Stellenwert in der französischen politischen Kultur. Im Zuge der Dezentralisierung ist daher auch den Gebietskörperschaften seit kurzem das Recht zugestanden, Referenden mit Entscheidungscharakter zu allen Themen abzuhalten, die in ihre Zuständigkeit fallen. Die

Zoom sur : référendum et initiative populaire

En France les référendums ont une certaine importance. Le dernier exemple en date est celui du référendum du 29 mai 2005 sur la ratification du Traité établissant une constitution pour l'Europe. Cette forme de démocratie directe présente cependant un désavantage majeur : elle offre la possibilité aux électeurs de saisir l'occasion de ce vote pour exprimer leur sentiment général voire leur mécontentement vis-à-vis de la politique du gouvernement ou de l'un ou l'autre des représentants de l'Etat. Le risque est donc que les électeurs ne répondent pas à la véritable question posée. Malgré tout, le référendum revêt une grande importance dans la culture politique française. Dans le cadre de la décentralisation, les collectivités territoriales ont désormais le droit de procéder à des référendums locaux portant sur tous les thèmes couvrant leurs

Bürger ihrerseits können durch ihr Petitions-
recht wichtige Themen auf die Tagesordnung der zuständigen Gremien bringen.
Im deutschen Grundgesetz sind Volksabstimmungen nicht vorgesehen. Die historischen Erfahrungen der Weimarer Republik legen eine gewisse Zurückhaltung bei
direkter Demokratie nahe. Auf Bundesebene gibt es nur eine Volksbefragung, wenn
das Bundesgebiet neu gegliedert werden
soll (z. B. die Zusammenlegung von Bundesländern). Nach 1989 und in Folge vieler Bürgerbewegungen der 80er Jahre hat
die direkte Demokratie in Deutschland
einen Aufschwung erlebt. Seitdem haben
alle 16 Bundesländer die Volksgesetzge-
bung sowie Bürgerbegehren eingeführt
– allerdings unterliegen diese gewissen
Einschränkungen. So sind Themen wie
Steuern, Besoldung oder öffentliche Haushalte ausgeschlossen.

Die Parteien

In parlamentarischen Demokratien sind
politische Parteien unverzichtbarer Bestandteil des Systems. Sie gruppieren und
bündeln die verschiedenen Meinungen
und Grundüberzeugungen zu aussage-
kräftigen Programmen. Gleichzeitig tragen
sie zur Stabilität der repräsentativen Demokratien bei, die eben nicht wie direkte
Demokratie funktionieren, wo zwischen
der Staatsspitze und dem Volk ein unmit-
telbares Verhältnis besteht. Die Parteien
gehören somit zu den Zwischengewalten.
Sowohl in Frankreich als in Deutschland
werden die Parteien in der Verfassung
erwähnt. Artikel 21 des Grundgesetzes

domaines de compétences et à valeur déci-
sionnelle. Les citoyens quant à eux ont, grâce
à leur droit de pétition, la possibilité de porter
des thèmes qu'ils considèrent importants sur
l'ordre du jour des organes compétents.
En Allemagne, la Loi fondamentale ne prévoit pas la possibilité de procéder à des référendums. Les amères expériences faites sous
la République de Weimar ont conduit à une
certaine prudence vis-à-vis de toute forme
de démocratie directe. La Loi fondamentale ne prévoit le recours au référendum à
l'échelle fédérale qu'en cas de réorganisation
du territoire fédéral (par exemple lors de re-
groupements de *Länder*). Après 1989 et suite
à l'action de nombreuses organisations de la
société civile dans les années 80, la démocratie directe a pris un nouvel essor en Allemagne. Depuis lors, les 16 *Länder* ont inscrit
dans leur constitution respective un renforcement de la démocratie directe et participa-
tive, notamment par l'introduction du droit
d'initiative populaire pouvant déboucher sur
la tenue de référendums. Le recours à ces
mécanismes est cependant soumis à un certain nombre de restrictions. Ainsi, des sujets
tels que les impôts, les rémunérations ou le
budget public ne peuvent faire l'objet d'une
initiative populaire.

Les partis

Les partis politiques constituent l'un des piliers fondamentaux de toute démocratie parlementaire. Ils rassemblent et lient entre eux,
au sein d'un programme politique caractéristique, différents points de vue et convictions
fondamentales. Dans le même temps, ils
contribuent à assurer la stabilité des démo-

legt fest: „Die Parteien wirken bei der politischen Willensbildung des Volkes mit". Artikel 4 der französischen Verfassung der V. Republik hält fest: „Parteien und politische Gruppierungen wirken bei den Wahlen mit. Ihre Ausbildung und die Ausübung ihrer Tätigkeiten erfolgen frei. Sie haben die Grundsätze der nationalen Souveränität und der Demokratie zu beachten."

In der gesellschaftlichen Realität und im politischen System spielen jedoch die Parteien in Deutschland und Frankreich unterschiedliche Rollen.

craties représentatives, qui à la différence des systèmes de démocratie directe, n'établissent pas de lien direct entre le chef de l'Etat et les citoyens. Les partis représentent ainsi un des échelons intermédiaires du pouvoir. En France comme en Allemagne, les partis sont évoqués dans la Constitution. Ainsi, l'article 21 de la Loi fondamentale stipule : « Les partis concourent à la formation de la volonté politique du peuple ». L'article 4 de la Constitution française de la Vème République précise : « Les partis et groupements politiques concourent à l'expression du suffrage. Ils se

---

Bien que l'Allemagne ne connaisse pas de référendum au niveau national, une forme de participation directe des citoyens s'est créée. À plusieurs reprises, avec des conséquences lourdes pour l'histoire politique de l'Allemagne. Pendant les années 80, les « mouvements de citoyens » *(Bürgerbewegung)* se sont formés à propos des sujets de l'environnement, de l'anti-nucléaire et du désarmement. Le parti des Verts a été porté par ces mouvements. Pendant les dernières années du régime de la RDA, plusieurs groupes de citoyens ont su organiser leur opposition au régime en formant des mouvements collectifs qui ont eu, à l'étranger d'abord puis à l'intérieur de la RDA, une écoute telle qu'ils ont fortement contribué à la chute du régime communiste.

Die Parteien in Deutschland

Im heutigen Bundestag sind 6 Parteien vertreten, wobei die CDU (die in 15 Bundesländern vertreten ist) und CSU (die nur in Bayern existiert) eine gemeinsame Fraktion bilden. Die meisten wichtigen Parteien sind nach dem Kriegsende 1945 neu gegründet worden, wobei die SPD sich als Nachfolgepartei der früheren SPD versteht, die 1933 unter Hitler verboten wurde. 1979 kam die Partei der Grünen auf Bundesebene neu hinzu. Diese Partei war aus vielen Bürgerbewegungen hervorge-

forment et exercent leur activité librement. Ils doivent respecter les principes de la souveraineté nationale et de la démocratie. » Toutefois, les partis politiques jouent un rôle très différent en France et en Allemagne.

Les partis politiques en Allemagne

Actuellement, six formations politiques sont représentées au *Bundestag*. Il faut cependant noter que la CDU (présente dans 15 *Länder*) et la CSU (qui existe uniquement en Bavière) ne forment qu'un seul groupe parlementaire. Les partis politiques les plus importants ont

gangen, ist also ein gutes Beispiel für die Tatsache, dass im deutschen System die Parteien tief in der Gesellschaft verwurzelt sind. 1993 hat sich die Partei der Grünen mit der ostdeutschen Bürgerrechtsbewegung Bündnis 90 zusammengeschlossen. Das neueste Parteienbündnis, die Linke, ist eine Verbindung aus der PDS, die auf die sozialistische Einheitspartei Deutschlands (SED), die Staatspartei in der DDR, gefolgt ist, und der linken Gruppierung, die unter dem Namen WASG (Wahlalternative für Arbeit und soziale Gerechtigkeit) firmiert.

Die Parteien haben in der deutschen Gesellschaft eine starke Stellung. Sie werden von staatlicher Seite gut finanziert und können zudem auf die zahlreichen Mitglieder zählen, die mit ihren Beiträgen zur Finanzierung der Parteiarbeit beitragen. Knapp 550.000 Mitglieder der SPD und etwa 770.000 Mitglieder bei CDU und CSU sind Zahlen, von denen französische Parteien nur träumen können. Die Parteien sind aber nicht nur über die Aufstellung von Kandidaten bei der Vergabe von Mandaten die entscheidende Kraft, sondern reden auch in vielen anderen Bereichen der Gesellschaft mit. So sind z. B. die Aufsichtsgremien der öffentlichen Medien von Persönlichkeiten gebildet, bei denen man auf die jeweilige Parteizugehörigkeit oder Sympathie genau achtet. Die so genannte „Proporzregel" gilt in vielen Bereichen, selbst die höheren Posten bei den Journalisten werden nach Parteibuch oder nach Sympathie für die eine oder die andere Partei vergeben. Dies führt dazu, dass sich die Mitglieder und Mandatsträger der (großen) Parteien kennen und respektieren. In vielen Situationen, haben sie gelernt, gemeinsam

tous été refondés dans l'après Seconde Guerre Mondiale. Toutefois, l'actuel SPD se considère comme l'héritier du SPD d'autrefois qui fut interdit en 1933 par Hitler. En 1979, un nouveau parti a fait son apparition à l'échelle fédérale : *Die Grünen* (les Verts). Ce parti est né de l'initiative et de l'action de plusieurs mouvements citoyens. En ce sens, il est un exemple révélateur du fort ancrage des partis dans la société allemande. En 1993, *Die Grünen* ont fusionné avec *Bündnis 90* (Alliance 90), mouvement pour les droits civiques d'ex-Allemagne de l'Est. La nouvelle formation politique *Die Linke* (Parti de Gauche) est issue du rapprochement entre le PDS – parti communiste, successeur du SED, le Parti socialiste unifié d'ex-Allemagne de l'Est (parti d'Etat) – et les sécessionnistes de la gauche qui ont fondé le *WASG* (Alternative électorale pour l'emploi et la justice sociale).

Les partis sont très largement implantés dans la société allemande. Ils sont relativement bien subventionnés par l'Etat et peuvent de surcroît compter sur de nombreux membres qui, par leurs cotisations, contribuent eux aussi au financement du travail des partis. Ainsi, le SPD compte environ 550 000 membres, la CDU/CSU environ 770 000 : des chiffres qui font rêver les partis politiques français ! Les partis ne représentent pas seulement la force décisive dans l'attribution des mandats, mais participent aussi au processus décisionnel dans beaucoup d'autres domaines qui touchent la société. Ainsi, les organes de surveillance des médias publics comptent dans leur rang des personnalités dont on peut clairement identifier l'appartenance politique. La dite « règle de proportionnalité » s'applique dans beaucoup de domaines : même les plus hauts

Christlich-Demokratische Union Deutschlands
Présidente du parti: Angela Merkel; Adhérents: 590 000;
Fondation: Juin 1945; www.cdu.de

Christlich-Soziale Union in Bayern
Président du parti: Erwin Huber; Adhérents: 181 000;
Fondation: 12 septembre 1945; www.csu.de

Sozialdemokratische Partei Deutschlands
Président du parti: Kurt Beck; Adhérents: 550 000;
Fondation: 23 mai 1863 (ADAV); et 7 août 1869 (SDAP); www.spd.de

Freie Demokratische Partei
Président du parti: Guido Westerwelle; Adhérents: 62 700;
Fondation: 11 décembre 1948; www.liberale.de

Bündnis 90/DIE GRÜNEN
Présidents du parti: Claudia Roth, Reinhard Bütikofer; Adhérents: 46 600;
Fondation: 13 janvier 1980; www.gruene.de

DIE LINKE
Présidents: Lothar Bisky, Oskar Lafontaine; Adhérents: 61 500;
Fondation: 2007; www.die-linke.de

die politische Verantwortung zu tragen. Die Verflechtung zwischen den Parteien führt auch dazu, dass es bei Regierungswechseln keinen so totalen Bruch gibt wie in Frankreich, denn die wichtigen Parteien kennen die Gesetzesvorhaben der alten Regierung, haben persönliche Kontakte durch die Arbeit in vielen Kommissionen und können so eine gewisse Kontinuität garantieren, auch wenn die politische Richtung eine andere ist.

Parteien sind in Deutschland eine der vielen Möglichkeiten, Karriere zu machen. Wer ein hohes Amt in Politik oder auch in der hohen Verwaltung anstrebt, kann seinen Weg beschleunigen, wenn er in eine Par-

postes de journalistes sont attribués en fonction de l'affiliation à un parti. Par conséquent, les membres et les élus des (grands) partis se connaissent et se respectent. Dans beaucoup de situations, ils ont appris à assumer ensemble la responsabilité politique. L'imbrication des partis politiques entre eux est telle que les changements de gouvernement ne provoquent pas de rupture fondamentale comme c'est le cas en France. En effet, les partis les plus importants sont informés des projets de lois du gouvernement précédent et ont été régulièrement en contact avec les membres du gouvernement grâce au travail effectué en commun au sein des commissions. Ce système garantit une certaine continuité du

tei eintritt. Dann beginnt die so genannte „Ochsentour", der lange Weg vom Wahlkampf am Stammtisch und an der Plakatwand über unzählige Parteigremien und -arbeitsgruppen bis schließlich nach einer gewissen Zeit die Nominierung erfolgt. In den letzten Jahren haben es mehr junge Kandidaten geschafft als früher, für einen Landtag oder den Bundestag aufgestellt zu werden. Die Ochsentour scheint sich also manchmal zu verkürzen, was auch damit zusammenhängen kann, dass nicht immer genug junge Mitglieder einer Partei bereit sind, diesen Weg auf sich zu nehmen.

Die Parteien in Frankreich

Die gesellschaftliche Verankerung der politischen Parteien ist in Frankreich geringer als in Deutschland. Ein Blick auf die Mitgliederzahlen zeigt, dass die Akzeptanz bei den Bürgern nicht so groß ist. Ein zweiter Unterschied ist die relative Unbeständigkeit: Parteien in Frankreich ändern bisweilen den Namen, die verschiedenen Strömungen gruppieren sich neu oder Abspaltungen von etablierten Parteien machen sich selbstständig. Innerhalb großer Parteien, wie z.B. der sozialistischen Partei, gibt es sehr stark polarisierte

travail, même lorsque l'orientation politique du gouvernement change.

En Allemagne, les partis offrent l'une des multiples possibilités de faire carrière. Pour qui vise un poste à haute responsabilité en politique ou dans l'administration, l'adhésion à un parti joue un rôle d'accélérateur. Dès lors commence ce que l'on appelle communément *l'Ochsentour* (forme de parcours initiatique politique), métaphore évoquant le long chemin qui mène de l'engagement actif dans les campagnes électorales au niveau local à la représentation au sein de très nombreux organes et groupes de travail du parti jusqu'à (après un délai de temps assez long) la nomination au poste visé. Depuis quelques années, le nombre de candidats, encore jeunes, qui entrent au *Landtag* ou au *Bundestag* augmente. Il semble donc que la durée du fameux *Ochsentour* diminue dans certains cas. Ceci peut aussi s'expliquer par le fait que les partis ne comptent parfois pas assez de jeunes membres prêts à emprunter cette voie longue et difficile.

Les partis politiques en France

L'ancrage des partis dans la société est beaucoup plus faible en France qu'en Allemagne. Un coup d'œil sur le nombre d'adhérents suf-

---

„Ohne die CDU kein Adenauer, ohne die SPD kein Willy Brandt (…). Umgekehrt aber ohne de Gaulle keine gaullistische Partei, oft unter neuem Namen."
Alfred Grosser, Wie anders ist Frankreich? München 2005, S. 80.

« Pas d'Adenauer ou de Kohl sans existence préalable du parti chrétien-démocrate, pas de Willy Brandt sans parti social-démocrate. […] En France, pas de parti gaulliste (sous tous ses noms successifs) sans de Gaulle. »
Alfred Grosser, La France, semblable et différente, 2005, p. 78.

„In Frankreich erfährt selbst der erfolgreiche Staatsmann seine höchste Genugtuung in seiner Bestätigung als Literat, als homme de lettres."
Peter Scholl-Latour, Leben mit Frankreich, 1989, S. 69.

Union pour un Mouvement Populaire
Adhérents: 324 000, Fondation: 2002; www.u-m-p.org

Parti Socialiste
Premier secrétaire: François Hollande; Adhérents: 280 000;
Fondation: 1905 (SFIO), 1969 (PS); www.Parti-socialiste.fr

Mouvement Démokrate
Président: François Bayrou; Fondation: 2007;
www.mouvementdemocrate.fr

Le Nouveau Centre
Président: Hervé Morin; Fondation: 2007; www.le-nouveaucentre.org

Parti Communiste Francais
Secrétaire nationale: Marie-George Buffet; Adhérents: 138 000;
Fondation: 1920 (SFIC) puis PCF; www.pcf.fr

Les Verts
Secrétaire Général: Yann Wehrling; Adhérents: 8 600 Fondation: 1984
www.lesverts.fr

Front National
Président: Jean-Maire Le Pen; Adhérents: 60 000; Fondation: 1972
www. Frontnational.fr

Strömungen, die ein größeres Eigenleben führen als die unterschiedlichen Flügel innerhalb der großen deutschen Parteien. Alle genannten Phänomene hängen mit einer grundlegenden Tendenz zusammen, die man so beschreiben kann: Im französischen System werden Parteien zuerst mit bestimmten Individuen, mit „Köpfen" identifiziert, die ihrerseits für bestimmte Inhalte stehen. Die Bürger kennen die Namen der Spitzenpolitiker, und deshalb werden in der politischen Debatte diese Namen oft genannt, womit man dann bestimmte von ihnen vertretene Positionen meint.

fit pour constater que les partis sont moins soutenus par les citoyens français. Autre différence : la relative mouvance au sein des partis politiques en France. Ainsi, ceux-ci changent parfois de nom, les diverses formations politiques se rassemblent puis se séparent pour s'allier avec d'autres, certains courants au sein des partis établis acquièrent leur autonomie et deviennent eux-mêmes des partis. Au sein des grands partis, comme le Parti socialiste, il existe des mouvances très fortement polarisées qui disposent d'une autonomie d'action bien plus large que celle des différents courants au sein des grands partis al-

Von der breiten Öffentlichkeit werden die Parteien nicht unbedingt als diejenigen Kräfte angesehen, die den Willen des Volkes kanalisieren und damit, wie es im deutschen Grundgesetz heißt, zur Willensbildung beitragen. Parteien erscheinen eher als spaltendes Element denn als föderative Kraft.

Die Parteienlandschaft ist etwas unübersichtlich. Trotzdem kann man zwischen den beiden großen Lagern „rechts" und „links" unterscheiden, die in ihrer gegensätzlichen Blockbildung durch das Mehrheitswahlrecht immer wieder gestärkt werden. Mit einem Verhältniswahlrecht wären mehr politische Parteien in der Nationalversammlung vertreten als momentan. Der Kern des linken Blocks besteht aus der früher sehr starken kommunistischen Partei (PC) und den Sozialisten (PS), die unter Präsident Mitterrand zur stärksten Kraft der Linken wurde. Der rechte Block wurde für lange Zeit von der gaullistischen Partei angeführt und dominiert, die vor allem dem legendären General de Gaulle eine parlamentarische Mehrheit sichern sollte. Diese Gruppierung firmierte später unter dem Titel RPR (*Rassemblement pour la République*) und bildete mit der zweiten bürgerlichen Partei UDF das rechte Lager, bevor es 2002 zu einer erneuten Umbenennung und Umgruppierung kam. Heute ist die UMP (*Union pour un mouvement populaire*) die große Kraft im bürgerlichen Lager und stellt in der Nationalversammlung 313 Abgeordnete. Auf der linken Seite des Spektrums hat die PC seit dem Kriegsende erheblich an Einfluss verloren und stellt nur noch 15 Abgeordnete, während die sozialistische Partei 186

lemands. L'ensemble de ces phénomènes propres aux partis français est lié à une tendance de fond, que l'on peut expliquer ainsi : dans le système français, les partis sont d'abord identifiés par les personnalités qui les représentent, personnalités qui elles-mêmes incarnent des idées, des valeurs, des contenus. Les citoyens connaissent les noms des différents leaders et lors des débats politiques, ces mêmes noms sont très fréquemment cités, souvent pour qualifier les positions politiques que défendent ces personnalités.

L'opinion publique ne considère pas nécessairement les partis comme une force capable de canaliser la volonté et les désirs des citoyens, une force capable de contribuer à la formation de la volonté politique du peuple, ainsi que le stipule par exemple la Loi fondamentale allemande. Les partis sont plus perçus comme un élément qui divise que comme une force qui rassemble.

Le paysage politique, en ce qui concerne les partis, est somme toute assez confus. On peut cependant établir une distinction entre les deux grands camps : la « droite » et la « gauche ». La formation de ces deux blocs opposés se trouve encore renforcée par le mode de scrutin majoritaire. Le Parti communiste (PC), autrefois très puissant, et le Parti Socialiste (PS), devenu très puissant sous l'ère Mitterrand, constituent le cœur de la « gauche ». Pendant très longtemps, la « droite » a été dominée par le parti gaulliste, dont l'objectif était à l'origine d'assurer une majorité parlementaire au légendaire Général de Gaulle. Le parti a par la suite pris le nom de RPR, Rassemblement pour la République, constituant dès lors avec l'UDF, parti démocratique de centre-droit, le camp de la droite. En 2002, suite à une fusion et

Nützliche Links
Die Homepage der deutsch-französischen Zusammenarbeit:
www.deutschland-frankreich.diplo.de Die deutsch-französische Homepage wurde von den beiden Beauftragten für die deutsch-französische Zusammenarbeit am 22. Januar 2004, dem ersten deutsch-französischen Tag, eingeweiht. Der Internetauftritt gibt ein gutes Bild von der Vielfalt und der Dichte der deutsch-französischen Kooperation. Erkunden Sie die zahlreichen Funktionen: aus reiner Neugier, um genauere Informationen zu bekommen, für praktische Tipps oder einfach um sich durch die vielen deutsch-französischen Initiativen leiten zu lassen.

Liens utiles
Le site du partenariat franco-allemand a été inauguré par les Secrétaires généraux pour la coopération franco-allemande le 23 janvier 2007, à l'occasion de la journée franco-allemande. Il est le reflet de la diversité et de la densité de la coopération franco-allemande. Vous pouvez en explorer les multiples fonctions : pour une première approche, pour obtenir des informations plus détaillées, pour des conseils pratiques ou tout simplement pour vous guider parmi les nombreuses activités franco-allemandes. www. france-allemagne.fr

Grundlegende Informationen
www.tatsachen-ueber-deutschland.de – Handbuch mit Infos über Deutschland
www.magazine-deutschland.de – eine lebendige homepage über die Aktualität in Deutschland
www.deutschland.de – dieses offizielle Portal wird vom Presse- und Informationsamt der Bundesregierung gestaltet
www.bund.de – ist die offizielle Homepage der deutschen Verwaltung
www.dzt.de – das deutsche Tourismus-Portal
www.amb-allemagne.fr – die deutsche Botschaft in Paris

Informations de base
www.diplomatie.gouv.fr – Magazine sur la France distribué par le MAE
www.viepublique.fr – Infos sur la France
www.service-public.fr – site de l'administration française
de.franceguide.com – Maison de France
www.botschaft-frankreich.de – die französische Botschaft in Berlin

Sitze hat. Im linken Bündnis nehmen die Grünen eine Sonderrolle ein. Auf der Seite der extremen Rechten hält sich seit Jahrzehnten eine Partei (FN, *Front national*), die mit ausländerfeindlichen Parolen punkten

un changement de dénomination, l'UMP (Union pour un mouvement populaire) devient la force centrale à droite et occupe désormais 313 sièges à l'Assemblée. A gauche en revanche, le PC a énormément perdu en

konnte und in verschiedenen Wahlen zwischen 10% und 18% der Stimmen gewonnen hat, obwohl sie im Parlament nicht vertreten ist.

influence depuis la fin de la guerre et n'est plus représenté que par 15 députés, alors que le Parti socialiste compte 186 sièges. Au sein de l'alliance de gauche, les Verts jouent un rôle à part. A l'extrême-droite se maintient depuis des décennies un parti (FN, Front national) qui a marqué des points auprès des électeurs grâce à ses slogans xénophobes et a su ainsi gagner dans diverses élections entre 10 et 18% des voix, sans toutefois être représenté au parlement.

„Die deutsch-französische Zusammenarbeit ist zunächst ein mutiger, weltweit beispielloser Schritt, der eine friedvolle wirtschaftliche und menschliche Kooperation ermöglicht hat. Heute ist es unsere Aufgabe, durch unser Handeln, durch unsere Initiativen gemeinsam mit unseren Partnern neue Ideen zu entwickeln."

« La coopération franco-allemande est d'abord un acte courageux historique sans exemple dans le monde, qui a conduit à la paix et à la coopération humaine et économique. Notre responsabilité, à l'heure actuelle, est de trouver, de dégager par notre activité, par notre réflexion, avec d'autres, des idées nouvelles. »

André Bord, Président de la Fondation Entente franco-allemande

03

Der Staatsaufbau

L'organisation de l'État

Wer den Unterschied zwischen einem zentralisierten Staat und einem föderalen Bundesstaat erklären will, könnte kein besseres Gegensatzpaar finden als Deutschland und Frankreich. Innerhalb Europas steht die französische Republik für jahrhundert alten Zentralismus, der sich mit allen Dezentralisierungsbemühungen schwer tut. Und die Bundesrepublik steht für einen nationalen Staat, der von unten nach oben aufgebaut ist – nicht zufällig sind nach dem Krieg zuerst die Bundesländer wieder gegründet worden, bevor die Bundesrepublik ihre politische Existenz begann. Im Folgenden werden die Grundzüge der beiden Staaten erläutert und gleichzeitig die aktuellen Tendenzen zu mehr Dezentralisierung in Frankreich und zu einer Föderalismusreform in Deutschland dargestellt.

Pour expliquer la différence entre un État centralisé et un État fédéral, on ne saurait choisir de meilleurs exemples que la France et l'Allemagne. En Europe, la République française est depuis de nombreux siècles un État centralisé qui a du mal à mettre en place des réformes de décentralisation. La République Fédérale d'Allemagne, quant à elle, est un État national construit de façon hiérarchisée en partant de la base – ce n'est pas un hasard si, après la Seconde Guerre Mondiale, les *Länder* ont été refondés avant que la République fédérale elle-même ne commence à exister politiquement. La description de ces deux systèmes fera toutefois apparaître les efforts actuels de modernisation dans les deux pays : tandis que la France décentralise de plus en plus, l'Allemagne cherche à mettre en place une réforme du fédéralisme.

Der französische Staat

L'État français

Paris – dieser Name ist in der französischen Wahrnehmung stellvertretend für das Zentrum: Zentrum der Macht, Zentrum der Kultur, Zentrum der Republik. Dabei liegt Paris keineswegs im geographischen Zentrum. Aber die Konzentration der politischen Macht an der Seine hat eine so lange Tradition, dass alle gegenläufigen Bestrebungen sehr langwierig sind. Seit dem 17. Jh. waren sich die absolutistischen Könige, die Revolutionsführer und die Präsidenten weitgehend darin einig, dass Frankreich als Zentralstaat am besten regiert werden kann.

Paris – pour les Français, ce nom est indissociable du mot « centre » : Paris, centre du pouvoir ; Paris, centre de la culture ; Paris, centre de la République. Et pourtant Paris ne se trouve pas au centre géographique de la France ! Mais cela fait si longtemps que le pouvoir politique est concentré sur les rives de la Seine qu'il est difficile de faire changer les choses. Depuis le 17e siècle, les monarques absolus, les chefs de la Révolution et les présidents de la République s'accordent sur un point : la France ne peut être gouver-

Dabei ging es unter den absoluten Herrschern zunächst darum, die Macht der regionalen Fürsten zu brechen. Die Revolutionäre ihrerseits wollten die gleichen Rechte für alle französischen Bürger in allen Teilen der Republik durchsetzen – hierfür war eine straffe zentrale Verwaltung das beste Mittel. Bis heute ist es eine ungebrochene Tradition, dass der Staat per definitionem zentral ist – für französische Ohren klingt es merkwürdig, dass in deutschen Landeshauptstädten etwa ein Staatsministerium oder eine Staatskanzlei bestehen und noch unverständlicher scheint, dass die Bundesländer eigene Verfassungen haben können. Ein Satz aus der französischen Verfassung bringt es auf den Punkt: die Republik ist „eine und unteilbar". Jeder Versuch, das Gleichheits- und Einheitsgebot durch große regionale Rechte in sensiblen Bereichen auszuhöhlen, führt zu heftigen Reaktionen im rechten wie im linken politischen Lager. Der Souveränitätstransfer von der nationalen Ebene zur europäischen Union hat gleichfalls immer wieder Stimmen auf den Plan gerufen, die sich um den Verlust der nationalen Einheit sorgten.

Auch wenn die Tendenzen zur Dezentralisierung langsam aber sicher Früchte tragen, halten sich in der französischen Sprache Ausdrücke wie *„monter à Paris"* („hoch nach Paris fahren") ebenso hartnäckig wie die Auffassung, eine richtige Karriere in vielen Bereichen könne nur in Paris gemacht werden. Objektiv mögen sich auf vielen Ebenen die Regionen dynamisch entwickelt haben (in der Infrastruktur durch das TGV-Netz, in der Forschung durch die Ansiedlung großer Einrichtungen in den Regionen usw.), und dennoch bleibt für

née que par un État centralisé. Sous l'ancien régime, il s'agissait de limiter le pouvoir des nobles de province. Les révolutionnaires de 1789, quant à eux, avaient pour souci de garantir les mêmes droits à tous les citoyens français sur l'ensemble du territoire et pensaient qu'une administration centrale forte en était le meilleur garant. Jusqu'à aujourd'hui, l'État en France a toujours été par définition centralisé : il est étrange pour un Français de découvrir dans les capitales des *Länder* allemands l'existence de ministères « d'État » ou de chancelleries « d'État », et il lui semble encore plus étonnant que les *Länder* puissent avoir leur propre constitution. Une phrase de la Constitution française nous met sur la voie pour expliquer cette réaction : la République est « une et indivisible ». Toute tentative visant à affaiblir cette règle de l'égalité et de l'unité en déléguant des pouvoirs aux régions dans des domaines sensibles peut entraîner des réactions violentes à droite comme à gauche. Par ailleurs, certains craignent tout transfert de souveraineté vers l'Union européenne susceptible de menacer l'indépendance nationale.

Même si, lentement mais sûrement, les tendances à la décentralisation portent leurs fruits, des expressions comme « monter à Paris » perdurent dans la langue française – reflet de cette croyance tenace selon laquelle, dans de nombreux domaines, on ne pourrait réussir à faire carrière qu'à Paris. Les régions ont beau connaître un développement dynamique (amélioration des infrastructures de transport avec le réseau TGV, implantations d'importants centres de recherche dans les régions, etc …), Paris n'en reste pas moins le centre de la France pour la plupart des Français.

die Mehrzahl der Franzosen Paris der Dreh- und Angelpunkt Frankreichs.

Unterhalb des Staates gibt es drei Ebenen, deren Existenz in der Verfassung garantiert ist: die Kommunen, die *départements* und die Regionen. Ein wichtiger Unterschied zum deutschen Staatsaufbau ist in Frankreich die Tatsache, dass die drei Ebenen nicht als drei Hierarchieebenen verstanden werden dürfen: Die *commune* untersteht nicht dem *département*, und die *région* kann dem *département* keine Weisungen erteilen. Alle drei sind prinzipiell gleichrangig und unterstehen direkt der nationalen Ebene, dem Staat.

Die Kommunen

Wer durch die ländlichen Gebiete Frankreichs reist, auf den dortigen Marktplätzen anhält oder eine Dorfkirche besichtigen will, wird auch in kleinen Orten ein Gebäude mit der stolzen Aufschrift *Mairie* antreffen. Das Rathaus ist der Amtssitz des Bürgermeisters, und davon gibt es in Frankreich immerhin 36.800. Die Anzahl der selbstständigen Gemeinden ist in Frankreich im Vergleich zu anderen Ländern sehr hoch, da in den letzten 200 Jahren keine systematische Gemeindereform stattgefunden hat. Die große Zahl geht auf die Gebietseinteilungen des Landes zu Zeiten der französischen Revolution zurück, als man die vorherigen kirchlichen Gemeinden in republikanische Kommunen umwandelte. Mehr als 80% aller Gemeinden haben weniger als 1000 Einwohner.

Auch wenn viele Gemeinden zu klein sind und sich durch die Entwicklung der Besiedlung der Zusammenschluss vieler Gemeinden geradezu aufdrängt, will in

La Constitution française connaît trois niveaux administratifs territoriaux : les communes, les départements et les régions. Ces trois niveaux ne sont pas organisés de manière hiérarchique comme en Allemagne : la commune ne dépend pas du département, et la région ne peut pas donner de directives au département. Communes, départements et régions sont en principe sur un pied d'égalité, et placés directement sous l'autorité de l'État.

Les communes

Quiconque voyage à travers la campagne française, s'arrête sur une place de village ou veut visiter une église, trouvera à coup sûr en chemin un bâtiment portant la fière inscription de « Mairie ». La France en compte environ 36 800 : comparativement à d'autres pays, le nombre des communes est très élevé en France. En effet, cette division du territoire remonte à la Révolution française, lorsqu'on a transformé les paroisses catholiques en communes républicaines, et, depuis 200 ans, aucune réforme systématique des communes n'a été entreprise. Plus de 80% des communes comptent moins de 1000 habitants. Même si un grand nombre d'entre elles, trop petites, sont obligées de coopérer entre elles, personne en France ne veut toucher à cette tradition historique. Ainsi, les 36 800 maires – parmi lesquels il y a de plus en plus de femmes – vont continuer à exercer leur souveraineté, à célébrer des mariages en se ceignant de leur écharpe tricolore et à veiller au bien-être de la population, même dans les très petites communes. Le maire est à la fois le représentant de sa commune à l'extérieur et le représentant de l'État auprès de ses citoyens. La majeure partie des

Frankreich niemand an die historisch gewachsenen Traditionen rühren. So werden auch in Zukunft die 36.800 Bürgermeister und zunehmend Bürgermeisterinnen auch in sehr kleinen Orten die hoheitlichen Aufgaben wahrnehmen, mit umgelegter Schärpe Eheschließungen vollziehen und

femmes et hommes politiques français – députés, sénateurs ou ministres – ont exercé ou exercent encore un mandat de maire. C'est par cette fonction que commencent en France la plupart des carrières politiques. Dans les grandes villes, il est également courant que des hommes/femmes politiques de

---

Nachdem sechs Gemeinden während der Schlacht von Verdun 1916 völlig zerstört wurden, sind sie nie wieder aufgebaut worden und haben heute keine Einwohner mehr. Sie wurden als „für Frankreich gestorbene Gemeinden" bezeichnet und werden von einem Gemeinderat mit drei Mitgliedern verwaltet, die vom Präfekten des Département Meuse ernannt werden. Abgesehen von diesen Gemeinden zählt Rochefourchat (Drôme) einen einzigen Einwohner, Leménil-Mitry (Meurthe-et-Moselle) und Rouvroy-Ripont (Marne) haben zwei Einwohner.

Die räumlich kleinste Gemeinde ist Castelmoron-d'Albret in der Gironde mit 0,0376 km^2 und 62 Einwohnern.

Die deutsche Gemeinde mit den wenigsten Einwohnern ist Wiedenborstel mit 5 Einwohnern, die kleinste Fläche hat die Gemeinde Martinstein mit 0,4 km^2.

Six communes totalement dévastées pendant la bataille de Verdun en 1916 ne furent jamais reconstruites et n'ont aucun habitant. Ces communes « mortes pour la France » sont administrées par un conseil municipal de trois membres nommés par le préfet de la Meuse. A part ces six communes, on citera Rochefourchat (Drôme), qui compte un seul habitant, Leménil-Mitry (Meurthe-et-Moselle) et Rouvroy-Ripont (Marne) qui en ont deux.

La plus petite commune est Castelmoron-d'Albret, en Gironde, avec 0,0376 km^2 et 62 habitants.

La commune allemande qui a le moins d'habitants est Wiedenborstel avec 5 habitants, la plus petite commune en surface est Martinstein avec 0,4 km^2.

---

für das Wohlergehen der Bevölkerung sorgen. Der Bürgermeister ist gleichzeitig Repräsentant der Gemeinde nach außen und Vertreter des Staates gegenüber den Bürgern. Die überwiegende Mehrzahl der französischen Politiker, ob Abgeordnete, Senatoren oder Minister, war oder ist Bürgermeister. Hier haben die allermeisten politischen Karrieren in Frankreich ange-

premier plan – par exemple d'anciens ministres ou premiers ministres – se présentent aux élections municipales.

Chaque commune possède un conseil municipal dont les membres sont élus au suffrage universel direct pour 6 ans. Celui-ci désigne parmi ses membres le maire et ses adjoints. Les trois plus grandes villes françaises (Paris, Lyon et Marseille) sont divisées en arrondis-

fangen. In den großen Städten ist es auch üblich, allseits bekannte Politiker, z.B. ehemalige Minister oder Premierminister, für das Bürgermeisteramt aufzustellen. Jede Gemeinde verfügt über einen Gemeinderat *(conseil municipal)*, dessen Mitglieder in direkter Wahl für 6 Jahre gewählt werden. Dieser wählt aus seinen Reihen den Bürgermeister und dessen Beigeordnete. In drei großen französischen Städten (Paris, Marseille und Lyon) gibt es eine weitere Unterteilung der Stadt in *arrondissements*. Insgesamt haben ca. 500.000 Bürger auf lokaler Ebene ein politisches Mandat. Für die Bürger ist das Rathaus der unmittelbare Ansprechpartner für alle Verwaltungsfragen. Der Bürgermeister vertritt die Republik vor Ort – denn im Unterschied zum deutschen System sprechen die Gemeinden nicht zuerst mit dem Bundesland, in dem sie liegen, sondern sie haben einen direkten Zugang zum nationalen Staat, auch über die zweite nationale Kammer, den Senat. In jedem Rathaus hängt ein Bild des Staatspräsidenten, auf dem Kaminsims oder auf einem Sockel steht das nationale Symbol Marianne.

Das Budget der Gemeinde setzt sich aus vielen Elementen zusammen. Es gibt drei direkte Steuern, die von den Gemeinden erhoben werden und die zu großen Teilen bei der Gemeinde verbleiben: Wohnsteuer, Grundsteuer und Gewerbesteuer. Hinzu kommt eine regelmäßige Zuwendung seitens des Staates. Erhebliche Mittel im kommunalen Haushalt sind projektbezogene Mittel, die aus verschiedenen Quellen kommen: die Finanzierung von vielen Projekten der Infrastruktur ist

sements. En tout, 500 000 citoyens français environ détiennent un mandat politique à l'échelle locale.

La mairie est l'interlocuteur direct des citoyens pour toutes les questions administratives. Le maire est le représentant de la République dans sa municipalité : contrairement à ce qui se passe dans le système allemand, les communes ne sont pas obligées de s'adresser d'abord au *Land* dans lequel elles se trouvent, elles ont un accès direct à l'État (national), qu'elles passent ou non par l'intermédiaire de la deuxième chambre parlementaire, le Sénat. Dans chaque mairie, on trouve un portrait du président de la République et, trônant sur la cheminée ou sur un piédestal, le buste de Marianne.

Le budget de la commune se compose de plusieurs éléments. Il existe trois impôts directs fixés par la commune et dont elle peut disposer en grande partie : la taxe foncière, la taxe d'habitation et la taxe professionnelle. A ces ressources fiscales s'ajoute une dotation régulière de l'État. Le budget communal est alimenté en grande partie par des fonds d'origine multiple liés à des projets : en France, le financement de nombreux projets d'infrastructure est une mission d'intérêt collectif, ce qui dément l'idée que l'on se fait du centralisme à sens unique.

La plupart des communes sont si petites qu'elles dépendent dans une mesure importante de l'aide du département (et de la région). Même si elles sont censées avoir acquis une plus grande autonomie grâce aux progrès de la décentralisation, les petites communes ne disposent pas des com-

Marianne

Die ersten Darstellungen einer Frau mit phrygischer Mütze, Symbol der Freiheit und der Republik, stammen aus der Zeit der Französischen Revolution.
Während der III. Republik nimmt die Anzahl der Marianne-Statuen und -Büsten erheblich zu, vor allem in den Rathäusern. Dabei entstehen unterschiedliche Darstellungsformen, je nachdem, ob man den revolutionären oder „braven" Charakter der Marianne unterstreichen möchte. Die heute beliebtesten Darstellungen inspirieren sich an berühmten Schauspielerinnen.

Les premières représentations d'une femme à bonnet phrygien, allégorie de la Liberté et de la République, apparaissent sous la Révolution française. Sous la IIIème République, les statues et surtout les bustes de Marianne se multiplient, en particulier dans les mairies. Plusieurs types de représentation se développent, selon que l'on privilégie le caractère révolutionnaire ou le caractère 'sage' de la Marianne. Les dernières représentations, les plus en vogue dans les mairies aujourd'hui, sont celles reprenant les traits d'actrices célèbres.

in Frankreich eine Gemeinschaftsaufgabe, wo der eindimensionale Zentralismus durchbrochen wird.

Weil die meisten Gemeinden klein sind, bleiben sie von der Zusammenarbeit mit dem *département* (und der *Région*) in hohem Maße abhängig, denn trotz theoretisch größerer Autonomie durch die fortschreitende Dezentralisierung können sich die kleinen Gemeinden die erforderlichen Kompetenzen und Personalressourcen nicht selbstständig aufbauen.

Die *départements*

Die nächst größere Einheit im französischen Staatsaufbau sind die 100 *départements*, von denen 4 in Übersee liegen. Ihr Zuschnitt geht gleichfalls auf die Französische Revolution zurück. Die Revolutionäre wollten sicherstellen, dass ihre neuen

pétences et des ressources en personnel nécessaires.

Les départements

L'échelon suivant dans l'organisation de l'État français est le département. La France en compte 100, dont 4 départements d'outre-mer. Comme pour les communes, leur découpage remonte à la Révolution française. Les révolutionnaires voulaient être sûrs que les principes politiques et moraux qu'ils venaient d'instaurer seraient respectés sur l'ensemble du territoire de la République et que chaque citoyen, indépendamment du lieu où il habite, pourrait avoir accès aux bienfaits de ce nouveau mode de gouvernement. C'est pourquoi les départements ont été créés de telle sorte que leur chef-lieu (siège de la préfecture) puisse être atteint en une journée de voyage à cheval au maximum. Ce « dessin »

politischen und moralischen Prinzipien überall in der Republik respektiert wurden und dass jeder Bürger unabhängig von seinem Wohnort Zugang zu den Wohltaten der neuen Regierungsform haben konnte. Daher wurden die *départements* in ihrer Größe so gestaltet, dass der jeweilige Hauptort (der Sitz der Präfektur) innerhalb einer Tagesreise zu Pferd erreicht werden konnte. Bei diesem „Design" der Republik wurden teilweise ältere regionale Strukturen respektiert, teilweise aber auch neue Grenzen gezogen.

Die *départements* werden durch den Generalrat mit dem Präsidenten an der Spitze regiert und verwaltet. Die *départements* sind ihrerseits in *cantons* unterteilt. In jedem Kanton wählen die Bürger in direkter Wahl einen *département*-Abgeordneten für 6 Jahre. Der Rhythmus der Wahl ist zeitversetzt, so dass die Hälfte der Abgeordneten alle drei Jahre gewählt wird. Der Präsident des Generalrats muss also alle drei Jahre eine Mehrheit haben, um im Amt bestätigt zu werden. Bis zur Dezentralisierung unter François Mitterrand 1982 wurden die *départements* vom jeweiligen Präfekten kontrolliert, dem auch die Verwaltung unterstand, d.h. der nationale Staat begegnete den untergeordneten Strukturen mit einem gewissen Misstrauen. Heute stehen die Präsidenten des Generalrats an der Spitze der Exekutive. Die Präfekten sind auch heute noch vor Ort die Vertreter der staatlichen Ebene, aber sie haben lediglich die Aufgabe, die politischen Handlungen auf *département*-Ebene nachträglich zu prüfen. Ihre Macht ist allerdings noch sehr groß, weil die Gebietskörperschaften bei vielen politischen Vorhaben (z.B. Infrastruk-

de la République ne respecte pas toujours les anciennes frontières provinciales.

Chaque département est gouverné et administré par un conseil général à la tête duquel se trouve un président. Les départements sont divisés en cantons. Dans chaque canton, les citoyens élisent au suffrage universel un conseiller général pour 6 ans. Le rythme des élections fait que la moitié des élus est renouvelée tous les trois ans. Le président du conseil général doit donc, tous les trois ans, retrouver une majorité pour conserver sa fonction.

Jusqu'aux lois de décentralisation de 1982, sous François Mitterrand, les départements étaient contrôlés par un préfet qui dépendait de l'administration centrale. C'est dire que l'État considérait les collectivités territoriales de moindre importance avec une certaine méfiance. Aujourd'hui, les présidents des conseils généraux sont à la tête de l'exécutif. Les préfets restent les représentants de l'État, mais ils ont uniquement pour tâche de contrôler les décisions politiques au niveau de leur département, pour éviter des contradictions avec la législation nationale. Leur pouvoir reste toutefois très important puisque les collectivités territoriales sont tributaires du soutien financier de l'État pour certains projets (par exemple dans le domaine des infrastructures), et que l'intervention du préfet est déterminante de ce point de vue.

Les attributions des départements sont de plus en plus nombreuses. C'est eux qui doivent notamment fournir et entretenir les bâtiments des collèges, et les affaires sanitaires et sociales relèvent également de leur compétence. Au début de l'année 2006, l'État a transféré aux départements la

tur) auf die finanzielle Unterstützung des Staates angewiesen sind – hierbei ist die Mitwirkung des Präfekten wichtig.

Die *départements* sind für eine ganze Reihe von Aufgaben zuständig, die Tendenz ist steigend. So müssen sie die Gebäude der *collèges* (Sekundarstufe I) bereitstellen und unterhalten, zudem sind sie für das Sozial- und Gesundheitswesen zuständig. Zu Beginn des Jahres 2006 hat der Staat den *départements* die Verwaltung von mehr als 20.000 km Nationalstraßen übertragen.

Die Regionen

Die Versuche, den Zentralismus durch die Stärkung der regionalen Strukturen zu reduzieren, haben schon unter de Gaulle begonnen. Aber erst Mitterrand hat 1982 nennenswerte Veränderungen per Gesetz erzwungen. Die 26 Regionen sind noch nicht alt und haben erst mit der Zeit wirklich Macht erhalten. Ein wichtiger Schritt erfolgte 2003, als die Regionen in der französischen Verfassung verankert wurden. Die Regionen sind für Wirtschaftsentwicklung sowie Verkehrs- und Raumplanung zuständig. Sie haben ebenfalls die Verantwortung für die berufliche Aus- und Fortbildung, für den Bau und den Unterhalt der *lycées* (Sekundarstufe II).

Man darf die Regionen keineswegs mit den deutschen Bundesländern vergleichen, auch wenn ihre politische Bedeutung gewachsen ist. Die Regionen sind nicht selbst „Staat" – im Unterschied zu den Bundesländern. Man kann noch nicht sagen, ob die Bedeutung der *régions* zunehmen wird. Die Möglichkeit besteht zumindest, seit der Staat ihnen angeboten hat, Kompetenzen probeweise zu übertra-

responsabilité de plus de 20 000 km de routes nationales.

Les Régions

Dès de Gaulle, on a commencé à donner davantage de poids aux structures régionales. Mais il a fallu attendre les lois de régionalisation de 1982, sous François Mitterrand, pour voir de véritables changements. Les 26 régions sont encore jeunes et leur pouvoir ne s'est établi que peu à peu. Un pas important a été franchi en 2003 avec leur inscription dans la Constitution. Les attributions des régions s'étendent notamment aux domaines suivants : développement économique, aménagement du territoire, politique des transports, apprentissage et formation professionnelle, construction et entretien des lycées.

Une comparaison des régions françaises avec les *Länder* allemands n'apporterait pas grand chose, même si le rôle politique des premières a tendance à s'accroître. Les régions, contrairement aux *Länder,* ne sont pas des « États ». Le poids politique des régions va-t-il augmenter ? On peut le supposer car l'État a transféré à titre expérimental certaines compétences aux régions et elles peuvent désormais entreprendre des réformes au niveau local en votant les lois nécessaires. Des impôts locaux peuvent aussi être perçus par les régions.

Les membres du conseil régional sont élus pour 6 ans au suffrage universel direct. Le président du conseil régional est le chef de l'exécutif et détient ainsi les pouvoirs qui revenaient auparavant aux préfets de région. La part des investissements dans le budget des régions est beaucoup plus importante que dans celui des communes et des dé-

Communautés de communes	1999	2003	2004	2005
nombre de groupements	1 347	2 195	2 286	2 342
nombre de communes	15 188	26 907	28 407	29 166
population** regroupée	18 032 198	23 698 136	24 480 505	25 133 750

** La population correspond à la population totale au recensement de 1999 corrigée des recensements complémentaires, le cas échéant.

Benachbarte Gemeinden können sich zu einem Gemeindeverband zusammenschließen, der in Frankreich je nach Größe und Status als *Communauté urbaine*, *Communauté d'agglomération* oder *Communauté de communes* bezeichnet wird.

Des communes voisines peuvent se regrouper dans des ensembles plus ou moins grands sous le nom de Communauté urbaine, Communauté d'agglomération ou Communauté de communes.

gen und somit regionale Änderungen bei Gesetzen vorzunehmen. Ebenso können lokale Steuern erhoben werden.

Der Regionalrat wird auf 6 Jahre direkt gewählt. Der Präsident des Regionalrats ist der Chef der Exekutive und hat damit die Befugnisse, die früher dem Regionalpräfekten zukamen. Auf der Ebene der *région* besteht viel politischer Gestaltungsspielraum, weil der Anteil für Investitionen im Haushalt wesentlich höher ist als bei den Kommunen oder *départements*. In absoluten Zahlen sind die Haushalte der Regionen jedoch nicht so hoch. Ihr geringes Gewicht im Verhältnis zu den beiden anderen Ebenen der staatlichen Verwaltung kommt auch in der Zahl der Angestellten zum Ausdruck: Im Jahr 2003 hat der Zentralstaat 2,53 Millionen Beschäftigte, die Kommunen 1,36 Millionen, die *départements* 275.000 und die *régions* nur 12.500.

partements. Cela confère aux régions une grande liberté de gestion. Cependant, dans l'absolu, les budgets des régions restent relativement modestes. Elles emploient moins de personnel que les deux autres niveaux de l'administration française : en 2003, l'État employait 2,53 millions de personnes, les communes 1,36 million, les départements 275 000 et les régions seulement 12 500 (même si ce nombre a considérablement augmenté depuis que le personnel technique des lycées dépend des régions).

Formes intermédiaires : l'intercommunalité

L'organisation administrative de l'État comprend officiellement quatre niveaux : national, régional, départemental et communal. Mais la réalité a depuis longtemps dépassé cette division rigide. Beaucoup de communes sont trop petites pour répondre seules aux besoins des citoyens. C'est pourquoi, on assiste depuis longtemps à une tendance

Mit der Übertragung der Zuständigkeit für das technische Personal an den *lycées* steigt die Anzahl jedoch erheblich an.

Zwischenformen: *communautés de communes*

Die offizielle Ordnung des Staates hat vier Ebenen. Die Wirklichkeit hat diese starre Einteilung längst überholt. Viele Gemeinden sind zu klein, um alleine auf die Bedürfnisse der Bürger antworten zu können. Daher hat sich in den letzten Jahren eine Tendenz verstärkt, die schon eine Weile zu beobachten ist: Mehrere Gemeinden schließen sich zu größeren Einheiten zusammen (*„communauté de communes"*). Oft ist es dabei der Fall, dass eine große Stadt die umliegenden kleinen Gemeinden motiviert, die großen Probleme wie öffentlicher Nahverkehr, Müllentsorgung, Sporteinrichtungen, Straßenbau oder Kultureinrichtungen gemeinsam anzupacken. Diese Form der Zusammenarbeit hat Konjunktur: Die Grenzen der althergebrachten Gemeinden sind faktisch überholt, können durch die neue und kluge Form der Zusammenarbeit aber bewahrt bleiben. Mittlerweile sind fast 30.000 Gemeinden von diesen größeren, übergreifenden Strukturen betroffen, das sind über 80%. Und in manchen Fällen geht man sogar so weit, ein gemeinsames Budget aufzustellen und dann gemeinsam die Entwicklung des gesamten Gebiets zu planen.

Die Bundesrepublik Deutschland

Auch wenn man wenig über die politische Struktur in Deutschland weiß, so hat man schon einmal vom deutschen Föderalis-

qui s'est amplifiée au cours des dernières années : plusieurs communes se regroupent pour former une unité plus grande nommée « communauté de communes ». Souvent, une grande ville invite les petites communes qui l'entourent à régler ensemble les grands problèmes tels que transports publics, collecte et traitement des ordures, équipements sportifs et culturels, questions de voirie (on parle aussi de « communauté urbaine », de « communauté d'agglomération » ou de « métropole »). Cette forme de coopération présente des avantages : les frontières des anciennes communes, dépassées dans les faits, peuvent ainsi être conservées grâce à cette nouvelle forme intelligente de coopération. Actuellement, près de 30 000 communes sont regroupées en structures intercommunales, ce qui représente 80% d'entre elles. Et, dans certains cas, on va même plus loin en établissant un budget commun et en planifiant ensemble le développement du territoire commun.

La République fédérale d'Allemagne

Même sans connaître particulièrement bien la structure politique de l'Allemagne, tout le monde a déjà entendu parler du fédéralisme allemand. La République fédérale est formée de 16 *Länder* qui sont de véritables « États », participant pleinement au processus législatif, exécutif et judiciaire. La tradition fédérale est très ancienne en Allemagne. Lorsqu'on regarde une carte politique de l'espace germanique au 14e ou au 17e siècle, on est frappé par l'existence sur ce territoire de centaines de petites, voire de minuscules entités politiques. Il faut attendre la fin des guerres

Die Bundesrepublik Deutschland zählt 16 Bundesländer sehr unterschiedlicher Größe und Tradition. Einige sind nach dem 2. Weltkrieg neu gegründet worden, andere bestehen in dieser Form schon lange. Es wird seit einiger Zeit immer wieder die Frage gestellt, ob die Zusammenlegung einzelner Länder nicht sinnvoll wäre.

In Frankreich gibt es 22 Regionen und 4 weitere in Übersee. Ihre Zuständigkeiten sind schrittweise größer geworden, aber die Dezentralisierung ist noch lange nicht abgeschlossen.

La République fédérale d'Allemagne compte 16 *Länder* de tailles et de traditions fort différentes. Certains ont été créés après la Seconde Guerre mondiale, d'autres sont des entités politiques très anciennes. Depuis quelques années, on se pose la question de savoir s'il ne faudrait pas fusionner certains *Länder*.

Les 22 régions françaises et les 4 régions d'outre-mer (DOM et ROM) se sont vu attribuer de plus en plus de compétences. Mais la décentralisation est loin d'être achevée.

mus gehört. Die 16 Bundesländer bilden gemeinsam die Bundesrepublik, sie sind selbst „Staat" und wirken in der Legislative, der Exekutive und der Judikative als vollwertige Partner mit. Das föderale Prinzip hat eine sehr lange Tradition in Deutschland. Wenn man eine politische Landkarte der deutschsprachigen Region aus dem 14. oder 17. Jh. anschaut, wird man hunderte von kleinen oder sehr kleinen Einheiten sehen. Erst nach den napoleonischen Kriegen war die lockere Struktur des „Heiligen römischen Reiches" offiziell beendet, und es bildeten sich im 19. Jh. langsam größere Einheiten heraus, bis zur Bildung des Nationalstaates 1871.

Die Erfahrungen der Deutschen mit dem starken Zentralstaat sind sehr kurz und zudem nicht gut. Dagegen stehen viele Jahrhunderte positiver Erfahrungen mit

napoléoniennes pour que disparaisse la structure émiettée du « Saint Empire Romain Germanique ». Au 19e siècle, des unités plus grandes se sont peu à peu constituées pour, finalement, se regrouper et former l'État allemand en 1871.

Les Allemands n'ont été que rarement gouvernés par un État centralisé fort, et l'expérience n'a guère été concluante. Par contre, le principe de subsidiarité est appliqué avec succès depuis de nombreux siècles. En effet, on y considère comme positive la proximité entre les organes de décision et les citoyens. Les domaines politiques réservés exclusivement à l'État central sont limités : politique extérieure, sécurité, finances, monnaie et, en partie, politique fiscale. Les autres domaines législatifs sont, en principe, du ressort des *Länder*. Mais il arrive souvent qu'ils partagent ces compétences avec l'État central.

Das Prinzip der Subsidiarität verlangt, dass alle öffentlichen Aufgaben von der untersten und bürgernahesten Ebene ausgeführt werden müssen, sofern diese Verwaltungsebene zur Ausführung dieser Aufgabe in der Lage ist. Nur solche Aufgaben, die die Leistungsfähigkeit einer Ebene überschreiten, dürfen an die nächst höhere Ebene übertragen werden.

Le principe de subsidiarité veut que toutes les tâches publiques et administratives soient remplies par l'échelon administratif le plus proche du citoyen, à condition que cet échelon soit en mesure de le faire. Le transfert vers les échelons supérieurs de l'administration n'est permis que lorsque la tâche excède les capacités de l'échelon inférieur.

---

dem Subsidiaritätsprinzip, denn die Nähe zwischen Entscheidungsebene und betroffenem Bürger ist in der deutschen Tradition ein positiver Wert. Die politischen Bereiche, die nur von der zentralen Ebene bearbeitet werden, sind begrenzt: Außen-,

Les *Länder* ne constituent donc pas le « deuxième » niveau politique de l'État, ils sont la deuxième moitié du premier niveau, le niveau national. C'est pourquoi on trouve dans chaque *Land* une chancellerie d'État ou un ministère d'État. Les *Länder* peuvent

Sicherheits-, Finanz-, Währungs- und zum Teil Steuerpolitik. Die anderen legislativen Bereiche sind prinzipiell Aufgabe der Länder, auch wenn in vielen Fällen eine gemischte Zuständigkeit vorliegt.

Die Länder sind also nicht die „zweite" Ebene der Politik, sondern die zweite Hälfte der ersten staatlichen Ebene. Deshalb gibt es auch in jedem Bundesland eine Staatskanzlei oder ein Staatsministerium. Die Länder können eine eigene Verfassung haben, die lediglich dem Grundgesetz nicht widersprechen darf, ansonsten in der Gestaltung der Demokratie völlig frei ist.

Die Bundesländer

Es fängt mit der Sprache an. Kann man den Begriff „Land" in eine andere Sprache übersetzen? Und genauer: in Französisch? Antwort: nicht so richtig, denn im Französischen hat sich in den Kreisen, wo man deutsch-französisch arbeitet, das Fremdwort *le Land* durchgesetzt. Wollte man einen Übersetzungsversuch unternehmen, könnte man *État région* sagen, denn in der französischen Logik sind die Länder so etwas wie eine Region im Staatsrang.

Was heißt das konkret? Ein deutsches Bundesland hat gleich in mehrerer Hinsicht gesetzgebende Gewalt. Der Landtag kann eigene Gesetze verabschieden, und zwar in all denjenigen Bereichen, für die das Land zuständig ist. Dazu gehört z.B. die innere Sicherheit, also die Polizei, und der gesamte Bildungsbereich, d.h. die Schulen und Universitäten. Eine Landesregierung kann z.B. festlegen, dass in der Grundschule eine moderne Fremdsprache gelernt werden muss. Zweitens nimmt das Bundesland an der nationalen Gesetzgebung teil,

ainsi adopter leur propre constitution, du moment qu'elle est conforme à la Loi Fondamentale. Elle leur permet d'organiser la démocratie comme ils l'entendent sur leur territoire.

Les *Länder*

Il est difficile de traduire le terme *Bundesland* car il n'existe pas d'équivalent dans le système français. Dans la coopération franco-allemande, c'est donc le terme allemand « *Land* », au pluriel « *Länder* », qui s'est imposé. Si l'on voulait essayer de le traduire, on pourrait proposer « État-région » car, dans la logique française, les *Länder* sont en quelque sorte des régions qui auraient le rang d'États.

Qu'est-ce que cela signifie concrètement ? Un *Land* allemand dispose du droit de légiférer dans un certain nombre de domaines. Le *Landtag* (le parlement d'un *Land*) peut adopter ses propres lois dans tous les domaines qui dépendent de sa compétence. Ce sont notamment la sécurité intérieure (police) et le système éducatif (écoles et universités). Le gouvernement d'un *Land* peut, par exemple, décider qu'une langue étrangère doit être enseignée à l'école primaire. Le *Land* participe aussi à la législation nationale. En effet, de nombreuses lois nationales doivent être adoptées par la seconde chambre représentant les *Länder*. Dès que les intérêts des *Länder* sont menacés, une opposition se forme entre les *Länder* d'une part et le gouvernement fédéral d'autre part – la couleur politique passe alors au second plan, ce sont les intérêts propres aux parties en présence qui priment.

Par ailleurs, les *Länder* sont chargés d'une grande partie de l'administration fédérale,

weil sehr viele Bundesgesetze auch vom Bundesrat verabschiedet werden müssen. Sobald dort Länderinteressen verletzt werden, gibt es eine Opposition zwischen den Ländern und der Bundesregierung – dabei spielen dann die politischen Farben keine Rolle, sondern die jeweiligen Interessen.

Die Bundesländer übernehmen zudem einen großen Teil der Bundesverwaltung, z.B. die Steuerverwaltung. Daher ist für jeden Bürger die Ebene des Staates unmittelbar durch die Bundesländer repräsentiert. Der Staat ist sozusagen vor der Haustür, und man kann nicht – wie in Frankreich – von „denen da oben in Paris" reden. Die Länder sind nicht eine Ebene, die vom Staat „nach unten" abgegeben wurde, sondern die Länder sind die tragenden Säulen, aus denen der nationale Staat besteht. Deshalb sind auch die Bundesländer die direkten Ansprechpartner für die Gemeinden – für Verwaltung, Planung von Infrastruktur, Wirtschaftsförderung usw. Die Regierung eines Bundeslandes sieht aus wie eine komplette nationale Regierung: Bis auf den Verteidigungs- und den Außenminister sind alle Bereiche einer nationalen Regierung vertreten.

Die große politische Rolle der deutschen Bundesländer muss man historisch erklären. Viele von den heutigen 16 Bundesländern haben eine jahrhunderte lange, bedeutende Geschichte. Ob es die freien Hansestädte im Norden sind oder die Königreiche Sachsen, Bayern und Württemberg, ob Grafschaften oder Herzogtümer: Jedes deutsche Bundesland pflegt sein eigenes historisches Bewusstsein und sei-

par exemple de l'administration fiscale. Ils représentent donc directement l'État pour les citoyens. Celui-ci est pour ainsi dire à portée de main, et on ne peut parler comme en France de « ceux qui sont là-haut, à Paris ». Les *Länder* ne représentent pas un échelon de pouvoir inférieur délégué par l'État, ils sont les piliers mêmes de l'État national. Cela explique qu'ils soient les interlocuteurs directs des communes pour les questions administratives, la construction et l'entretien des infrastructures, le développement économique, etc. Le gouvernement d'un *Land* ressemble à un gouvernement national : tous les ressorts y sont représentés, à l'exception des ministères de la Défense et des Affaires étrangères.

C'est l'histoire qui explique l'importance politique des *Länder*. La plupart d'entre eux ont un passé riche et ancien. Que ce soient les villes libres de la Hanse au Nord, les royaumes de Saxe, de Bavière ou de Wurtemberg, d'anciens comtés ou duchés, chaque *Land* possède sa propre conscience historique et ses traditions administratives. Il ne faut pas oublier que l'Allemagne n'a été un État centralisé que pendant peu de temps. Dans la conscience collective allemande, la subsidiarité est donc une chose normale et naturelle : il faut chercher les solutions là où se posent les problèmes politiques, c'est-à-dire à la base.

Le financement du budget du *Land* est très complexe et il est toujours sujet à des controverses politiques. Les recettes fiscales propres aux *Länder* sont peu nombreuses (le *Kraftfahrzeugsteuer*, qui est à peu près l'équivalent de l'ancienne vignette automobile française, en fait partie), mais ils sont largement alimentés

ne eigenen Verwaltungstraditionen. Man darf nie vergessen, dass Deutschland nur für kurze Zeit ein weitgehend zentraler Nationalstaat war. In der kollektiven Erinnerung der meisten Deutschen ist daher die Subsidiarität eine völlig normale und natürliche Sache: Dort, wo die politischen Themen entstehen und die Probleme auftauchen, sollten auch die Lösungen gesucht werden.

Die Finanzierung der Landeshaushalte ist sehr kompliziert und ist immer wieder Anlass zu politischen Kontroversen. Die Länder haben nur wenige Steuereinnahmen, die ihnen alleine zukommen (z.B. die Kraftfahrzeugsteuer), dafür partizipieren sie aber ganz erheblich an den größten Steuertöpfen. Die Umsatzsteuer wird zwischen dem Bund und den Ländern aufgeteilt (Bund 56%, Länder 44%), und auch die Einkommensteuer fließt zu 42,5% an die Länder. Dabei bekommen die Länder soviel Anteile, wie sie selbst durch ihre Wirtschaftskraft erarbeitet haben. Damit die Unterschiede zwischen den einzelnen Bundesländern nicht zu groß werden, gibt es einen Länderfinanzausgleich zwischen den wirtschaftlich starken und den eher schwachen Ländern. Viele Aufgaben werden als Gemeinschaftsaufgaben bezeichnet und von Bund und Land gemeinsam finanziert. Dies gilt vor allem für große Infrastrukturprojekte oder Bauvorhaben. In diesem Fall finanziert der Bund 50% des Projekts. Und schließlich hat die lange dezentrale Geschichte der deutschen Länder dazu geführt, dass es ein stark entwickeltes Bewusstsein gibt, Bürger eines bestimmten Bundeslandes zu sein. Einige sprechen sogar von „regionalen Identitäten".

par la caisse commune. La TVA est partagée entre l'État fédéral (56%) et les *Länder* (44%). Ces derniers touchent 42,5% de l'impôt sur le revenu. Ils reçoivent une somme proportionnelle à la richesse qu'ils ont créée. Toutefois, un système de péréquation financière a été mis en place pour réduire les inégalités entre les *Länder* les plus riches et les plus pauvres.

Un grand nombre de tâches sont financées conjointement par l'État fédéral et par le *Land* : c'est notamment le cas des grands programmes d'infrastructure. L'État fédéral prend dans ce cas à sa charge 50% du financement. Cette longue tradition d'État décentralisé a fini par faire naître chez les citoyens allemands un fort sentiment d'appartenance à leur *Land*. Certains parlent même d'« identités régionales ».

Les communes

Il y a aujourd'hui en Allemagne 16 000 communes environ. La République fédérale n'en comptait que 8 500 avant la réunification, leur nombre ayant été considérablement réduit lors des grandes réformes territoriales de 1968-1978, passant de 24 400 à 8 500.

Dans l'organisation du territoire allemand, la commune peut exercer sa compétence dans tous les domaines. Conformément au principe de subsidiarité, seules les fonctions qu'elle n'est pas en mesure de remplir de façon efficace peuvent être déléguées au niveau administratif supérieur.

Le budget communal se compose de différentes ressources fiscales. Certains impôts sont perçus directement par la commune : la taxe professionnelle et la taxe foncière par exemple. Une grande partie du budget provient de l'impôt sur le revenu qui est partagé entre l'État fédéral, les *Länder* et les commu-

Die Gemeinden

Heute gibt es in Deutschland ca. 16.000 Gemeinden, die Bundesrepublik vor der Wiedervereinigung zählte nur 8.500 Gemeinden. Die Anzahl wurde in der großen Gebietsreform in der westdeutschen Bundesrepublik (1968-1978) durch Zusammenlegung kleiner Gemeinden erheblich reduziert, nämlich von ca. 24.400 auf 8.500. Die Gemeinde ist im deutschen Staatsaufbau zunächst einmal für alles zuständig. Nach dem Grundsatz der Subsidiarität sollen nur jene Aufgaben und Zuständigkeiten auf die nächst höhere Ebene übertragen werden, die von der Gemeinde nicht besser und effizienter erledigt werden können.

Das Budget einer Kommune setzt sich aus unterschiedlichen Einnahmen zusammen. Es gibt Steuern, die von den Gemeinden selbst erhoben werden, dazu gehört die Gewerbesteuer und die Grundsteuer. Ein großer Teil kommt wiederum aus der Einkommensteuer, die zwischen Bund, Ländern und Gemeinden aufgeteilt wird, 12,5% fließen den Kommunen zu.

Bei großen Projekten, die vor allem die Infrastruktur betreffen, kann der Bund den Gemeinden direkt Zuschüsse gewähren oder an einer Mischfinanzierung teilnehmen. Ansonsten haben die Kommunen vor allem einen direkten Ansprechpartner: die Länder. Im Unterschied zu Frankreich gibt es also eine klar gestufte Ordnung bei gleichzeitig großer Autonomie der einzelnen Ebenen. Man unterscheidet zwischen freiwilligen Aufgaben (z. B. Bau eines Schwimmbads), Pflichtaufgaben (Schulen, Friedhöfe usw.) und solchen Aufgaben, die von den Kommunen im Auftrag des

nes (12,5%). Pour les grands programmes, particulièrement ceux qui ont trait aux infrastructures, l'État peut octroyer une aide financière aux communes ou participer directement à un financement commun.

Les communes ont un interlocuteur direct : les *Länder*. Car, contrairement à la France, il existe une hiérarchie claire entre différents niveaux dotés chacun d'une grande autonomie. On distingue les tâches que les communes sont tenues d'exécuter (construction et entretien d'écoles, de cimetières …), celles qui sont facultatives (construction d'une piscine par exemple) et les tâches dont les communes sont chargées par le *Land* ou l'État fédéral (droit de la construction ou bureau des déclarations de domicile, par exemple).

L'organisation des communes n'est pas la même dans toute l'Allemagne. Il existe 4 formes de *Gemeindeverfassung* (= « constitution communale ») : la *Magistratsverfassung*, la *Norddeutsche Ratsverfassung*, la *Süddeutsche Ratsverfassung* et la *Bürgermeisterverfassung*. La *Magistratsverfassung*, « système du Magistrat », est appliquée en Hesse, dans le Schleswig-Holstein et à Bremerhaven. Le conseil municipal élit le maire et ses adjoints. Ceux-ci forment le *Magistrat*, un organe exécutif collégial. Chacun des membres de ce *Magistrat* a son propre domaine de compétence. Le maire est élu, suivant les *Länder*, pour une durée de 6 à 12 ans. La *Norddeutsche Ratsverfassung*, « système du conseil de l'Allemagne du Nord », est appliquée en Rhénanie du Nord-Westphalie et en Basse-Saxe. Dans ce système, c'est aussi le conseil municipal qui élit le maire, mais ce-

Landes oder Bundes ausgeführt werden (dazu gehört z. B. die Meldeverwaltung oder die Bauaufsicht).

Die politische Organisation der Gemeinden ist in Deutschland nicht einheitlich. Es gibt 4 Grundtypen der Gemeindeverfassung: die Magistratsverfassung, die norddeutsche Ratsverfassung, die süddeutsche Ratsverfassung und die Bürgermeisterverfassung.

Bei der Magistratsverfassung wird der Bürgermeister vom Gemeinderat gewählt und kontrolliert. Gemeinsam mit den Dezernenten leitet der Bürgermeister in einem kollegialen Führungsorgan die Verwaltung. Die Wahlperiode des Bürgermeisters schwankt von Bundesland zu Bundesland zwischen 6 und 12 Jahren. Die Magistratsverfassung gilt in Hessen und Schleswig-Holstein sowie in Bremerhaven. Bei der norddeutschen Ratsverfassung (Niedersachsen, Nordrhein-Westfalen) wird der Bürgermeister ebenfalls vom Gemeinderat gewählt, aber die Leitung der Verwaltung hat der Gemeindedirektor, der auch vom Gemeinderat gewählt wird. In diesem System gibt es somit eine Doppelspitze. Die süddeutsche Ratsverfassung (Bayern, Baden-Württemberg) unterscheidet sich in einem wesentlichen Punkt: der Bürgermeister wird direkt für 6 bzw. 8 Jahre (BaWü) von den Bürgern gewählt. Er ist Vorsitzender des Gemeinderats und Leiter der Verwaltung. In der Bürgermeisterverfassung schließlich wählt der Gemeinderat den Bürgermeister, der gleichzeitig Leiter der Verwaltung ist. Besonders stark und durch direkte Wahl legitimiert sind somit die Bürgermeister im Süden Deutschlands.

lui-ci a pour unique fonction de le présider. C'est le *Gemeindedirektor*, lui aussi élu par le *Gemeinderat*, qui dirige l'administration communale.

La *Süddeutsche Ratsverfassung*, « système du conseil de l'Allemagne du Sud », est appliquée en Bavière et dans le Bade-Wurtemberg. Dans ce système, le maire est élu au suffrage universel direct pour 6 ans (Bavière) ou 8 ans (Bade-Wurtemberg). Il préside le *Gemeinderat* et dirige l'administration. En raison de cette élection, les maires du Sud de l'Allemagne possèdent une plus grande légitimité que ceux du reste du pays. Ils ont donc un plus grand poids politique.

Enfin, dans la *Bürgermeisterverfassung*, « système du bourgmestre », c'est le conseil municipal qui élit le maire, lui-même le chef de l'administration.

Les *Kreise* et *Landkreise*

Les petites communes ne sont pas en mesure de remplir seules les tâches qui leur incombent. C'est pourquoi on a créé le niveau administratif des *Kreise* (que l'on peut traduire en français par « arrondissements »). Dans les *Länder* de Rhénanie du Nord-Westphalie et de Schleswig-Holstein, ces arrondissements sont nommés « *Kreise* » et, dans les autres *Länder* « *Landkreise* ». Un *Kreis* regroupe 6 à 235 communes. La plupart d'entre eux (il y en a 323 en tout) peuvent être comparés par leur taille à un département français ou à une grande communauté de communes. Leurs attributions varient suivant le *Land* dans lequel ils se trouvent. Leurs fonctions principales sont, par exemple, la distribution d'eau et d'énergie, la collecte et le traitement des ordures ménagères, les transports en commun et l'administration des véhicules.

Die Kreise und Landkreise

Kleinere Gemeinden sind nicht in der Lage, alle Aufgaben in Eigenregie zu erledigen. Daher hat man die Verwaltungsebene des Kreises (in Nordrhein-Westfalen und Schleswig-Holstein) oder des Landkreises (in den übrigen Bundesländern) geschaffen. Die Größe eines Kreises schwankt zwischen 6 und 235 Gemeinden. Die meisten Kreise (es gibt 323) sind in ihrer Größe entweder mit einem *département* oder mit einer großen *communauté de communes* zu vergleichen. Die Kreise haben je nach Bundesland etwas unterschiedliche Aufgaben. Zentrale Aufgaben sind z.B. die Grundversorgung mit Wasser und Energie, die Müllentsorgung, die öffentlichen Verkehrsmittel und die Kraftfahrzeugverwaltung.

Städte ab ca. 100.000 Einwohnern sind groß genug, um sich eine eigene vollständige Verwaltung aufzubauen – sie können deshalb „kreisfrei" sein, müssen es aber nicht. Das Budget eines Kreises setzt sich aus den Beiträgen der beteiligten Gemeinden zusammen und schwankt daher je nach Größe des Kreises und den übertragenen Aufgaben.

An der Spitze eines Landkreises steht der Landrat, der vom Kreistag gewählt wird. Die Wahlen zum Kreistag finden alle 5 Jahre, in Bayern alle 6 Jahre statt. Die Kreise sind eine Stärkung der kommunalen Ebene „von unten nach oben", denn durch ihre Größe haben sie erhebliches politisches Gewicht. Gleichzeitig sind die Kreise mit den Landratsämtern, d.h. mit der Verwaltungsbehörde des Kreises, die unterste staatliche Verwaltungsebene. Kommunale und staatliche Funktionen kommen hier zusammen.

Les villes de 100 000 habitants et plus ont les moyens d'avoir leur propre administration dans tous les domaines – c'est pourquoi elles peuvent, si elles le souhaitent, ne faire partie d'aucun *Kreis*.

Le budget d'un *Kreis* se constitue des contributions des communes qui le composent et dépend donc de l'importance du *Kreis* et des attributions qui lui reviennent.

Le chef de l'administration du *Landkreis* est le *Landrat*, élu par le *Kreistag* (= assemblée de l'arrondissement). L'élection du *Kreistag* a lieu tous les 5 ans (tous les 6 ans en Bavière). Les *Kreise* sont un renforcement du niveau communal « du bas vers le haut » car leur taille leur donne un poids politique important. En même temps, l'administration du *Kreis* représente l'échelon administratif le plus bas de l'État. Le *Kreis* cumule donc des fonctions communales et étatiques.

Forme intermédiaire : la région

Un terme nouveau est apparu dans le jargon politique de la République fédérale d'Allemagne : la région. Il ne faut pas confondre ce concept avec celui des Régions françaises, qui sont ancrées de façon autonome dans la Constitution. Toute la France est divisée en Régions. En Allemagne, la région est une association spontanée de plusieurs communes qui se regroupent parce qu'elles pensent qu'elles parviendront ainsi à mieux remplir leurs fonctions. Dans le domaine des infrastructures, de l'éducation et de la recherche mais aussi du développement économique, ces grandes unités sont d'une efficacité bien supérieure. Certaines grandes villes allemandes sont relativement modestes par rapport aux grandes métropoles européennes

Zwischenformen: die Region

Es gibt einen neuen Begriff in der politischen Sprache der Bundesrepublik Deutschland, und zwar die „Region". Nicht zu verwechseln mit der französischen *région*, die als eine eigenständige Ebene in der Verfassung verankert ist. Ganz Frankreich ist in *régions* unterteilt. Die deutsche Region hingegen ist ein freiwilliger Zusammenschluss vieler Gemeinden, die sich zu größeren Räumen verbinden, weil viele ihrer Aufgaben so am besten gelöst werden können. Im Bereich Infrastruktur, Bildung und Forschung, aber auch im Bereich der Wirtschaftsförderung haben große Einheiten bessere Handlungsspielräume. Da viele deutsche Großstädte nicht übermäßig groß sind und im Konzert der europäischen oder weltweiten Metropolen kaum wahrnehmbar sind, haben gerade im großstädtischen Umfeld die Regionen an Bedeutung gewonnen. Auf europäischer Ebene entwickeln sich mehr und mehr so genannte Metropolregionen, die auch über Staatsgrenzen hinweg organisiert werden können.

et mondiales. En se regroupant en régions d'agglomération, elles ont gagné en importance. Au niveau européen, on voit de plus en plus se développer de telles régions-métropolitaines, qui peuvent même s'organiser au-delà des frontières des États.

Crise du fédéralisme ?
Crise du centralisme ?

Les formes d'organisation de l'État sont en constante évolution. C'est vrai pour la France comme pour l'Allemagne. Le fédéralisme allemand semble avoir autant besoin d'être réformé que le centralisme français. Toutefois, il serait faux de croire qu'on va en Allemagne vers un État centralisé ou que la France, en mettant en place des réformes de décentralisation, va se transformer en État fédéral. Il ne s'agit, dans les deux pays, que d'un effort d'adaptation dans le cadre de leur système respectif.

La réforme du fédéralisme est un thème récurrent dans le débat politique allemand. Les causes de la « crise » du fédéralisme sont diverses. L'objectif principal est de simplifier les mécanismes du processus législatif, qui

---

Anzahl der deutsch-französischen Städtepartnerschaften: 2138
Regionalpartnerschaften: 17 französische Regionen haben Abkommen mit deutschen Bundesländern, zwischen Bundesländern und französischen Regionen gibt es 19 Partnerschaften, d. h. manche Länder haben zwei Partnerschaften.
Nombre des jumelages franco-allemands: 2138
Partenariat entre Régions et *Länder*: 17 Régions françaises entretiennent des coopérations avec les Länder allemands, contre 19 jumelages entre *Länder* et Régions françaises (2003), quelques *Länder* etant jumelés avec deux régions françaises.

Partnerschaft zwischen Verbänden/Associations de collectivités:
Deutscher Städte- und Gemeindebund (www.dstgb.de); Deutscher Städtetag (www.staedtetag.de); Deutscher Landkreistag (www.landkreistag.de); Association des Maires de France (www.amf.asso.fr)

Krise des Föderalismus?
Krise des Zentralismus?

Die staatlichen Organisationsformen befinden sich in dauernder Entwicklung. Das gilt in gleichem Maße für Frankreich wie Deutschland. Der deutsche Föderalismus scheint ebenso reformbedürftig wie der französische Zentralstaat. Allerdings wäre es ein Trugschluss zu glauben, in Deutschland nähere man sich einem Zentralstaatsmodell an oder in Frankreich bedeute die fortschreitende Dezentralisierung eine Tendenz zum Föderalismus. Vielmehr handelt es sich um Anpassungsphänomene im jeweils geltenden System.

In Deutschland ist Föderalismusreform ein Begriff, der sich seit einigen Jahren in der politischen Öffentlichkeit fest etabliert hat. Ausgangspunkte der „Krise" des Föderalismus gibt es mehrere: Zielsetzung ist es, die komplizierten Mechanismen bei der Gesetzgebung zu vereinfachen, die durch das Mitspracherecht des Bundesrats entstanden sind. Mehr als 60% aller Bundesgesetze müssen auch im Bundesrat eine Mehrheit finden. Das macht die Gesetzgebung schwerfällig und langwierig, zudem können die Bürger nicht klar erkennen, wer für die Gesetze eigentlich die Verantwortung trägt. Man möchte deshalb eine klarere Trennung der Verantwortung und der Zuständigkeiten, im Sinne von mehr Effizienz, Transparenz und Bürgernähe. Hauptstreitpunkt bleibt die Bildungspolitik – was aus französischer Perspektive merkwürdig ist, denn die allgemein bildende Schule ist ja gerade der Ort, wo möglichst große Chancengleichheit verwirklicht und

se trouve compliqué par le droit de regard du *Bundesrat* (chambre des *Länder*) : dans plus de 60% des cas, une loi doit obtenir l'aval du *Bundesrat* pour être adoptée (les autres lois passent uniquement par le *Bundestag* chambre des députés). Or, cela rend la législation longue et difficile. Par ailleurs, les citoyens ne savent plus qui est véritablement responsable des lois. Il a donc été décidé de délimiter plus clairement les responsabilités et les compétences respectives, dans le but d'améliorer l'efficacité, la transparence et la proximité pour les citoyens. La politique éducative est le principal sujet de discorde, chose étrange pour un Français, puisque l'école est le lieu par excellence où l'égalité des chances se doit d'être garantie et où la cohésion de la République doit être encouragée. Les finances constituent le second point controversé : la péréquation financière devant être réexaminée, il faut s'attendre à une plus forte concurrence entre les *Länder*.

En France, la décentralisation est un long processus qui a été lancé en 1982 à l'initiative du président de la République François Mitterrand. Les régions, jusqu'alors uniquement destinées à favoriser le développement économique et l'aménagement du territoire, deviennent des collectivités locales. La deuxième étape de la décentralisation, commencée en 2003 sous le Premier ministre Jean-Pierre Raffarin, leur reconnaît un statut de collectivité territoriale de plein droit, à l'instar des communes et des départements. Dans l'ensemble, on constate qu'un grand nombre de compétences ont été progressivement transférées aux régions et aux départements. Cette restructuration de l'administration conduit lentement mais

der Zusammenhalt der Republik gefördert werden sollen. Der zweite große Streitpunkt sind die Finanzen – der Länderfinanzausgleich wird überprüft und man muss sich auf einen stärkeren Wettbewerb zwischen den Bundesländern einstellen.

Die Dezentralisierung in Frankreich ist ein sehr langsamer Prozess, der durch die Initiative von Staatspräsident Mitterrand 1982 einen ersten Schub erfahren hat. Die Regionen waren zunächst in den 50er Jahren als Einheiten zur Wirtschaftsförderung und Raumplanung geschaffen worden und bekamen nun den Status von Gebietskörperschaften. Die zweite Etappe der Dezentralisierung begann 2003 unter Premierminister Raffarin, und brachte den Regionen einen eigenen Platz in der Verfassung ein. Insgesamt ist zu beobachten, dass schrittweise einzelne Kompetenzen auf die Regionen oder *départements* verlagert werden. Diese Umstrukturierung der Verwaltung hat einen langsam aber sicher eintretenden Mentalitätswechsel zur Folge: die lokalen Verwaltungen werden gestärkt, werden professioneller und kreativer in den Lösungen der gesellschaftlichen Probleme. Diese Tendenz spiegelt sich auch in der Entwicklung der Haushalte der Kommunen, *départements* und Regionen wider. In den letzten 20 Jahren ist der Staatshaushalt langsamer gewachsen als die Haushalte der anderen drei Ebenen.

sûrement à un changement des mentalités : les administrations locales sont renforcées, elles deviennent plus professionnelles et plus imaginatives dans la résolution des problèmes de société. Cette tendance se manifeste également dans l'évolution du budget des communes, départements et régions. Au cours des deux dernières décennies, le budget de l'État s'est accru plus lentement que ceux des trois autres niveaux.

04 Die Gesellschaft

La société

Die europäischen Gesellschaften sind seit dem Mittelalter, vor allem aber seit der industriellen Revolution im 19. Jahrhundert, parallele Entwicklungswege gegangen. Soziologen sind sich weitgehend darin einig, dass die Grundstrukturen der industrialisierten Staaten große Gemeinsamkeiten haben. Nach dem Ende des Feudalismus und der absolutistischen Herrscher werden im 18. Jahrhundert die Grundsteine für die modernen Demokratien in Europa gelegt, das Bürgertum wird im 19. Jahrhundert zur dominierenden Klasse. Im 20. Jahrhundert wird tendenziell die Mittelschicht immer bedeutender.

Daher stellt sich die Frage, ob eine vergleichende Darstellung der deutschen und französischen Gesellschaft überhaupt sinnvoll ist. Die Basisdaten lassen in der Tat viele Ähnlichkeiten erkennen. Die Unterschiede, von denen wir in diesem Kapitel sprechen werden, betreffen aber nicht nur die Fakten und Zahlen, sondern wir fragen auch nach den Organisationsformen innerhalb der beiden Gesellschaften. Und hier gibt es viele interessante Unterschiede. Allerdings kann man eine klare Tendenz erkennen: Die deutsche und die französische Gesellschaft gleichen sich immer mehr an, vor allem die jungen Generationen teilen ähnliche Werte, schauen die gleichen Filme, spielen die gleichen Computerspiele, kleiden sich mit den gleichen Marken und haben die gleichen Sorgen und Träume.

Depuis le Moyen Âge et a fortiori depuis la Révolution industrielle au 19e siècle, les sociétés européennes ont connu des évolutions analogues et la plupart des sociologues s'accordent à dire que les structures sociales des Etats industrialisés d'Europe possèdent de nombreux points communs. Après des siècles de féodalisme et de monarchie absolue, le 18e siècle marqua un tournant, et c'est à cette époque que furent jetés les fondements des démocraties modernes en Europe. Au 19e siècle, la bourgeoisie s'affirma comme la classe dominante avant que la classe moyenne ne gagnât en importance au cours du 20e siècle.

Ainsi, on en viendrait presque à se demander s'il est bien raisonnable de vouloir se livrer à une comparaison des sociétés française et allemande tant les données sociales de base présentent de similitudes. Mais l'objet de ce chapitre est moins de relever des divergences en s'appuyant sur des chiffres et des faits précis que de s'intéresser aux diverses formes d'organisation sociale à l'intérieur des deux pays, car c'est à ce niveau que l'on trouve les différences les plus nombreuses et les plus intéressantes. Malgré tout, l'étude sociologique fait clairement apparaître la tendance suivante : la société française et la société allemande se ressemblent de plus en plus, surtout au niveau des jeunes générations qui partagent des valeurs communes, portent des vêtement de marques identiques, regardent les mêmes films, jouent aux mêmes jeux vidéo, ont les mêmes préoccupations et les mêmes rêves.

Die gesellschaftlichen Kräfte

Die modernen Gesellschaften sind als Staat organisiert. Zwischen dem Staat und dem einzelnen Bürger gibt es eine Vielzahl von Organisationen, die zusammen die so genannte Zivilgesellschaft bilden. Diese Organisationsformen können aus privatem Interesse entstehen wie Vereine oder als Interessenvertretung von bestimmten Gruppen, beispielsweise Gewerkschaften, Arbeitgeberverbände usw. Die Zwischengewalten und die Zivilgesellschaft insgesamt sind für die politische Partizipation und Willensbildung in modernen Demokratien sehr wichtig, auch wenn die politische Macht im engeren Sinne durch

Les forces sociales en France et en Allemagne

Les sociétés modernes sont organisées au sein d'un Etat. Toutefois, entre l'Etat et l'individu-citoyen, il existe une multitude d'organisations qui relèvent de ce qui est communément appelé la société civile. Parmi ces organisations, on distingue celles qui sont créées sur la base d'intérêts privés (associations culturelles, sportives, etc.) de celles qui défendent les intérêts de groupes particuliers (syndicats, organisations patronales, etc.). Dans les démocraties modernes, les pouvoirs intermédiaires et la société civile dans son ensemble jouent un rôle très important pour la participation politique et la formation

www.bdi-online.de

Der Bund der deutschen Industrie (BDI) vertritt mehr als 100.000 Unternehmen der deutschen Industrie und des industrienahen Dienstleistungssektors.
L'Union de l'industrie allemande (BDI) représente plus de 100 000 entreprises de l'industrie et des services proches de l'industrie.

www.bda-online.de

Der Bund deutscher Arbeitgeberverbände (BDA) vertritt alle Branchen der deutschen Wirtschaft, die Mitgliedschaft ist freiwillig. 75-80% aller deutschen privaten Arbeitgeber sind im BDA vertreten.
L'Union des fédérations allemandes des employeurs (BDA) représente toutes les branches de l'économie allemande. L'adhésion est facultative. 75-80% des employeurs privés sont organisés dans le BDA.

www.medef.fr

Die französische Arbeitgeberorganisation ist das Mouvement des Entreprises de France (MEDEF). Das MEDEF spricht für 750.000 Unternehmen aller Branchen, vom ganz kleinen Betrieb bis zum Weltkonzern.
Les patrons français se sont organisés depuis 1998 dans le Mouvement des Entreprises de France, antérieurement dénommé Conseil national du patronat français. Le MEDEF représente 750 000 entreprises de toutes les branches, de la petite entreprise jusqu'au groupe international.

Wahlen auf die Volksvertreter und die Regierung übertragen wird.

Die Sozialpartner

Gesellschaftlich eine besonders wichtige Rolle haben die Sozialpartner. Hierbei handelt es sich einerseits um die Gewerkschaften und andererseits um die Arbeitgebervertreter. Prinzipiell sind sie aufgerufen, in allen Fragen, die mit der Arbeitswelt zusammenhängen, durch Verhandlungen zu Lösungen zu kommen. In diesem Punkt gibt es allerdings einen ersten wesentlichen Unterschied zwischen Deutschland und Frankreich. Die Gewerkschaften sind in Frankreich seit vielen Jahren politisch definiert. Wer also einer Gewerkschaft beitritt, nimmt damit eine politische Meinungsrichtung an. Zweitens sind die französischen Arbeitnehmer nur zu einem sehr geringen Prozentsatz gewerkschaftlich organisiert – die französische ist die weltweit am wenigsten gewerkschaftlich organisierte Arbeiterschaft. Damit haben die Gewerkschaften eine beschränkte Repräsentativität: Wie sollen drei oder mehr Gewerkschaften, die nur 6 bis 8% der Arbeitnehmer vertreten, mit den Arbeitgebern für alle Arbeitnehmer Verhandlungen führen? Dies mag erklären, warum in Frankreich die Streikformen andere sind als in Deutschland. Der Interessenausgleich zwischen Arbeitnehmern und Arbeitgebern beginnt in Frankreich oft mit mehr oder weniger spektakulären Streikbewegungen. Dabei geht es zunächst darum, die eigenen Kräfte zu messen und zu testen, ob die Streikbewegung angenommen wird und stark genug ist, um die Gegenpartei an den Verhandlungstisch zu zwingen. Erst streiken, dann

de l'opinion publique même si, au sens strict, ce sont les élections qui confèrent le pouvoir politique aux députés et au gouvernement.

Les partenaires sociaux

En France comme en Allemagne, les partenaires sociaux, qu'il s'agisse des syndicats ou des organisations patronales, jouent un rôle fondamental au sein de la société puisqu'ils ont pour vocation première d'apporter des solutions à tous les problèmes relatifs au monde du travail par le biais de la négociation. Toutefois, il convient déjà de signaler une première différence importante entre les deux pays. En effet, en France, les syndicats sont depuis bien longtemps politisés et quiconque adhère à un syndicat accepte par la même occasion de suivre une certaine orientation politique. De plus, seul un faible pourcentage des salariés français est syndiqué – d'ailleurs, la France est à l'échelle mondiale le pays où le taux de syndicalisation est le plus bas. De ce fait, la représentativité des syndicats français est très limitée, ce qui pose la question de leur place dans les négociations salariales. En effet, comment trois ou quatre syndicats, qui ne représentent que 6 à 8% des salariés, peuvent-ils prétendre mener des négociations avec les organisations patronales au nom de l'ensemble des salariés français? Cette situation permet aussi d'expliquer pourquoi le recours au droit de grève s'exerce tout à fait différemment en France et en Allemagne. En France, les négociations syndicats-patronat sont souvent précédées de mouvements de grève plus ou moins spectaculaires, qui ont pour objectif premier de permettre à leurs initiateurs de mesurer le soutien dont ils disposent dans leurs propres rangs et de tester si ces mou-

verhandeln – so könnte man die Sache auf den Punkt bringen. Eine weitere französische Besonderheit ist der große Einfluss des Staates auf die Verhandlungen der Sozialpartner. Kein anderes europäisches Land hat wie Frankreich die Wochenarbeitszeit

vements vont être suffisamment forts pour contraindre la partie adverse à s'asseoir à la table des négociations.

En outre, l'influence prépondérante de l'Etat sur les négociations entre les partenaires sociaux est une autre caractéristique française.

 Der Deutsche Gewerkschaftsbund (DGB) hat 7,7 Millionen Mitglieder und bündelt 8 Einzelgewerkschaften. Besonders stark vertreten sind darin ver.di mit 35%, IG Metall 34,6%, und Bergbau, Chemie, Energie mit 11%. L'Union des syndicats allemands (DGB) fédère 8 syndicats de branches et compte en tout 7,7 millions d'adhérents, le syndicat des services (ver.di) représente 35%, le syndicat de la métallurgie 34,6% et le syndicat des mines, de la chimie et de l'énergie 11%.

 Force ouvrière (FO): Mit etwas mehr als 1 Million Mitgliedern ist FO eine der drei großen Gewerkschaften, die vor allem im öffentlichen Dienst und im Banken- bzw. Versicherungswesen stark vertreten ist.

 Confédération française démocratique du travail (CFDT): Die CFDT (889.000 Mitglieder) gilt als reformorientierte Gewerkschaft, die sich konstruktiv am politischen Dialog beteiligt.

 Confédération générale des travailleurs (CGT): Die CGT wurde 1895 gegründet und war über Jahrzehnte eng mit der kommunistischen Partei Frankreichs verbunden. Sie zählt ca. 685.000 Mitglieder. Besonders stark vertreten ist die CGT in den Branchen Metall, Energie, Chemie und Fernmeldewesen.

 Confédération française de l'encadrement (CGC): Die 196.000 Mitglieder sind in erster Linie höhere Angestellte und Beamte des gehobenen Dienstes.

 Confédération française des travailleurs chrétiens (CFTC): Seit 1919 vertritt diese Gewerkschaft (130.000 Mitglieder) reformorientierte Positionen und beruft sich dabei auf christliche Werte.

Quelle: eigene Zusammenstellung, Mitgliederzahlen: Schätzung nach Angaben der Organisationen
Source: texte des auteurs, nombre d'adhérents estimés d'après les indications des organisations elles-mêmes.

per Gesetz festgelegt (35-Stunden-Woche). Auch der Mindestlohn ist flächendeckend per Gesetz geregelt. Seit einigen Jahren bemüht sich die Regierung, den sozialen Dialog zu stärken und Gewerkschaften wie Arbeitgeber zu mehr eigenständigen Verhandlungen zu bewegen.

Die deutsche Tradition legt dagegen großen Wert auf die weitgehende Autonomie der Sozialpartner, vor allem wenn es um die Gestaltung der Arbeitswelt, um Lohn, Arbeitszeit usw. geht. Die Gewerkschaften, die trotz massenhafter Austritte in den letzten Jahren immer noch 20-30% der Arbeitnehmer als Mitglieder haben, sind nicht politisch definiert, sondern parallel zu den Branchen der Wirtschaft organisiert. Wer Mitglied in einer Gewerkschaft wird, vertritt damit die Interessen der eigenen Branche und kann unabhängig davon in jeder beliebigen politischen Partei engagiert sein, auch wenn die SPD traditionell den Gewerkschaften näher steht als die CDU. Die Verhandlungs- und damit auch die Streikkultur sind in Deutschland streng geregelt. Wilde Streiks sind weder üblich noch toleriert. Bei Interessenkonflikten oder Lohnverhandlungen gibt es zunächst die Pflicht zu mehreren Verhandlungsrunden. Sollten diese scheitern, und erst dann, werden die Mitarbeiter in einer Urabstimmung gefragt, ob sie zu einem Streik bereit sind. Auch während eines Streiks wird prinzipiell weiter verhandelt, bis, oft durch Hin-

Aucun autre pays européen n'a fixé le temps de travail hebdomadaire par la voie législative (35 heures). Pourtant, depuis quelques années, le gouvernement multiplie ses efforts pour renforcer le dialogue social et pour inciter les syndicats et les organisations patronales à mener davantage de négociations autonomes.

En revanche, l'Allemagne accorde traditionnellement une grande valeur à l'autonomie des partenaires sociaux. Malgré de nombreuses défections ces dernières années, les syndicats allemands demeurent des acteurs sociaux incontournables, avec un taux de syndicalisation salariale oscillant entre 20 et 30%. De même, ces syndicats ne se définissent pas selon une orientation politique mais en fonction de la branche de l'économie à laquelle ils sont rattachés. Autrement dit, quiconque devient syndicaliste milite, indépendamment de ses opinions politiques, pour la défense des intérêts de son secteur économique et peut, par ailleurs, s'engager dans n'importe quel parti politique (même si le SPD est traditionnellement plus proche des syndicats que la CDU). De plus, il existe en Allemagne une culture de la négociation, et par là-même une culture de la grève fortement codifiée. Les grèves sauvages, illégales selon le droit du travail allemand, sont rares. En cas de conflits d'intérêts ou lors des conventions collectives, la négociation est une étape obligée qui doit précéder tout mouvement de grève. Ce n'est que lorsque

In den Jahren 1996-2005 hat es im jährlichen Durchschnitt ca. 3 Streiktage pro 1000 Arbeitnehmer in Deutschland und ca. 70 in Frankreich gegeben.
Entre 1996 et 2005, il y a eu en moyenne environ 3 journées de grève annuelle pour 1000 employés en Allemagne, contre 70 en France.

Quelle /Source: Eurostat, Statistisches Bundesamt

zuziehung eines Schlichters, eine Lösung gefunden wird. Der Staat mischt sich so wenig wie möglich in diese Verhandlungen ein. Allerdings kann man beobachten, dass auch in Deutschland der Staat um Hilfe gerufen wird, vor allem wenn es um massenhafte Entlassungen, Auflösungen oder Verkauf von großen Unternehmen geht.

les négociations n'aboutissent pas que les salariés peuvent décider de faire grève. Mais, en principe, pendant la grève, les négociations se poursuivent, s'il le faut avec l'appui d'un médiateur, jusqu'à ce qu'elles débouchent sur une solution, et l'Etat intervient aussi rarement que possible. On peut toutefois signaler qu'en Allemagne, l'aide de l'Etat est

Der Wirtschafts- und Sozialrat wurde in seiner heutigen Form mit der Verfassung der V. Republik im Jahre 1958 geschaffen. Die 231 Mitglieder vertreten alle wichtigen Gruppen und Verbände der Zivilgesellschaft. Die Rolle des CES ist es, die relevanten gesellschaftlichen Fragen zu diskutieren, Berichte zu verfassen und die Regierung zu beraten.

Le Conseil économique et social (CES) est créé dans sa forme actuelle avec la constitution de la Vème République en 1958. Cet organe, qui regroupe 231 membres, représente les différents groupes et organisations de la société civile. Son rôle est de débattre des grands sujets de société, d'émettre des avis et de conseiller le gouvernement. (www.ces.fr)

Eine Institution, die in der französischen Gesellschaft für die Repräsentation der unterschiedlichen gesellschaftlichen Kräfte eine besondere Rolle spielt, ist der *Conseil économique et social* (Wirtschafts- und Sozialrat). Diese in der Verfassung verankerte Institution ist in gewissem Sinne eine dritte parlamentarische Kammer, da sie durch Stellungnahmen und Expertisen am Gesetzgebungsprozess beteiligt werden kann.

Die Kirchen

Zu den wichtigen gesellschaftlichen Kräften gehören die Kirchen, die aber in der deutschen und französischen Gesellschaft sehr unterschiedliche Rollen spielen. Aufgrund der prinzipiellen Entscheidung der franzö-

également sollicitée dès lors qu'il est question de suppressions d'emplois massives ou du sauvetage d'une grande entreprise.

Enfin, en France, il existe une institution qui joue un rôle essentiel dans la représentation des différentes forces sociales : le Conseil économique et social. Cette institution consultative, qui assoit sa légitimité sur son ancrage constitutionnel, est une sorte de troisième chambre parlementaire puisqu'elle participe au processus d'élaboration de la loi par ses différents avis et travaux d'expertise.

Les Eglises

Bien que l'influence qu'elles exercent sur la société soit très différente en France et en

sischen Republik, den Laizismus in der Verfassung zu verankern, wird Religion hier zur reinen Privatsache. So gibt es in Frankreich natürlich keine Kirchensteuer, während in Deutschland die beiden christlichen Kirchen durch die Kirchensteuer, die parallel zur Einkommenssteuer erhoben wird, weitgehend finanziert werden. Wenn man diese Steuer nicht bezahlen möchte, muss man offiziell aus der Kirche austreten. Beide christliche Kirchen spielen in Deutschland bei vielen Organisationen eine wichtige Rolle, so sind sie z.B. in den Aufsichtsgremien der öffentlich-rechtlichen Rundfunk- und Fernsehanstalten vertreten.

In Frankreich dagegen ist Religion zwar Privatsache, aber dennoch hat die katholische Kirche traditionell einen großen Platz in der Gesellschaft. Jeden Sonntagmorgen von 8.30 Uhr bis mittags haben die großen Religionen, neben den beiden christlichen Kirchen auch der Islam, die jüdische und die buddhistische Religion, im öffentlichen Fernsehen seit Jahren ihren festen Sendeplatz. Bei den privaten Schulen, die immerhin bis zu 20% der Schüler in Frankreich aufnehmen, ist die katholische Kirche der größte Träger.

Die Rolle der Kirchen und Religionsgemeinschaften in der heutigen Gesellschaft wird sowohl in Deutschland als auch in Frank-

Allemagne, les Eglises comptent au nombre des acteurs sociaux importants dans les deux pays. En France, le principe de laïcité de l'Etat, qui a valeur constitutionnelle depuis 1946, relègue la religion dans la sphère privée. Aussi n'existe-t-il pas d'impôt sur le culte en France, à la différence de l'Allemagne où les deux Eglises chrétiennes sont financées par un impôt prélevé automatiquement, parallèlement à l'impôt sur le revenu. Celui qui ne souhaite pas payer cet impôt cultuel se voit dans l'obligation de quitter officiellement l'Eglise. De plus, l'Eglise catholique et les Eglises protestantes allemandes siègent dans de nombreuses organisations telles que les conseils d'administration des chaînes de radio et de télévision publiques.

En France, la religion est certes une affaire privée, mais cela n'empêche pas l'Eglise catholique de continuer à occuper une place indéniable au sein de la société. Depuis de nombreuses années, les Eglises chrétiennes, mais également l'islam, le judaïsme et le bouddhisme se partagent le temps d'antenne sur la principale chaîne de télévision publique, tous les dimanches matin entre 8h30 et 12h00. L'Eglise catholique est également le pilier central de l'enseignement privé, qui accueille tout de même près de 20% des élèves français.

62% der französischen Bevölkerung bezeichnen sich als Katholiken, 6% sind Mohammedaner, 2% sind Protestanten und 1% ist jüdischen Glaubens. 26% fühlen sich religiös nicht gebunden. In Deutschland gibt es ungefähr gleich viele Protestanten wie Katholiken (je ca. 31%), 4% sind Mohammedaner. Ein Drittel fühlt sich keiner Religion zugehörig.

En France, 62% de la population sont catholiques, 6% musulmans, 2% protestants et 1% de religion judaïque. 26% déclarent ne pas avoir de religion. L'Allemagne compte un nombre équilibré de protestants et de catholiques (31% environ pour chacune des deux églises chrétiennes), 4% sont musulmans et 33% ne sont pas liés à une religion déterminée.

Quellen/Sources: Francoscopie 2007, Destatis

reich immer wieder diskutiert, weil aufgrund der Zuwanderung neue Religionen ein relevanter Teil der Gesellschaft geworden sind. In Deutschland beginnt man, über einen eigenen Status für die muslimischen Glaubensgruppen und -organisationen nachzudenken. In Frank-reich fragt man sich, ob Moscheen auf französischem Boden mit Kapital aus muslimischen Staaten gebaut werden sollen oder ob es nicht besser wäre, die neue Entwicklung durch den französischen Staat begleiten zu lassen.

Die Vereine

Der Verein ist die am meisten verbreitete Form der Selbstorganisation. In Deutschland braucht man zum Eintrag ins Vereinsregister mindestens 7 Mitglieder und eine Satzung, in Frankreich gilt das Gesetz von 1901, demzufolge mindestens 2 Personen einen Verein gründen können. Als Verein kann man sowohl in Frankreich als auch in Deutschland den Status einer gemeinnützigen Organisation erwerben, womit man in die Lage versetzt wird, öffentliche Zuschüsse zu erhalten. Oft sind Vereine, vor allem Sport- oder Musikvereine, neben der Familie und der Schule der Ort, wo junge Menschen das Leben und Handeln in der Gruppe lernen. Die große Anzahl der Vereine zeigt, dass mit dieser juristisch relativ einfachen und flexiblen Organisationsform das Engagement der Bürger in allen Bereichen des gesellschaftlichen Lebens erfolgreich gebündelt werden kann.
Gut 22 Millionen Franzosen sind in mehr als 1 Million Vereine aktiv, wobei die Kultur-, Sozial- und Sportvereine das größte Angebot bieten. Das ehrenamtliche

En France comme en Allemagne, l'immigration a entraîné une recomposition du paysage religieux, et le rôle social des Eglises et des communautés religieuses ne cesse de faire débat dans les deux pays. En Allemagne, on commence à s'interroger sur la possibilité de doter les groupes religieux musulmans et leurs organisations d'un statut propre. En France, la question est de savoir si la construction de mosquées sur le sol français grâce au soutien financier des Etats musulmans doit être autorisée ou bien s'il ne vaudrait pas mieux que l'Etat français puisse intervenir et accompagner ce processus.

Les associations

L'association est la forme la plus répandue d'organisation collective. En Allemagne, pour pouvoir être inscrite au registre officiel, une association doit compter au moins sept membres et posséder des statuts. En France, le régime des associations est défini par la loi du 1er juillet 1901, selon laquelle une association peut être créée par deux personnes au moins. Pour bénéficier de subventions publiques, en France comme en Allemagne, une association doit être reconnue d'utilité publique.
Les associations sont souvent des lieux de socialisation des jeunes. En effet, avec l'école et la famille, les associations, notamment les clubs sportifs ou les sociétés musicales, permettent aux jeunes d'apprendre à vivre et à se comporter correctement en groupe. Le nombre élevé d'associations en France et en Allemagne traduit le succès de cette forme d'organisation flexible et relativement simple sur le plan juridique, qui donne un cadre à l'engagement des citoyens dans tous les domaines de la société. On dénombre en France pas moins d'un million d'associations

Engagement nimmt seit vielen Jahren zu, was man als Reaktion auf die Abnahme der traditionellen Formen sozialen Kontakts interpretiert. Deutschland hat 594.000 eingetragene Vereine, hier stehen die Sportvereine statistisch vor den Vereinen zur Freizeit- und Heimatpflege.

Die Stiftungen

Eine interessante Differenz zwischen Deutschland und Frankreich betrifft die Rolle von privaten Stiftungen. Zunächst kann man feststellen, dass die Anzahl der Stiftungen und das in sie eingebrachte Kapital in Deutschland erheblich höher sind als in Frankreich. Das hat fiskalische Gründe, weil das deutsche Recht die Gründung von Stiftungen steuerlich stärker begünstigt. So gibt es große Unternehmen, die sich in Form einer Stiftung organisieren, wodurch sie steuerliche Vorteile haben und zudem vor feindlichen Übernahmen geschützt sind. Aber es geht nicht nur um steuerliche Fragen. Stiftungen als besondere Form privaten Engagements für das Gemeinwohl sind in Deutschland sehr respektiert und spielen eine aktive politische und gesellschaftliche Rolle. Stiftungen erstellen große Studien und bringen sie erfolgreich in den politischen Entscheidungsprozess ein. Stiftungen finanzieren unabhängige „Thinktanks", deren Ergebnisse in der Politik auf Gehör stoßen, sie gründen private Hochschulen und bilden ein Gegengewicht zu den öffentlichen Bildungseinrichtungen.

All dies hat in Frankreich keine Tradition und würde zudem als Einmischung in die Domäne des Staates angesehen. Stiftungen wir-

(la plupart d'entre elles étant des associations culturelles, sportives ou sociales) qui comptent au total plus de 22 millions de membres. En Allemagne, on recense près de 594 000 associations. Statistiquement, ce sont les clubs sportifs les plus nombreux, juste devant les associations de loisirs et de *Heimatpflege* (défense du patrimoine).

Enfin, depuis de nombreuses années, la tendance est à la progression de l'engagement bénévole, ce qu'on peut interpréter comme une réaction au recul des formes traditionnelles de sociabilité.

Les fondations

Une différence intéressante entre la France et l'Allemagne concerne le rôle des fondations privées. Tout d'abord, il convient de remarquer que le nombre de fondations et l'importance des capitaux dont elles disposent sont considérablement plus élevés en Allemagne qu'en France. Cette situation s'explique par les nombreuses incitations fiscales qui accompagnent la création de fondations dans le premier de ces pays. Ainsi, on trouve en Allemagne de grandes entreprises qui, en créant une fondation, bénéficient à la fois d'avantages fiscaux et d'une certaine protection contre des OPA hostiles. Mais il serait très réducteur d'envisager la création de fondations sous le seul angle fiscal. En effet, en Allemagne, les fondations, considérées comme une forme d'engagement privé en faveur de l'intérêt général, sont très respectées pour leur participation active à la vie sociale et politique du pays. Les fondations allemandes financent également des groupes de réflexion qui jouent un rôle non négligeable dans la vie politique du pays. Certaines d'entre elles créent des universités privées qui rivalisent

Die folgenden Stiftungen haben in ihrem Profil einen deutsch-französischen Schwerpunkt (Gründungsjahr und Sitz)

Les fondations suivantes s'occupent de façon particulièrement active de la coopération franco-allemande (année de fondation et siège):

Robert Bosch Stiftung GmbH (1964, Stuttgart);
www.bosch-stiftung.de

Fondation Entente franco-allemande (1981, Strasbourg) ;
www.fefa.fr

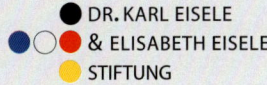

ASKO EUROPA-STIFTUNG (1990, Saarbrücken);
www.asko-europa-stiftung.de

Wüstenrot Stiftung (1990, Ludwigsburg);
www.wuestenrot-stiftung.de

DR. KARL EISELE
& ELISABETH EISELE
STIFTUNG

Dr. Karl Eisele und Elisabeth Eisele Stiftung (2004, Fellbach);
www.eisele-stiftung.de

DVA-Stiftung (1980, Stuttgart);
www.dva-stiftung.de

ken hier vor allem in den Bereichen Wohltätigkeit und klassische Kunstförderung. 2003 wurden durch ein Gesetz die Möglichkeiten zur Errichtung von Unternehmensstiftungen erweitert, wodurch etwas Dynamik in die Stiftungslandschaft gekommen ist. Aber ein großer Unterschied bleibt: nach deutschem Verständnis ist Stiftungskapital auf unbegrenzte Zeit angelegt, nach dem französischen Gesetz von 2003 gilt eine Stiftung zunächst für 5 Jahre.

Es ist kein Zufall, dass im Bereich der deutsch-französischen Beziehungen einige deutsche Stiftungen sehr aktiv sind und seit Jahren erhebliche Summen in Projekte in-

avec les meilleurs établissements publics. Il n'existe pas de tradition comparable en France et les formes d'action précédemment mentionnées y seraient même perçues comme autant d'ingérences dans les affaires de l'Etat. Les fondations françaises sont principalement actives dans les domaines de l'action sociale et du mécénat. Mais les choses commencent à bouger. La loi de 2003, qui facilite la création de fondations par les entreprises, a créé une nouvelle dynamique dans ce domaine. Toutefois, contrairement à l'Allemagne où les capitaux destinés à une fondation sont placés sans limite de temps, la loi française de 2003 stipule que la durée

vestieren, während auf französischer Seite nur ganz wenige Namen zu nennen sind.

Gesellschaft im Wandel

Nach dem Ende des 2. Weltkriegs waren die deutsche und die französische Gesellschaft durch tiefgreifende Umstrukturierungen und große soziale Mobilität gekennzeichnet. 12 Millionen deutsche Flüchtlinge aus den östlichen Gebieten des ehemaligen Reiches begannen ein neues Leben in der Bundesrepublik oder der DDR. Der Wiederaufbau und die hohe Zahl an Gefallenen und Vermissten durchmischte die deutsche Gesellschaft sowohl geographisch als auch sozial. Auch wenn die französische Gesellschaft in ihrer Grundstruktur stabiler blieb als die deutsche, wurde auch in Frankreich nach dem Krieg großer Wert darauf gelegt, dass sich die Aufstiegschancen für Staatsbürger aus unteren Schichten verbesserten. Der soziale „Fahrstuhl" war eine reelle Chance für berufliche Karrieren, gleich welcher Herkunft man war. Die breite Mittelschicht bildete dabei wirtschaftlich und gesellschaftlich den Kern unserer Gesellschaften.

Die Vorstellung, jeder solle nach seinen Leistungen und Fähigkeiten einen angemessenen Platz in der Gesellschaft erreichen können, entspricht auch heute noch vielfältiger Erfahrung und kann durch zahlreiche Beispiele belegt werden. Große Karrieren in der Wirtschaft oder Politik zeigen, dass prinzipiell jedem alle Wege offen stehen. Allerdings muss man sowohl in Frankreich als in Deutschland feststellen, dass der soziale Status und die Bildungschan-

d'existence d'une fondation d'entreprise est limitée à cinq ans dans un premier temps. Ce n'est donc pas par hasard si plusieurs fondations allemandes interviennent activement dans le domaine des relations franco-allemandes et y investissent des sommes considérables, alors que les exemples de ce genre sont rares du côté français.

Des sociétés qui changent

Après la Seconde Guerre mondiale, les sociétés française et allemandes ont connu des bouleversements profonds et une forte mobilité sociale. Plus de douze millions de réfugiés allemands, qui vivaient auparavant sur le territoire de l'ancien Reich, sont venus s'installer sur le territoire des futures RFA et RDA. Le processus de reconstruction et le nombre élevé des morts et des disparus ont entraîné une recomposition sociale et géographique de l'Allemagne. En France, après la guerre, la configuration sociale du pays est restée plus stable qu'en Allemagne. Néanmoins, dans ce pays également, des efforts ont été faits pour améliorer les chances d'ascension sociale des classes défavorisées. Après la guerre et surtout pendant les périodes de forte croissance économique, „l'ascenseur social" a fonctionné et procuré à chacun, quel que soit son milieu d'origine, de réelles perspectives professionnelles. Ainsi, cette époque a connu une importante poussée démographique, et a été marquée par une forte croissance des classes moyennes qui sont devenues le noyau dur de nos économies et de nos sociétés.

L'idée que chacun peut, selon ses capacités et ses performances, se créer une place dans

cen in hohem Maße vom Bildungsniveau des Elternhauses abhängen. Bildung und sozialer Status werden zu einem erheblichen Teil „vererbt". Die Erfahrung zeigt, dass es nicht leicht ist, sich von der sozialen Schicht, in die man hineingeboren wird, zu emanzipieren. Dies wird besonders deutlich, wenn man die Arbeitslosigkeit vor allem bei jungen Leuten analysiert.

Unsere Gesellschaften sind in vielerlei Hinsicht schnellem Wandel unterworfen. Die traditionellen Formen der Familie ändern sich grundlegend, demographischer Wandel und Zuwanderung bringen eine neue Dynamik in die Gesellschaft. Besonders in den großen Städten muss sich auch die Kommunalpolitik auf die neuen Gegebenheiten einstellen.

la société est toujours valable et de nombreux exemples peuvent encore venir l'illustrer. Les grandes carrières dans les secteurs économique et politique sont là pour rappeler que, dans ces domaines, les portes sont en principe ouvertes à tout le monde. Or, force est de constater qu'en France comme en Allemagne les chances de réussite scolaire et sociale sont étroitement liées à l'origine sociale des parents. Autrement dit, l'éducation et le statut social sont en grande partie un « héritage ». D'ailleurs, l'expérience montre combien il est difficile de s'émanciper de la classe sociale à laquelle on appartient à la naissance. Cela est particulièrement flagrant lorsqu'on regarde les analyses du chômage, notamment du chômage des jeunes.

Nos sociétés ont vécu en peu de temps de

Nach Auskunft des Kinderschutzbundes (2006) leben in Deutschland 2,6 Millionen Kinder unter der Armutsgrenze, in Frankreich sind es laut INSEE (2005) 2,1 Millionen Kinder.
Selon l'organisme allemand pour la protection de l'enfant, 2,6 millions d'enfants vivent en dessous du seuil de pauvreté en 2006 en Allemagne. L'INSEE compte, pour 2005, 2,1 millions d'enfants pauvres en France.

Familienstrukturen

Die Familie ist traditionellerweise der Ort, wo Kinder ihre primäre Sozialisation erfahren. Die für Europa typische moderne Kleinfamilie mit Vater, Mutter und 1-3 Kindern hat allerdings in den letzten Jahrzehnten an Bedeutung verloren. Das betrifft sowohl die Institution der Ehe als auch die Rollenverteilung von Mann und Frau. Immer mehr Kinder werden in nichtehelichen Gemeinschaften geboren, und immer mehr Kinder werden von nur einem

nombreuses évolutions dans les domaines les plus variés. Les formes traditionnelles de la famille sont bouleversées, le changement démographique et l'immigration ont introduit une dynamique nouvelle dans la société. Ces phénomènes sont particulièrement présents dans les grandes villes et ces dernières doivent prendre en compte ces nouvelles données dans les politiques qu'elles entendent mener.

Elternteil (meist der Mutter) erzogen. Der Begriff der „Patchworkfamilie" zeigt, dass wechselnde Partnerschaften in der Elterngeneration für viele Kinder zur Normalität geworden sind. Die klassischen Aufgaben der Erziehung und der Sozialisation können also nicht wie früher automatisch von der familiären Strukturen übernommen werden. Und generell, dies gilt vor allem für das geburtenschwache Deutschland, nimmt die Anzahl der Einpersonenhaushalte zu. Trotz dieser tief greifenden strukturellen Veränderungen bleibt die Familie für Deutsche und Franzosen ein sehr hoher Wert. Die Familie ist im deutschen Grundgesetz sogar ausdrücklich unter besonderen Schutz gestellt. Eine französische Besonderheit ist die juristische Form des PACS *Pacte civil de solidarité*, immer mehr Paare ziehen diese weniger verpflichtende Form der Bindung der traditionellen Eheschließung vor. 2005 wurden 60.223 PACS und 270.000 klassische Ehen geschlossen.

Die Jugendlichen

Die tragenden Gesellschaftsschichten von morgen sind die Jugendlichen von heute. Waren gesellschaftliche Unterschiede vor 50 Jahren zwischen Deutschland und Frankreich noch relativ deutlich zu benennen, so kann man bei den jungen Menschen heute eine größere Konvergenz feststellen. Untersuchungen in Frankreich und Deutschland haben gezeigt, dass die jungen Menschen heute vergleichsweise wertkonservativ eingestellt sind. Die Familie und die Freunde sind die wichtigsten Faktoren im Leben der Jugendlichen. In der Shell-Jugendstudie 2006 sagen 72% der deutschen Jugendlichen, man brauche

Les structures familiales

Traditionnellement, la socialisation primaire des enfants s'opère au sein de la famille. Mais, ces dernières années, on a assisté au recul du modèle traditionnel et typiquement européen de la famille, comprenant les deux parents et un ou deux, voire trois enfants. Cette tendance est liée à deux autres évolutions : celle de l'institution du mariage et celle de la répartition des rôles entre hommes et femmes. De plus en plus d'enfants naissent au sein de couples non mariés et de plus en plus sont élevés par un seul des deux parents, bien souvent la mère. Cela veut dire qu'on ne peut plus attendre des structures familiales qu'elles jouent le même rôle dans l'éducation et la socialisation des enfants qu'autrefois. Et de façon générale, mais cela est particulièrement vrai pour l'Allemagne où le taux de natalité est très bas, le nombre de personnes vivant seules ne cesse d'augmenter. Malgré ces changements structurels considérables, la famille demeure une valeur essentielle aux yeux de la plupart des Français et des Allemands. Elle est même explicitement protégée par la Loi fondamentale allemande. Enfin, une particularité française doit être mentionnée : le PACS (Pacte civil de solidarité). De plus en plus de couples préfèrent cette forme d'union à celle plus traditionnelle et plus contraignante qu'est le mariage. En 2005, 60.223 PACS ont été conclus et 270.000 mariages célébrés.

La jeunesse

Les jeunes d'aujourd'hui sont la société de demain. Si, il y a cinquante ans, la société française et la société allemande étaient relativement différentes l'une de l'autre, il semble aujourd'hui que ces divergences se

eine Familie, um glücklich leben zu können. Eine französische Studie des *CREDOC* und des *Centre d'analyse stratégique 2007* zeigt, dass für 47% der jungen Franzosen die Familie der einzige Ort ist, wo man sich gut und entspannt fühlt. Und insgesamt sind

soient résorbées, surtout au niveau des jeunes. Des travaux français et allemands mettent en avant que les jeunes des deux pays partagent des valeurs identiques. En France comme en Allemagne, la famille et les amis sont ce à quoi les jeunes accordent le plus

Die ersten deutsch-französischen Gesellschaften wurden zwischen den beiden Weltkriegen gegründet. Sie sind Ausdruck des privaten Engagements für eine Verständigung zwischen den Bürgern beider Länder. Heute gibt es 141 DFG, die in der 1957 gegründeten Vereinigung Deutsch-Französischer Gesellschaften in Deutschland und Frankreich (www.vdfg.de) zusammenarbeiten. Das Pendant in Frankreich ist die *Fédération des associations franco-allemandes pour l'Europe* (www.fafa.fr.eu.org).

1945 wurde die Gesellschaft für übernationale Zusammenarbeit (www.guez-dokumente.org) gegründet, die ebenfalls Ausdruck gesellschaftlichen Engagements ist. Die GÜZ veranstaltet noch heute zahlreiche Jugendtreffen und ist als Kulturvermittler tätig. Die GÜZ gibt die Zeitschrift „Dokumente" heraus. Das ebenfalls 1945 gegründete *Bureau International de Liaison et de Documentation* (B.I.L.D) ist das französische Gegenstück, B.I.L.D. gibt die Zeitschrift „documents" heraus.

Les premières associations franco-allemandes ont été créées entre les deux guerres mondiales. Elles sont l'expression de l'engagement privé en faveur d'une entente entre les citoyens des deux pays. Aujourd'hui, la Fédération des Associations franco-allemandes pour l'Europe (www.fafa.fr.eu.org) et son homologue allemand, la *Vereinigung Deutsch-Französischer Gesellschaften in Deutschland und Frankreich* (www.vdfg.de), regroupent 141 associations.

Le BILD (Bureau International de Liaison et de Documentation, www.bild-documents.org), fondé en 1945, poursuit des objectifs analogues. Il organise de nombreuses rencontres entre jeunes et s'engage en faveur du dialogue interculturel. Il édite la revue « Documents ». Son équivalent du côté allemand est la *Gesellschaft für übernationale Zusammenarbeit* qui publie la revue « *Dokumente* ».

die jungen Menschen genauso zuversichtlich wie frühere Generationen was ihre Zukunft angeht. 50% der Deutschen und 55% der Franzosen sind generell optimistisch.
Im Alltag und in den Hobbys haben die deutschen und französischen Jugendlichen oft die gleichen Bezugspunkte: Musik, Filme, Computerspiele, Sportidole.

d'importance dans la vie. Selon l'étude *Shell-Jugend* de 2006, 72% des jeunes Allemands pensent que la famille est nécessaire pour être heureux. Une étude française datant de 2007, réalisée par le CREDOC et le Centre d'analyse stratégique, a révélé que pour 47% des jeunes Français, la famille est le seul endroit où ils se sentent bien et détendus.

Diese Tendenz zur Konvergenz gilt für alle europäischen Gesellschaften. Man kann darin eine zunehmende Amerikanisierung sehen, aber auch die zunehmende Integration der Europäischen Union spielt eine Rolle. Austauschprogramme im schulischen und universitären Bereich lassen direkte Kontakte über die Grenzen hinweg entstehen, bessere Fremdsprachenkenntnisse erlauben den Austausch mit Gleichaltrigen aus anderen Ländern. Die „Generation Erasmus", also junge Menschen, die von den zahlreichen (europäischen) Austausch- und Mobilitätsprogrammen profitieren, umfasst mehr und mehr junge Europäer. Vor allem aber spielen die modernen Kommunikationsformen wie die Allgegenwart des Internets gerade bei den Jugendlichen eine entscheidende Rolle.

Demographischer Wandel

Demographischer Wandel ist zu einem zentralen Thema in Europa geworden. Die Lebenserwartung hat sich erfreulicherweise kontinuierlich erhöht, so dass unsere Gesellschaften kollektiv altern. Dies hat unmittelbare Auswirkungen auf die Renten- und Gesundheitssysteme und auf die Lebensarbeitszeit, aber auch auf die Formen des Zusammenlebens in der Gesellschaft. Der Wohnungsbau, das kulturelle Angebot, der öffentliche Nahverkehr, das Angebot an Dienstleistungen aller Art müssen sich an die neue Situation einer tendenziell alternden Gesellschaft anpassen. Neben der Alterung ist der zweite Aspekt des demographischen Wandels die Geburtenrate. Zwischen den 1,34 Kindern pro Frau in Deutschland und den durchschnittlich 2,01 Kindern in Frankreich liegen Welten.

Enfin, il faut noter que les jeunes envisagent leur avenir avec autant d'optimisme que leurs aînés. 50% des jeunes Allemands et 55% des jeunes Français se déclarent de façon générale optimistes.

Dans la vie de tous les jours et dans leurs loisirs, les jeunes Français et les jeunes Allemands ont souvent les mêmes points de repère : musique, films, jeux vidéo, idoles sportives, etc. On peut y voir les effets d'une américanisation croissante des sociétés, mais l'intégration européenne contribue aussi à ce processus de rapprochement. Grâce à l'enseignement des langues étrangères et aux programmes d'échanges, les jeunes nouent plus facilement des contacts directs avec les jeunes d'autres pays. Aujourd'hui, de plus en plus de jeunes profitent des programmes d'échange et de mobilité au niveau européen et appartiennent donc à la « génération Erasmus ». Cette mobilité est encouragée par les formes de communication modernes et par l'omniprésence d'Internet.

La démographie

La transition démographique figure aujourd'hui parmi les thèmes les plus souvent abordés en Europe. Dans nos sociétés, l'espérance de vie n'a cessé de s'allonger et l'on ne peut que s'en réjouir. Mais ce phénomène a pour corollaire un vieillissement général de la population, avec des retombées directes sur les régimes de retraite, les systèmes de santé, la durée de la vie active, mais aussi, de manière générale, sur toutes les formes de vie commune dans la société. Le vieillissement de la société exige de nombreuses adaptations dans des domaines aussi variés que la construction immobilière, l'offre culturelle, les transports en commun ou encore

www.dfi.de

Das Deutsch-Französische Institut Ludwigsburg, das 1948 gegründet wurde, ist aus einer privaten Initiative hervor gegangen. Seine Aufgabe ist die Förderung der deutsch-französischen Zusammenarbeit auf allen Gebieten. Heute ist es ein Forschungs-, Dokumentations- und Beratungszentrum, dessen Expertise allen Interessierten zur Verfügung steht. Das dfi ist seit 2004 mit einem Büro in Paris vertreten.

L'Institut franco-allemand de Ludwigsburg est né en 1948 de l'initiative privée de quelques personnalités. Sa mission est la promotion de la coopération franco-allemande sous toutes ses formes. Aujourd'hui, le dfi est un centre de recherche, de documentation et de conseil, dont l'expertise est à la disposition de tous ceux qui travaillent dans la coopération franco-allemande. Le bureau parisien du dfi a été inauguré en 2004.

www.stiftung-genshagen.de

In den neuen Bundesländern wurde 1993 in Genshagen das Berlin-Brandenburgische Institut für deutsch-französische Zusammenarbeit in Europa gegründet, das neben der deutsch-französischen Zusammenarbeit dem Verhältnis zu Polen besondere Aufmerksamkeit widmet. Heute als Stiftung organisiert hat das Institut seinen Sitz in Schloss Genshagen, wo Tagungen, Seminare, Fortbildungen und kulturelle Veranstaltungen stattfinden.

L'Institut de Berlin-Brandebourg pour la Coopération franco-allemande en Europe a vu le jour à Genshagen, dans les nouveaux *Länder*, en 1993. Sa mission, au-delà de la promotion de la coopération franco-allemande, est le dialogue avec des partenaires polonais. L'institut, qui a pris la forme d'une fondation, a son siège dans le château de Genshagen. On y organise des colloques, des séminaires et des activités culturelles.

In Frankreich muss man sich also nicht auf eine insgesamt schrumpfende Gesellschaft einstellen. In Deutschland hingegen wird die Bevölkerung erheblich abnehmen, auch wenn die langfristigen Prognosen schwer zu berechnen sind. Es kann sein, dass Frankreich und Deutschland im Jahr 2050 gleich viel Einwohner haben werden (ca. 64 Millionen). Prinzipiell muss eine abnehmende Bevölkerung noch kein großes Problem sein, allerdings ergeben sich diesbezüglich in der deutschen Gesellschaft erhebliche Probleme durch regionale und lokale Differenzierungen. So nimmt in den östlichen Bundesländern schon seit Jahren die Bevölkerung ab, diese Tendenz könnte sich

l'offre de services en tous genres. La transition démographique se caractérise aussi par une baisse du taux de natalité. De ce point de vue, il y a toutefois un monde entre la situation de la France, où le taux de natalité est de 2,01 enfants par femme, et celle de l'Allemagne, où il n'est que de 1,34. Il faut donc compter avec une baisse significative de la population totale en Allemagne dans les décennies qui viennent, ce qui n'est pas le cas en France. Même s'il est toujours difficile de faire des pronostics à long terme, il se pourrait qu'en 2050 la population allemande soit équivalente à la population française, c'est-à-dire environ 64 millions d'habitants. Une diminution de la population ne devrait

in einigen Gegenden noch beschleunigen, die bleibende Bevölkerung ist überdurchschnittlich alt; andere Städte, Regionen und wirtschaftliche Zentren wachsen dagegen kontinuierlich, das regionale Ungleichgewicht nimmt so unweigerlich noch zu.

Zuwanderung

Die demographische Entwicklung hängt mit den internationalen Migrationsbewegungen unmittelbar zusammen. Wenn die Wirtschaftskraft mit hoch qualifizierten Arbeitskräften erhalten bleiben soll, müssen gut ausgebildete Menschen in die alternden und eventuell zudem schrumpfenden Gesellschaften zuwandern. Während sich Frankreich schon lange als ein Einwanderungsland betrachtet, hat sich in Deutschland erst mit dem Zuwanderungsgesetz (2000) und durch die Diskussion um den demographischen Wandel der politische Diskurs geändert. Heute bestreitet niemand mehr, dass Deutschland ein Zuwanderungsland ist, und man hat sich vom Abstammungsprinzip schrittweise verabschiedet. Für die Bürger wie für die Politiker bleibt die Aufgabe – und dies gilt für Frankreich und Deutschland gleichermaßen – die Vielfalt der Gesellschaft als positive Bereicherung und nicht als „Zumutung" zu verstehen. Seit einigen Jahren bemüht sich die französische Regierung allerdings, durch mehrere Gesetze die Zuwanderung einzudämmen, indem Einreise- und Aufenthaltsbedingungen für Ausländer erschwert werden. Diese Tendenz zu einer restriktiven Einwanderungs- und Ausländerpolitik kann man genauso in Deutschland und anderen europäischen Staaten beobachten.

en principe pas être un problème. Néanmoins, il existe en Allemagne des disparités régionales et locales qui pourraient avoir de lourdes conséquences. Dans les Länder de l'ancienne Allemagne de l'Est, la population diminue en effet fortement depuis quelques années et cette tendance risque encore de s'aggraver dans certaines régions. En revanche, certaines villes et centres économiques allemands ne cessent de s'agrandir et la combinaison de ces tendances entraîne un important déséquilibre régional sur le territoire allemand.

L'immigration

L'évolution démographique est étroitement liée aux mouvements migratoires internationaux. Nul n'ignore que la puissance économique de nos pays repose sur une main d'œuvre hautement qualifiée. Or, dans un contexte de vieillissement voire de diminution de la population, l'immigration de main d'oeuvre qualifiée sera indispensable pour nos sociétés et leur économie. Alors que la France se considère déjà depuis longtemps comme un pays d'immigration, il a fallu en Allemagne attendre les discussions sur la transition démographique et la promulgation de la loi sur l'immigration de 2000 pour constater une inflexion du discours politique. Aujourd'hui, personne ne conteste le fait que l'Allemagne est un pays d'immigration, et le droit allemand de la nationalité, longtemps basé sur le principe du « droit du sang » a considérablement évolué. Mais les hommes politiques et les citoyens – et cela vaut autant pour la France que pour l'Allemagne – sont encore loin de considérer l'immigration, avec la diversité culturelle qu'elle entraîne, non plus comme une « nécessité »,

Es ist nicht leicht, verlässliche Zahlen über die Anzahl der Bürger zu erhalten, die aus einer teilweise oder ganz zugewanderten Familie stammen. In Frankreich, wo die Erlangung der französischen Staatsangehörigkeit stets gefördert wurde, wird ganz bewusst auf die Erfassung der Herkunft (oder der Herkunft der Eltern) verzichtet, weil man befürchtet, die nun ganz normalen französischen Bürger unnötig zu

mais comme une chance et un enrichissement. Avec plusieurs lois sur l'immigration, le gouvernement français cherche d'ailleurs ces derniers temps le moyen d'endiguer le flux migratoire en durcissant les conditions d'entrée et de séjour des étrangers en France. Cette tendance vers une réglementation plus stricte de l'immigration est la même en Allemagne et dans beaucoup de pays européens.

In Deutschland leben 6,75 Millionen Ausländer (8,8% der Bevölkerung, Zahlen für 2006 nach Destatis), in Frankreich 5 Millionen (Zahlen für 2005 laut INSEE).

6,75 millions d'étrangers vivaient en Allemagne en 2006, soit 8,8% de la population (source : Destatis). Selon les chiffres de l'INSEE, ils étaient 5 millions à vivre en France en 2005.

stigmatisieren. Das Verständnis der *citoyenneté* stellt das Individuum in den Vordergrund, das mit dem Erwerb der Staatsangehörigkeit ein Bürger der Republik ist, unabhängig von Hautfarbe, Herkunft oder kulturellen Traditionen.

In Deutschland hat man sich in der öffentlichen Wahrnehmung schwerer getan, Zugewanderte oder Kinder von Zuwanderern, die in Deutschland geboren wurden, als ganz normale Mitglieder der deutschen Gesellschaft zu betrachten. Und selbst nachdem man die Möglichkeiten der Einbürgerung etwas erleichtert hat, bleibt es im Sprachgebrauch durchaus üblich, von „Deutsch-Türken" oder „Deutsch-Äthiopiern" zu sprechen. Das ist meist keineswegs diskriminierend gemeint, zeigt aber, wie tief die Vorstellung verankert ist, das vom Normalfall einer über Generationen

Nul ne saurait dire avec certitude combien de personnes issues de l'immigration vivent en France et en Allemagne, tant il est difficile de trouver des statistiques fiables à ce sujet. En France, où les immigrés sont continuellement encouragés à demander leur naturalisation, on évite explicitement de mentionner l'origine des citoyens français issus de l'immigration (ou celle de leurs parents) car on craint de les stigmatiser inutilement et d'en faire des citoyens à part. La conception française de la citoyenneté place l'individu au premier plan et celui-ci, en se voyant accorder la nationalité française, devient un citoyen de la République, quelles que soient sa couleur de peau, son origine, sa culture ou ses traditions.

En Allemagne, il a fallu du temps pour que les immigrés ou leurs enfants nés dans le pays soient considérés dans la conscience collective comme des membres à part en-

in Deutschland lebenden Familie ausgegangen wird.

Diese Wahrnehmung wird und muss sich in den kommenden Jahren ändern. In Frankreich ist das Bewusstsein in dieser Frage etwas weiter, weil sichtbare Vielfalt, d.h. zum Beispiel Bürger unterschiedlicher Hautfarbe, aufgrund der Kolonialgeschichte Frankreichs seit Jahrzehnten wenn nicht seit Jahrhunderten zur Normalität geworden ist. Große Sportidole, Musiker, Regierungsmitgleider oder Nachrichtensprecher sind alltäglich sichtbare Beispiele für erfolgreiche Integration von Franzosen, deren Eltern oder Vorfahren nach Frankreich gekommen waren. Auch in einigen deutschen Städten, wo in absehbarer Zeit jeder zweite Einwohner unter 40 Jahren aus einer Migrantenfamilie stammen wird, hat man es geschafft, diese Vielfalt eher als Reichtum denn als Problem zu betrachten. Positiv kann man unterstreichen, dass heute auf allen Ebenen der deutschen Gesellschaft ein hohes Bewusstsein dafür besteht, dass Zuwanderung und Integration für alle Bürger entscheidende Aufgaben der kommenden Jahre sein werden.

Stadtentwicklungspolitik

Die Orte, wo sich die verschiedenen Aspekte des gesellschaftlichen Wandels unmittelbar auswirken und wo sie für jeden spürbar werden, sind die Städte. Kommunale Politik und Planung muss heute allen genannten Themen Rechnung tragen. Im städtischen Raum zeigt sich auch, ob es gelingen wird, den sozialen Zusammenhalt zu bewahren oder wieder herzustellen, obwohl die Lebenssituationen der Menschen aufgrund ihres Einkommens, ihres sozialen

tière de la société allemande. Et même si l'accès à la nationalité allemande est désormais plus simple, il n'est pas rare d'entendre dans le langage courant des expressions telles que « allemand-turc » ou « allemand-éthiopien ». La plupart du temps, ces expressions ne sont pas discriminatoires, mais leur emploi indique la persistance de l'idée selon laquelle les familles vivant en Allemagne depuis des générations constituent le cas de figure « normal ». Cette perception va et doit changer dans les années à venir. En France, on est plus avancé dans la prise de conscience collective de la diversité ethnique. En effet, du fait de l'histoire coloniale de ce pays, le fait que la société soit composée de citoyens de différentes couleurs de peau est perçue depuis des décennies, pour ne pas dire des siècles, comme une chose normale. Des sportifs célèbres, des artistes, des présentateurs d'émission télévisée ou des membres du gouvernement sont devenus des symboles de la réussite de l'intégration de jeunes Français dont les parents ou grands-parents avaient décidé de s'installer en France. En Allemagne, quelques villes où bientôt un habitant de moins de quarante ans sur deux sera issu d'une famille d'immigrés, sont parvenues à faire accepter la diversité comme une richesse et non comme un problème. Il faut également dire qu'une prise de conscience s'est effectuée à tous les niveaux de la société allemande et que l'immigration et l'intégration de tous les citoyens figurent aujourd'hui parmi les principaux défis à relever.

Les enjeux de la politique de la ville

Les villes sont le lieu où les changements sociaux sont les plus sensibles et où leurs

Status, ihres Bildungsniveaus, ihres Alters und ihrer soziokulturellen Gewohnheiten sehr unterschiedlich sind.

Sowohl in Deutschland als auch in Frankreich gibt es zahlreiche, mit großen Budgets ausgestattete Programme zur Entwicklung der Städte. Besonderes Augenmerk richtet man dabei auf jene Stadtteile, in denen wegen verschiedener sozioökonomischer Faktoren so genannte soziale Brennpunkte entstanden sind, die im Französischen einfach nur *quartiers* genannt werden. Mehr als 750 Stadtteile sind in französischen Städten, vor allem in Großstädten, aber auch in mittelgroßen Städten als *zones urbaines sensibles* definiert. Trotz großer Anstrengungen, die in den 80er Jahren begonnen wurden, ist es bisher nur unzureichend gelungen, die Lebensbedingungen für die Menschen und vor allem für die jungen Menschen in diesen Stadtteilen zu verbessern. Überdurchschnittlich hohe Arbeitslosigkeit, geringeres Einkommen, geringere medizinische Versorgung, geringeres Freizeitangebot – das Scheitern der Jugendlichen aus diesen *quartiers* ist häufig so gut wie vorprogrammiert. In den vergangenen Jahren sind neue nationale Programme mit großen Budgets gestartet worden, um durch ein Abriss-, Sanierungs- und Neubauprogramm die Wohnsituation zu verbessern.

Auch wenn in Deutschland die Lage nicht so dramatisch scheint wie in den französischen *quartiers*, gibt es doch in einigen Städten Viertel, in denen deutlich geringere Bildungschancen bestehen als in anderen Gebieten. Sowohl in Frankreich als auch in Deutschland leben überdurchschnittlich viele Migranten in den sozialen Brenn-

conséquences sont les plus directes. Elles ne peuvent faire l'économie d'une prise en compte de ces nouveaux paramètres dans leurs projets et leurs politiques. L'enjeu est de taille, puisqu'il s'agit de parvenir à maintenir ou à recréer le lien social au sein d'un espace urbain où se côtoient de plus en plus d'individus au revenu, statut social, niveau d'étude ou profil socioculturel différent.

En France comme en Allemagne, il existe de nombreux projets de développement urbain, dotés d'importants moyens financiers. Ces projets accordent une attention toute particulière à ce que l'on appelle des « quartiers difficiles » (en français, on a même pris l'habitude de parler simplement de « quartiers »). En France, plus de 750 quartiers – surtout dans les grandes villes, mais également dans quelques villes moyennes – sont classés en zone urbaine sensible et, malgré tous les efforts entrepris depuis les années quatre-vingt, les conditions de vie des habitants de ces quartiers, en particulier des jeunes, ne se sont pas améliorées de manière satisfaisante. Le taux de chômage y est bien supérieur à la moyenne nationale, les revenus sont bas, l'offre de soins et de loisirs insuffisante, et l'échec des jeunes y est quasiment programmé. Ces dernières années, de vastes programmes de destruction ou de rénovation des logements insalubres et de construction de nouveaux logements ont été mis en oeuvre dans ces quartiers.

En Allemagne, même si la situation ne semble pas aussi dramatique qu'en France, il existe également dans certaines villes des quartiers défavorisés. Et, en France comme en Allemagne, ce sont surtout des familles issues de l'immigration qui habitent ces quartiers difficiles où les chances de réussite sco-

punktvierteln, so dass deren Arbeits- und Bildungschancen geringer sind, als sie es für eine gelungene Integration sein müssten.

Die Gestaltung der Freizeit

Kürzere Lebensarbeitszeit und eine höhere Lebenserwartung machen die Freizeitgestaltung zu einem zentralen Element der individuellen Lebensgestaltung und des gesellschaftlichen Lebens. Freizeitgestaltung und Tourismus sind heute in allen entwickelten Gesellschaften ein erheblicher Wirtschaftsfaktor. Wenn man die Untersuchungen zum Freizeitverhalten der Franzosen und Deutschen vergleicht, kann man sehr ähnliche Vorlieben erkennen. Die Freizeit verteilt sich vor allem auf Medienkonsum, Sport, kulturelle Aktivitäten und verschiedene Formen der Geselligkeit. Die Formen der Freizeitgestaltung variieren erheblich von einer Altersgruppe zur anderen und sind zudem vom Bildungsniveau der Bürger abhängig, die Unterschiede zwischen Männern und Frauen sind nicht mehr sehr groß; allerdings haben die Männer statistisch etwas mehr Freizeit als die Frauen, was vermutlich mit der immer noch ungerechten Verteilung der Arbeit im Haushalt zusammenhängt.

Medienkonsum

Mit der frei verfügbaren Zeit ist auch der Medienkonsum kontinuierlich gestiegen. Insgesamt ca. 5,5 Stunden täglich werden in Frankreich mit Medienkonsum zugebracht (Daten nach *Médiamétrie* 2005). Eine Studie von ARD und ZDF (2005) kommt für Deutschland sogar auf 10 Stunden Medi-

L'organisation des loisirs

La diminution du temps de travail et l'allongement de l'espérance de vie ont contribué à faire des loisirs un élément central de la vie privée et de la vie sociale.

Le secteur des loisirs et du tourisme représente aujourd'hui un poids économique considérable dans tous les pays développés. Si l'on compare les résultats des enquêtes menées sur les loisirs des Français et des Allemands, on remarquera que leurs goûts sont très proches. Dans les deux pays, le temps libre est majoritairement consacré à la consommation des médias, au sport, à la culture et à diverses activités sociales. Les formes de loisirs varient fortement d'une classe d'âge à une autre et diffèrent également selon le niveau d'étude. Par contre, les façons dont les hommes et les femmes meublent leurs loisirs se ressemblent de plus en plus – néanmoins, les hommes ont statistiquement plus de temps libre que les femmes, ce qui est probablement une conséquence de l'inégale répartition des tâches ménagères.

La consommation des médias

En France comme en Allemagne, la consommation des médias n'a cessé de croître à mesure que la durée du temps libre a augmenté. Selon une enquête Médiamétrie de 2005, les Français consacrent environ cinq heures et demi par jour aux médias. En Allemagne, une étude menée par les chaînes ARD et ZDF en 2005 révèle que la consommation quotidienne cumulée des médias

laire et professionnelle sont trop faibles pour favoriser leur intégration dans la société.

ennutzung täglich. Das Fernsehen ist mit 3,4 Stunden in Deutschland und 3,26 Stunden in Frankreich das wichtigste Medium in der Freizeitgestaltung, dicht gefolgt vom Radio mit 2,54 Stunden in Frankreich und 3,41 Stunden in Deutschland. Zunehmende Bedeutung hat das Internet. Auch wenn es in Deutschland mehr Internetanschlüsse gibt (61,1 gegenüber 53,7% in Frankreich im Jahr 2007), haben die französischen Nutzer häufiger einen Breitbandanschluss als die deutschen. Die Nutzer verbringen in Frankreich durchschnittlich etwas mehr Zeit im Netz, 13 Stunden wöchentlich gegenüber 10,5 Stunden in Deutschland. Besonders auffällig ist diese Tendenz bei den jungen Bürgern, das Internet wird für sie zunehmend zum Hauptmedium, mit dem Information, Unterhaltung und Spiel zusammenkommen. 64% der Deutschen unter 20 Jahre spielen Computerspiele oder Onlinespiele.

Auch wenn die durchschnittliche Dauer der Zeitungslektüre relativ gering ist (28 Minuten für Deutschland und 36 Minuten für Frankreich) bleibt die Tageszeitung ein wichtiges Informationsmedium und ist für Viele auch ein Teil der täglichen Freizeitgestaltung. Die Situation und die Nutzung der Presse unterscheiden sich in beiden Ländern erheblich. Sowohl nationale als regionale Tageszeitungen haben in Frankreich über Jahre hinweg an Bedeutung verloren. Mit 167 Zeitungen pro 1000 Einwohner liegt Frankreich weit hinter Japan, England oder Deutschland (322). Dank eines relativ hohen Abonnentenstamms können in Deutschland viele große regionale Zeitungen überleben, und die Dichte des Abonnentennetzes erlaubt es zudem,

est d'environ dix heures par jour dans ce pays. En France et en Allemagne, la télévision est de loin le médium le plus important puisque 3,4 heures y sont consacrées en moyenne quotidiennement et 3,26 heures en France. Ensuite vient la radio, avec respectivement 3,41 heures et 2,54 heures par jour. De même, dans ces deux pays, l'utilisation d'Internet n'arrête pas de progresser. S'il y a encore davantage d'abonnés à Internet en Allemagne (61,1 contre 53,7% en France en 2007), c'est en revanche l'Allemagne qui accuse un retard dans le raccordement à l'Internet haut débit, où la France arrive en tête. Cependant, le temps passé sur Internet est plus élevé en France (13 heures par semaine) qu'en Allemagne (10,5 heures par semaine) et cette tendance est particulièrement significative chez les jeunes, qui se servent de ce médium de plus en plus comme source principale d'information, moyen de communication et support de jeu.

Avec une moyenne de 28 minutes par jour en Allemagne et 36 minutes en France, le temps moyen consacré à la lecture d'un journal est en revanche nettement moins important. La presse quotidienne demeure toutefois pour de nombreux citoyens français et allemands une source d'information primordiale, elle fait partie des plaisirs quotidiens. Mais il faut bien voir que la situation de la presse diffère énormément d'un pays à l'autre. En France, le tirage de la presse quotidienne nationale est en chute depuis des années et les titres de la presse régionale connaissent à peu près le même sort. Pour la diffusion, la France, où l'on compte 167 journaux pour 1000 habitants, se situe loin derrière le Japon, l'Angleterre, ou l'Allema-

jeden Morgen die Zeitung zuzustellen, was in Frankreich eher selten ist. Einer der großen Unterschiede im Zeitungskonsum von Franzosen und Deutschen ergibt sich aus der Art der Tageszeitungen. Während es in Frankreich eine klare Trennung in überregionale und regionale Tageszeitungen gibt, haben in Deutschland nur wenige

gne avec ses 322 journaux pour 1000 habitants. En Allemagne, les grands journaux régionaux doivent leur survie au nombre élevé d'abonnés et au portage à domicile, qui est plus rare en France. De plus, les Français et les Allemands ne lisent pas le même type de journaux. En France, on peut définir la presse quotidienne selon deux catégories très dif-

Mitglieder in Tausend / Licenciés en milliers	1980		2004	
	F	D	F	D
Fußball / Football	1 154	4 320	2 147	6 272
Tennis	787	1 268	1 066	1 767
Judo-Jujitsu	352	208	540	249
Reiten / Equitation	134	466	491	761
Basketball	304	80	436	199
Pétanque	426	-	395	13
Golf	39	45	359	457
Handball	149	680	338	826
Rugby	209	-	241	9
Karate und Kampfsport / Karaté et arts martiaux	-	-	205	167
Tischtennis / Tennis de table	-	634	181	665
Ski	544	786	161	660

Quelle / Source: Francoscopie 2007; Deutscher Olympischer Sportbund; Destatis

Zeitungen eine Präsenz im ganzen Land. Und sogar die großen Tageszeitungen wie die Frankfurter Allgemeine Zeitung FAZ, Süddeutsche Zeitung oder Die Welt haben eine starke regionale Verankerung. Andererseits haben in Deutschland die großen regionalen Tageszeitungen nicht nur hohe Auflagenzahlen (das haben auch die französischen), sie sind in ihrem Infor-

férentes l'une de l'autre : les quotidiens nationaux et les quotidiens régionaux. En Allemagne, la situation est tout autre car il existe très peu de journaux diffusés sur l'ensemble du territoire. Même les plus « nationaux » des quotidiens, tels que la *Frankfurter Allgemeine Zeitung (FAZ)*, la *Süddeutsche Zeitung* ou le journal *Die Welt,* ont un fort ancrage régional. Par ailleurs, les grands quotidiens

mationsangebot aber sehr viel breiter und gehen weit über die lokale oder regionale Berichterstattung hinaus. Daher reicht es vielen normalen deutschen Haushalten völlig aus, eine gute regionale Zeitung zu abonnieren, um über Nationales, Internationales aber auch über die eigene Stadt gut informiert zu sein. Der morgendliche Gang zum Briefkasten und die Lektüre der Tageszeitung beim Frühstück gehören für viele deutsche Bürger zum Alltag. In Frankreich gibt es wesentlich weniger Abonnenten, und wer morgens seine Zeitung haben will, der wird sie sich am Kiosk oder im Tabakladen kaufen müssen.

Bei den Medien, die außerhalb der Wohnung konsumiert werden, hat das Kino trotz DVD und Internet immer noch einen wichtigen Platz. Franzosen gehen im Durchschnitt jährlich 2,9 mal ins Kino, die Deutschen nur magere 1,8 mal. Und das Publikum hält dem französischen Film im eigenen Land die Treue, der Marktanteil des französischen Films in Frankreich beträgt 28,9% gegenüber nur 12,5% für den deutschen Film in Deutschland.

Sport

Sport zu treiben ist für 39% der Deutschen und für 43% der Franzosen mindestens einmal wöchentlich üblich. Vor allem für junge Menschen gehört Sport zum Alltag, eine Tendenz, die durch die große Beliebtheit berühmter Sportler und die starke Medienpräsenz bestimmter Sportarten noch unterstützt wird. In Frankreich bleibt das Fahrrad das beliebteste Sportgerät. Das immer noch hohe Ansehen des Radsports ist trotz Dopingskandalen ungebrochen und die *Tour de France* ist ein jährlicher

régionaux allemands sont non seulement parfois des journaux à grand tirage (certains quotidiens régionaux français le sont aussi), mais ils couvrent en outre une actualité beaucoup plus large que la seule actualité locale ou régionale. Dès lors, il suffit aux ménages allemands de s'abonner à un bon journal régional pour se tenir au courant de l'actualité nationale et internationale, tout en étant bien informé sur leur ville. Pour de nombreux Allemands, les quelques pas matinaux jusqu'à la boîte aux lettres et la lecture du journal lors du petit déjeuner font partie des rituels quotidiens. En France, le nombre d'abonnés est nettement inférieur et, bien souvent, celui qui veut lire le journal le matin doit aller le chercher au kiosque ou chez le marchand de tabac.

Enfin, le cinéma continue d'occuper une place importante dans les loisirs des Français et des Allemands, en dépit de l'explosion des ventes de DVD et du piratage des films sur Internet. Les Français vont au cinéma en moyenne 2,9 fois par an, les Allemands seulement 1,8 fois. Il existe en France un réel engagement politique en faveur de l'industrie cinématographique nationale et européenne, et le public en est très reconnaissant. En effet, le public français manifeste une certaine fidélité vis-à-vis des productions nationales puisque la part de marché des films français en France est de 28,9% alors qu'elle n'est que de 12,5% pour les films allemands en Allemagne.

Le sport

39% des Allemands et 43% des Français pratiquent un sport au moins une fois par semaine. Chez les jeunes, le sport fait partie du quotidien et cette tendance s'accélère sous

Höhepunkt, der weltweit, aber vor allem in Frankreich, sehr hohe Aufmerksamkeit genießt. Franzosen aller Altersgruppen, vor allem Männer, praktizieren regelmäßig das sportliche Radfahren. In Deutschland bleibt hingegen Fußball die mit Abstand beliebteste Sportart, was auch die enormen Mitgliederzahlen der Fußballvereine unterstreichen.

Jedes Land hat eigene Sporttraditionen. In Frankreich spielt etwa der Rugby eine Sonderrolle, wobei dieser Sport traditionell im Süden Frankreichs besonders viele Anhänger hat. In Deutschland wird wiederum deutlich mehr Handball gespielt als in Frankreich, viele französische Handballnationalspieler spielen übrigens in der deutschen Bundesliga.

Zum Bild der französischen Lebensart gehören untrennbar die *pétanque*-Spieler *(Boule),* die man in Deutschland noch selten sieht: Es ist ein geselliges Spiel, man kann es in jedem Alter spielen, man benötigt keine komplizierte Infrastruktur und der Sport ist zudem vergleichsweise billig.

Tourismus

Deutsche und französische Arbeitnehmer haben neben den Wochenenden, Urlaub und Feiertage zusammengerechnet, jährlich zwischen 35 und 40 freie Tage zur Verfügung. Schon deshalb hat die Reiseaktivität zugenommen, auch wenn immer noch ein großer Teil der Bevölkerung keinen klassischen Sommerurlaub machen kann: In Frankreich fahren 66% in den Sommerferien weg, in Deutschland 54%. Dafür gibt es immer mehr Formen des Kurzurlaubs, verlängerte Wochenenden oder Reisen

l'effet de la popularité croissante des sportifs et de la forte présence médiatique dont bénéficient certains sports. En France, le vélo demeure l'équipement sportif le plus apprécié et les courses cyclistes continuent d'attirer les foules. En effet, malgré les scandales de dopage qui ternissent ce sport, le Tour de France est un événement sportif annuel majeur, qui suscite une grande ferveur populaire à l'étranger, mais aussi et surtout dans l'Hexagone. Des Français de tous les âges (surtout des hommes) s'adonnent régulièrement au cyclisme. En Allemagne, le football demeure de loin le sport le plus populaire et les clubs de foot voient le nombre de leurs adhérents augmenter en permanence.

Par ailleurs, chaque pays a ses traditions sportives. En France, le rugby est un sport qui compte de nombreux adeptes, surtout dans le sud. En revanche, le handball est un sport davantage pratiqué en Allemagne qu'en France – beaucoup de joueurs de l'équipe de France de handball jouent d'ailleurs dans des clubs allemands. Enfin, la pétanque est traditionnellement associée à l'art de vivre à la française. Ce sport, pratiquement inexistant en Allemagne, présente de nombreux avantages : il est convivial et pas cher, peut se pratiquer à plusieurs, à tout âge, et ne nécessite pas d'infrastructure particulière.

Le tourisme

En France comme en Allemagne, les salariés disposent, en dehors des week-ends, d'environ 35 à 40 jours non travaillés par an. De manière générale, le nombre des déplacements touristiques a augmenté, mais une partie considérable de la population ne peut toujours pas partir en vacances l'été. En France, 66% de la population part en vacances

in den kürzeren Schulferien, die finanziell nicht so aufwendig sind. Sehr auffällig ist die schon sprichwörtliche Treue der Franzosen zu ihrem eigenen Land als Ferienziel: 89% der Reisen von Franzosen sind Inlandsreisen. Und mehr als die Hälfte der französischen Auslandsreisen im Sommer sind Besuche bei engen Verwandten, oft im Ursprungsland zugewanderter Franzosen. Die Hauptzielorte sind dann Algerien, Tunesien und Portugal; nur 5,4% der Franzosen haben für ihre Auslandsreisen Deutschland als Ziel.

l'été, contre 54% en Allemagne. On observe par contre une augmentation des vacances de plus courte durée (week-ends prolongés, petites vacances), moins chères et souvent passées dans la famille.

Il est bien connu que les Français aiment passer leurs vacances dans leur pays puisque 89% de leurs voyages ont lieu en France. Les Français qui voyagent à l'étranger l'été sont souvent des Français issus de l'immigration qui souhaitent rendre visite à leur famille dans leur pays d'origine. Parmi les destinations les plus courantes, il y a l'Algérie, la

---

2005 kamen 13,2 Millionen Deutsche als Touristen nach Frankreich, aber nur 2,05 Millionen Franzosen nach Deutschland. Die Tendenz ist von Frankreich nach Deutschland leicht steigend, von Deutschland nach Frankreich von Jahr zu Jahr leicht schwankend auf hohem Niveau.

En 2005, 13,2 millions d'Allemands sont venus en France, contre 2,05 millions de Français qui se sont rendus en Allemagne en touristes. Il y a pourtant une légère tendance à la hausse vers l'Allemagne, tandis que l'engouement touristique des Allemands pour la France stagne à un très haut niveau.

Deutsche Touristen hingegen zieht es mehrheitlich in andere Länder, mehr als 60% der deutschen Touristen fahren ins Ausland, traditionell u. a. auch nach Frankreich. Aufgrund des föderalen Systems haben zudem die deutschen Familien zu unterschiedlichen Zeiten Sommerferien. Dies führt zu einer hohen Präsenz deutscher Touristen an Europas Stränden von Juni bis Anfang September. In Frankreich bleibt hingegen der August der wichtigste Ferienmonat für Familien mit Kindern.

Da die französischen Schulferien im Sommer mindestens zwei Monate lang sind

Tunisie et le Portugal. Seulement 5,4% des voyages à l'étranger des Français ont pour destination l'Allemagne.

Les touristes allemands sont beaucoup plus nombreux (plus de 60%) à passer leurs vacances à l'étranger, en particulier en France. L'étalement des grandes vacances dû au système fédéral fait que la présence des touristes allemands sur les plages d'Europe ne faiblit pas entre juin et début septembre. En France, le mois d'août reste le principal mois de vacances pour les familles qui ont des enfants. Mais comme les grandes vacances scolaires y durent plus de deux mois et que les parents peuvent rarement prendre

Joseph Rovan (1918-2004) hat nach seiner Befreiung aus dem KZ Dachau sofort mit großem Engagement für die deutsch-französische Verständigung gearbeitet. In zahlreichen Büchern hat er die gegenseitige Kenntnis gefördert. Er hat viele Jahre als Frankreich-Korrespondent für die deutsche Presse gearbeitet.

Après sa libération du camp de concentration de Dachau, Joseph Rovan (1918-2004) s'engage en faveur de l'entente franco-allemande. Avec ses nombreux livres sur l'Allemagne, il a contribué de façon décisive à une meilleure compréhension réciproque. Pendant des années, il a travaillé comme correspondant pour la presse allemande.

Carlo Schmid (1896-1979) war einer der Väter des deutschen Grundgesetzes. Als Sohn einer deutsch-französischen Ehe galt sein Engagement besonders der deutsch-französischen Verständigung. In seiner großen politischen Karriere wurde er Minister im Kabinett von Bundeskanzler Kiesinger. Mit Theodor Heuss gehörte er 1948 zu den Gründern des Deutsch-Französischen Instituts (dfi) in Ludwigsburg.

Carlo Schmid (1896-1979) fut un des pères de la Loi fondamentale allemande. Fils d'un couple franco-allemand, il s'engage tout au long de sa vie en faveur d'une entente entre Français et Allemands. Pendant sa brillante carrière politique, il fut ministre social-démocrate dans le gouvernement du chancelier Kiesinger. Avec Theodor Heuss, il appartient au groupe fondateur de l'Institut franco-allemand de Ludwigsburg.

und die Eltern selten so viel Urlaub nehmen können, hat sich seit vielen Jahren ein gut funktionierendes System etabliert: die *colonies de vacances*. Es gibt eine Unmenge an Angeboten für organisierte Ferien, wo auch die jüngeren Kinder untergebracht, versorgt und betreut werden. Viele Unternehmen bieten dies als Service für ihre Mitarbeiter an. Die Erfahrung in einer solchen *„colo"* ist für junge Franzosen normal, in Deutschland bleibt es eher die Ausnahme und wird oft von kirchlichen oder anderen privaten Trägern organisiert. Die französö-

autant de vacances, on a instauré un système de colonies de vacances dont le succès n'a jamais été démenti depuis de nombreuses années. Une multitude de centres de vacances sont prêts à accueillir les enfants l'été et à leur offrir une gamme d'activités diversifiée. Un certain nombre d'entreprises organisent elles-mêmes des camps de vacances pour les enfants de leurs employés. Si les jeunes Français sont donc très nombreux à partir en « colo » l'été, c'est plutôt une exception en Allemagne, où les centres de vacances existants sont souvent gérés par les Eglises ou

sischen Ferienlager werden vom Jugend- und Sportministerium beaufsichtigt.

par d'autres institutions privées. En France, au contraire, les centres de vacances sont placés sous la surveillance du ministère de la Jeunesse et des Sports.

05

Die Frau in der Gesellschaft

La femme dans la société

Frauenrechte

Le statut de la femme

„Gott ist eine Frau", so der Titel eines Liedes von Corneille, nicht etwa des Schriftstellers aus dem 17. Jh., sondern des ursprünglich aus Ruanda stammenden, in Frankreich zur Zeit populären Sängers Corneille.
Wer sich im Berliner oder im Pariser Stadtbild umschaut, wird auf eine Vielzahl von Gesichtern dieser besungenen Göttin stoßen. Über die Jahrhunderte hinweg ist in Frank-reich wie in Deutschland die Frau hoch gepriesen worden, in der Werbung gehört sie mit allen ihren Bedürfnissen und Launen zur wichtigsten Zielgruppe, und auch Medien und Politik haben den „Marktwert" der Frau als Wählerin und Konsumentin schon längst für sich entdeckt.

In der Geschichte Deutschlands wie Frankreichs ist die Frau allerdings nicht nur Objekt der Lobpreisungen und der Begierde, sondern vor allem auch Opfer von Diskriminierung und Respektlosigkeit gewesen. Der Menschenrechtserklärung der Vereinten Nationen von 1948, in der die Gleichberechtigung von Frau und Mann offiziell proklamiert wird, gehen Jahrzehnte, Jahrhunderte des Kampfes um genau diesen Status der Gleichberechtigung voraus.

Historische Entwicklung

Die Rolle der Frau hat sich in Deutschland und Frankreich seit dem Mittelalter ähnlich entwickelt. Von Rechts wegen war die Frau dem Mann untergeordnet, und ihre

« Le bon dieu est une femme », dit Corneille, non pas l'auteur dramatique de l'âge classique, mais le chanteur d'origine rwandaise qui „cartonne" sur les ondes françaises du moment …

Qui se promène dans les rues de Paris ou de Berlin se verra confronté à une multitude de visages de ce « Dieu » (ou faudrait-il dire Déesse ?) tant chanté et loué au fil des siècles en Allemagne comme en France. La publicité en a fait son modèle fétiche (et sa proie ?), et la femme est devenue ces dernières années une cible favorite des médias et de la politique dans nos deux pays.
Dans l'histoire allemande et française, la femme n'a pourtant pas toujours été l'objet de louanges et de désir, elle a été surtout victime de discrimination et de mépris. Bien des combats ont été menés pendant des décennies, voire des siècles, en faveur de l'égalité entre les sexes avant que la Déclaration Universelle des Droits de l'Homme ne proclame en 1948 la pleine égalité entre hommes et femmes.

Évolution historique

Historiquement et juridiquement parlant, l'Allemagne et la France ont eu une évolution parallèle concernant la perception de la femme et de son rôle dans la société depuis le Moyen Age. La femme était globalement soumise à l'homme, et la raison d'être de la majorité des femmes se limitait à des fins dé-

Le bon Dieu est une femme

Et quand c'est pas une soeur, c'est une mère qui aime
Et quand c'est pas la mère, c'est l'épouse qui aime
Et quand c'est pas l'épouse, c'est une autre femme
Ou… une maîtresse qui espère
Alors
Si c'est vrai qu'elles nous pardonnent tout
Si c'est vrai qu'elles nous aiment malgré tout
Si c'est vrai qu'elles donnent aux hommes le jour
Moi je dis, que le bon dieu est une femme
Nos mères paient depuis la nuit des temps
Depuis l'histoire de la pomme d'Adam
Elles portent les maux et les torts
du monde tout leur vivant
Le ciel bénisse la femme qui aime encore
Un infidèle jusqu'à la mort
Faut être Dieu pour être trahi et aimer … plus fort

Corneille

Daseinsberechtigung basierte meist auf dem Zweck der Fortpflanzung und der Haushaltsführung in einer ausschließlich männlich geprägten Gesellschaft.

Im 17. und 18. Jh. entwickelte sich erst in Frankreich dann in Deutschland ein Phänomen, das maßgeblich dazu beitrug, die Frau aus einem anderen Blickwinkel zu betrachten. Die literarischen Salons standen oft unter der Regie einer Frau, die durch ihren Intellekt und ihre Persönlichkeit brillierte und imponierte. Madame de Staël, in Berlin wie auch in Versailles zuhause, ist stellvertretend für eine Reihe von Frauen zu nennen, die für ihre intellektuellen Fähigkeiten respektiert wurden und dementsprechend in den Geschichtsbüchern ihren Platz gefunden haben.

mographiques de reproduction et de gestion domestique dans une société dominée par les hommes.

Ce fut la remise en question de tout un système de société qui allait permettre une prise de conscience considérable de l'identité de la femme des deux côtés du Rhin. A la mode au 17e et 18e siècles à Paris, les Salons se regroupaient autour de femmes reconnues pour leur personnalité, leur intelligence et leur vivacité d'esprit. Ceci ouvrit la voie à une nouvelle perception de la femme dans le milieu intellectuel. Madame de Staël, qui connaissait les milieux berlinois aussi bien que la cour de Versailles, est une de ces femmes emblématiques, respectées pour leur force intellectuelle, qui ont trouvé une place dans les livres d'histoire.

Zunächst bleibt das allerdings noch ohne praktische Konsequenzen, ein eigenständiger rechtlicher Status ist der Frau weiterhin verwehrt. Sie ist dem Mann nicht ebenbürtig, sie wird als unmündig angesehen, auf der gleichen Stufe wie Kinder, Bedienstete oder geistig Zurückgebliebene. 1804 bestätigt der *code civil* (Bürgerliches Gesetzbuch) in Frankreich, dass die Frau unter der Vormundschaft des Vaters oder des Ehemannes steht. Im Grunde erlangten die Frauen ihre Freiheit gegenüber der Gesellschaft erst als Witwen. Vor diesem Hintergrund lässt sich auch das Thema der Lustigen Witwe aus Lehárs bekanntester Operette nachvollziehen: Eine selbstbewusste und starke Frau (Hanna) setzt sich in der – Pariser – Männerwelt durch. Mit ansehnlichem Gelderbe gesegnet und verwitwet, kann sie nun endlich den Mann (Graf Danilo) lieben, dem sie vorher aus gesellschaftlichen Gründen nicht „das Wasser hätte reichen können".

Das Wahlrecht

Von der prinzipiellen Anerkennung der Frau durch Literaten und Intellektuelle bis zum Wahlrecht war es noch ein weiter Weg. Erst durch die Weimarer Verfassung wurde den deutschen Frauen 1919 endlich das angestrebte passive und aktive Wahlrecht zugestanden. In Zukunft sollten Männer und Frauen die gleichen staatsbürgerlichen Rechte und Pflichten haben. Damit war noch lange keine allgemeine Gleichberechtigung in der Gesellschaft erreicht, aber es war ein erster konkreter Schritt in diese Richtung.

Die Französinnen bekamen ihr Wahlrecht erst 1944 zugestanden. Es wurde 1946 bei

Mais cette prise de conscience dans les milieux intellectuels en France et en Allemagne n'aura pas encore de retombées concrètes et directes sur le statut légal de la femme en tant que citoyenne. En France, d'après le Code Civil de 1804, la femme reste sous la tutelle du père ou du mari. Elle n'est pas à la hauteur de l'homme, elle est considérée comme mineure, au même titre que les enfants, les employés ou les arriérés mentaux. Au fond, les femmes ne devenaient indépendantes dans la société que lorsqu'elles étaient veuves. Dans ce contexte, on comprend mieux le sujet de l'opérette la plus fameuse de Lehár, La veuve joyeuse : une femme forte et indépendante s'impose dans un Paris dominé par les hommes. Dotée d'un héritage considérable, elle peut enfin aimer l'homme (le comte Danilo) auquel elle n'aurait pas pu prétendre auparavant à cause des conventions sociales.

Le droit de vote

De la reconnaissance du rôle de la femme par la littérature et les intellectuels au droit de vote, il restait un long chemin à parcourir. C'est seulement au lendemain de la première guerre mondiale que la Constitution de Weimar du 11 août 1919 accorde aux Allemandes le droit de vote, actif et passif. Dorénavant, les hommes et les femmes devaient avoir les mêmes droits et devoirs citoyens. Si on était encore loin d'une égalité générale dans la société, un pas important dans cette direction avait été fait.

Les Françaises, elles, n'obtiendront leur droit de vote qu'à la fin de la deuxième guerre mondiale. Il leur sera accordé par le gouvernement provisoire le 21 avril 1944 et sera utilisé pour la première fois en 1946, lors des élections municipales.

den Gemeindewahlen zum ersten Mal angewandt.

Die modernen Frauenbewegungen

Nach dem zweiten Weltkrieg sollte die Emanzipation der Frau in Frankreich in großen Schritten vorangetrieben werden, unter anderem unter dem Einfluss von Simone de Beauvoir, die in ihrem 1949 erschienenen Buch „Das andere Geschlecht" die fortdauernde Diskriminierung des weiblichen Geschlechts anprangerte und sich für die Selbstbestimmung der Frau in der Gesellschaft einsetzte. Die wirtschaftlich schwierigen Nachkriegsjahre bewirkten einen Umschwung in der Frauenpolitik: Es gibt nun kein vom Geschlecht abhängiges Gehalt mehr, und die Frau hat in Zukunft ein Anrecht auf bezahlten Mutterschaftsurlaub.

Die deutschen Frauen beobachten ihre Nachbarinnen mit großem Interesse. Ein reger Austausch besteht vor allem auf intellektueller und universitärer Ebene, und spätestens nach 1968, im Zuge der Studentenproteste, gab es für die Frauenrechtlerinnen kein Halten mehr. Alice Schwarzer, damals Soziologiestudentin in Paris, beteiligte sich an den Studentenbewegungen und gehörte zu den Mitbegründern des *Mouvement de Libération des femmes*, kurz MLF, der Frauenbefreiungsbewegung in Paris. Zurück in Deutschland entwickelte sie sich rasch zum Zugpferd der deutschen Frauen- und Emanzipationsbewegung. Beeinflusst durch Beauvoir setzte sich Schwarzer für den sog. „Gleichheitsfeminismus" ein, bekämpfte sexistische Frau-

Le combat des féministes

La situation économique au lendemain de la deuxième guerre mondiale engendre un changement de mentalité qui fait rapidement évoluer la législation en France : la notion de « salaire féminin » est supprimée, le congé de maternité rémunéré devient obligatoire. En 1949, dans son livre « Le deuxième sexe », Simone de Beauvoir ne se lasse pas de combattre l'inégalité persistante dans la mentalité française et prône l'autonomie de la femme dans la société.

En Allemagne, cette évolution est observée avec beaucoup d'attention. De multiples échanges intellectuels et universitaires se font, et les événements de 1968 accélèrent les choses. Alice Schwarzer, à l'époque étudiante en psychologie et en sociologie à Paris, participa à la création en 1969 du Mouvement de Libération des femmes (MLF). Rentrée en Allemagne, elle prendra très vite la tête d'un mouvement féministe qui existe encore aujourd'hui. Dans la juste tradition de Simone de Beauvoir qui réclamait l'égalité de droit pour les deux sexes, Schwarzer et les féministes allemandes s'engagent dans les années 70 dans une lutte acharnée pour l'autodétermination de la femme. Elles se battent contre l'image dégradante de la femme dans les médias, pour une loi légitimant la contraception et surtout pour la libéralisation de l'avortement. En 1977, Schwarzer fonde la revue féministe EMMA, et elle continue à être conviée dans les médias dès que l'on aborde le sujet des droits de la femme. Si son discours est plus modéré aujourd'hui que dans le passé, c'est sans doute aussi parce que bien des progrès ont été faits depuis 40 ans.

endarstellungen in der deutschen Medienwelt, und erlangte Berühmtheit durch ihren engagierten Kampf gegen den Abtreibungsparagraphen 218 im deutschen Strafrecht. Sie gründete 1977 die feministische Zeitschrift EMMA und ist bis heu-

Les trois K

Longtemps, en Allemagne, le rôle de la femme était réduit aux « trois K » (*Kirche, Küche, Kinder* = messe, cuisine, enfants), mais aujourd'hui cette image semble révolue à tous points de vue.

Simone de Beauvoir

Simone de Beauvoir (1908-1986) gehört zur Gruppe der existentialistischen Philosophen der Nachkriegszeit um Jean Paul Sartre und Raymond Aron. Mit ihrer Abhandlung *Le deuxiéme sexe* (Das andere Geschlecht), in der sie die Situation der Frau in der patriarchalen Gesellschaft analysiert, wird sie zu einer der Begründerinnen des französischen und dann auch europäischen Feminismus. "Man wird nicht als Frau geboren, man wird dazu gemacht."

Simone de Beauvoir (1908-1986) fait partie du groupe de philosophes existentialistes autour de Jean-Paul Sartre et Raymond Aron. Avec son livre *Le deuxième sexe*, qui présente une analyse de la situation de la femme dans la société patriarcale, elle devient une des fondatrices du féminisme, français d'abord, européen ensuite. « On ne naît pas femme, on le devient. »

te aus keiner Talkrunde über das Thema Frauenrechte wegzudenken. Ihr Ton hat sich in den letzten Jahren etwas gemäßigt, vielleicht auch weil die Situation nicht mehr so dramatisch ist wie vor 40 Jahren.

Die drei K's

In Deutschland sprach man für lange Zeit von der Frau als der Verkörperung der drei K's. Kirche, Küche, Kinder scheinen jedoch mit dem heutigen Erscheinungsbild der Frau nicht mehr überein zu stimmen.

Die Kirchen beklagen sich über einen kontinuierlichen Mitgliederschwund, der vor allem durch die allgemeine Bevölkerungsentwicklung in Deutschland bedingt ist.

Les églises sont de moins en moins fréquentées. On assiste aussi à un phénomène général de désaffection de la population. Les églises se vident, et la messe du dimanche est souvent remplacée par le footing matinal, la grasse matinée et le brunch tardif avec les copines. Il est vrai qu'on peut observer une certaine renaissance de la spiritualité dans la société, mais celle-ci ne concerne pas uniquement les Eglises allemandes traditionnelles, mais aussi des idéologies et croyances asiatiques qui bénéficient surtout de l'intérêt des femmes. Pourtant, le succès du *Kirchentag* (rassemblement de protestants du monde entier) à Hanovre en mai 2005, ou des journées mondiales de la jeu-

Dazu kommt der vermehrte Austritt von Kirchenmitgliedern, vor allem von Frauen, die früher die fleißigeren Kirchgänger waren. Zwar spricht man in jüngster Zeit von einer Wiederentdeckung spiritueller Werte, dies betrifft aber nicht nur die klassischen

nesse (catholique) à Cologne en août 2005 démontrent un certain regain d'intérêt des jeunes pour l'Eglise et ses racines chrétiennes. Ceci n'empêche pas une baisse continuelle du nombre de paroissiens, et ce sont surtout les femmes qui quittent l'Eglise.

Alice Schwarzer
www.aliceschwarzer.de

Alice Schwarzer (*1942) wächst in Wuppertal auf. Ab 1963 verbringt sie viele Jahre in Paris, wo sie studiert und als Journalistin arbeitet. 1972 erscheint das erste von sechs langen Interviews, die sie mit Simone de Beauvoir geführt hat. Ab Mitte der 70er Jahre wird Alice Schwarzer zunehmend auch in der deutschen Frauenbewegung aktiv und publiziert einflussreiche Bücher über Frauenarbeit und die Rolle der Sexualität bei der Emanzipation. Der endgültige Durchbruch kommt mit dem heftig diskutierten Buch „Der kleine Unterschied und seine großen Folgen" (1975).

Alice Schwarzer (1942 - …) passe son enfance à Wuppertal. A partir de 1963, elle passe de nombreuses années à Paris où elle fait ses études et commence une carrière de journaliste. En 1972 paraît la première de six longues interviews avec Simone de Beauvoir. A partir du milieu des années 70, Alice Schwarzer s'engage aussi de plus en plus dans le mouvement féministe en Allemagne. Elle publie ses premiers livres sur le travail des femmes et la sexualité. C'est son livre « La petite différence et ses grandes conséquences » (1975) qui fait définitivement d'elle le porte-parole du féminisme en Allemagne. Avec des douzaines de livres et une vaste oeuvre de journaliste, elle est devenue un écrivain réputé et influent.

deutschen Kirchen, sondern auch fernöstliche Ideologien und Religionen, die vor allem bei Frauen hohe Anziehungskraft genießen. Ausnahmeerscheinungen sind der katholische Weltjugendtag (Köln, August 2005) und der evangelische Kirchentag (Hannover, Juni 2005) die sich beide großer Beliebtheit bei den Jugendlichen erfreuen, und das insbesondere bei den jungen Frauen.
In Frankreich ist die Entwicklung ähnlich, allerdings gibt es in dem laizistischen Land

En France, Etat laïc, les recensements à caractère religieux sont interdits. Si les paroisses enregistrent une pratique religieuse plus importante des femmes que des hommes, les premières ne sont que 16% à déclarer pratiquer régulièrement, c'est-à-dire à fréquenter l'église (ou autre lieu de culte).

Küche et *Kinder*, synonyme de la femme au foyer, de celle qui s'occupe essentiellement de son mari et de ses enfants, qui a au moins momentanément mis une croix

offiziell keine Veröffentlichung von Mitgliederzahlen. Umfragen haben aber ergeben, dass sich, verglichen mit den Männern, die Frauen häufiger einer Religion zugehörig fühlen, aber nur die wenigsten (ca. 16%) regelmäßig in die Kirche gehen.

Küche und Kinder, die beiden übrigen K's, gleichen in Deutschland fast einem Schimpfwort, Synonym für „Heimchen am Herd". Die Frau möchte in Deutschland nicht mehr als diejenige gesehen werden, die sich den Ansprüchen des Mannes und des Nachwuchses anpasst, und ausschließlich für deren Wohl sorgt. Wie in Frankreich war auch in Deutschland der Kampf für die Gleichberechtigung und Gleichwertigkeit der Frau in der Gesellschaft zu mühselig und zu lang, als dass die Frau von heute diese neu gewonnene Freiheit nicht ausleben wollte. Die Familie scheint in Deutschland ein Hindernis auf dem Wege der weiblichen Selbstverwirklichung zu sein.

§ 218 und IVG

Der Kampf um die Entschärfung des Abtreibungsrechts ist in Deutschland lang und heftig gewesen, eng verbunden mit dem Namen von Alice Schwarzer. Seit den Sechzigern haben die Frauenbewegungen immer wieder für die Abschaffung des § 218 des Gesetzbuchs unter dem Motto „Mein Bauch gehört mir!" demonstriert. Noch in den 80er Jahren des 20. Jh. hat es Verurteilungen von Ärzten gegeben, die illegal Schwangerschaftsabbrüche vorgenommen hatten und dafür zum Teil Gefängnisstrafen in Kauf nehmen mussten. Seit 1992 bleibt der Schwangerschaftsabbruch in den ersten drei Monaten (bis zur 12. Schwangerschaftswoche) zwar rechts-

sur toute activité professionnelle, est devenue ces dernières décennies une qualification quasi-péjorative. Comme en France, la lutte des femmes allemandes pour l'égalité des droits et des chances a été trop longue pour qu'on ne profite pas de la nouvelle situation. En Allemagne, la famille semble être devenue un handicap sur la voie du projet de vie de nombreuses femmes et n'est plus aujourd'hui la première priorité.

§ 218 et IVG

En Allemagne, le combat – étroitement lié au nom d'Alice Schwarzer – pour la libéralisation de ce fameux paragraphe 218 du code pénal fut long et pénible. Depuis les années 60, les femmes n'avaient cessé de manifester pour le droit à l'avortement sous le slogan de « Mon ventre est à moi ». Jusque dans les années 80, des médecins qui avaient pratiqué des avortements ont été condamnés à des peines de prison ferme. Finalement, l'avortement n'est plus pénalisé depuis 1992 à condition que la femme ne subisse aucune pression extérieure et surtout qu'elle fournisse la preuve d'une consultation sociale et médicale précédant l'intervention, et ceci avant la 12e semaine de grossesse. Cette consultation doit être faite auprès d'un organisme reconnu par l'Etat ou d'un médecin indépendant, qui ne sera pas celui qui procèdera à l'avortement.

En France, on observe une évolution similaire des mœurs concernant le problème de la dépénalisation de l'avortement, qui est devenue en quelque sorte symbolique de cette lutte pour l'autodétermination de la femme. Le droit à l'interruption volontaire de grossesse (IVG) relève du droit de disposer

Simone Veil (*1927) in der Assemblée Nationale bei der ersten Lesung des Gesetzes zur Legalisierung der Abtreibung am 26. November 1974:

„Ich möchte Sie zunächst an einer Grundüberzeugung einer Frau teilhaben lassen – und bitte dabei um Verzeihung, wenn ich dies in einer fast ausschließlich männlichen Versammlung tue – keine Frau unterzieht sich mit frohem Herzen einer Abtreibung. Man muss den Frauen nur zuhören. Es ist jedes Mal ein Drama."

Simone Veil (1927 - …) à l'Assemblée Nationale lors de la première lecture du projet de loi sur l'avortement le 26 novembre 1974 :

« Je voudrais tout d'abord vous faire partager une conviction de femme – je m'excuse de le faire devant cette Assemblée presque exclusivement composée d'hommes – aucune femme ne recourt de gaieté de cœur à l'avortement. Il suffit d'écouter les femmes. C'est toujours un drame. »

widrig, wird aber strafrechtlich nicht verfolgt, wenn vor dem Eingriff eine Beratung stattgefunden hat. Diese Beratung muss von einer staatlich anerkannten Beratungsstelle bzw. von einem Arzt vorgenommen werden, der aber nicht den eigentlichen Eingriff vornimmt.

In Frankreich war der Kampf um eine Liberalisierung des Abtreibungsgesetzes und die gesellschaftliche Akzeptanz eines gewollten Schwangerschaftsabbruchs ähnlich schwierig. Es bedurfte des outings von 343 prominenten Frauen aus der Pariser Kunst- und Kulturszene (darunter Catherine Deneuve, Françoise Sagan, Simone de Beauvoir usw.), die 1971 alle zugaben, sich einer IVG unterzogen zu haben. Sie, zusammen mit dem oben genannten MLF und anderen Frauenbewegungen, strebten eine Revision des Abtreibungsgesetzes (Art. 317 des *code pénal*) an, zusammen mit der Forderung des freien Zugangs zu Verhütungsmitteln für alle. Auch das Problem der Gefahren, die Frauen eingehen, wenn sie heimlich abtreiben müssen, wurde zunehmend thematisiert.

de son corps. En 1971, un manifeste publié dans le Nouvel Observateur fait fureur : 343 femmes issues des milieux essentiellement artistiques et littéraires, dont Catherine Deneuve, Françoise Sagan, Simone de Beauvoir etc., avouent avoir subi une IVG et signent ouvertement une pétition réclamant l'avortement libre. Elles déplorent non seulement la pénalisation juridique des femmes et des médecins en cas d'IVG, mais aussi les dangers que courent les femmes qui en sont réduites à pratiquer un avortement clandestin et la difficulté pour beaucoup d'entre elles de recourir à la contraception.

Ce fut Simone Veil, ministre de la santé sous Valéry Giscard d'Estaing, qui fut maître d'œuvre de l'adoption du projet de loi de 1975 dépénalisant les IVG. Depuis 1982, l'avortement est en France pris en charge par la Sécurité sociale dans les 12 premières semaines. Reste à ajouter qu'en Allemagne comme en France, l'utilisation du RU486 comme méthode d'avortement médicamenteuse sous le contrôle d'un médecin est autorisée.

Es war eine Frau, die 1975 den rechtlichen Durchbruch in dieser Sache schaffte: Simone Veil, damalige Gesundheitsministerin unter Valéry Giscard d'Estaing (und später erste Präsidentin des Europaparlaments). Seit dem sind Schwangerschaftsabbrüche in Frankreich nicht mehr strafbar, und seit 1982 werden die Kosten (bis zur 12. Schwangerschaftswoche) von der gesetzlichen Krankenkasse übernommen. Auch eine medikamentöse Abtreibung (RU 486) ist genauso wie in Deutschland gesetzlich erlaubt.

La femme au 21e siècle

Dorénavant, en Allemagne comme en France, l'Etat se porte garant des droits d'égalité et toute discrimination sexiste est passible d'amendes et de poursuites judiciaires. Mais l'égalité n'est pas seulement une question de lois et de principes républicains, c'est surtout une question de mentalité, de reconnaissance et de respect. Quant aux droits de la femme, ce sont les femmes elles-mêmes qui doivent définir leur rôle. Quelle est l'image que la femme allemande et française a d'elle-même ? Comment

Manifest der 374 „Jährlich treiben in der Bundesrepublik rund eine Million Frauen ab. Hunderte sterben, zehntausende bleiben krank und steril, weil der Eingriff von Laien vorgenommen wird. Von Fachärzten gemacht, ist die Schwangerschaftsunterbrechung ein einfacher Eingriff. Frauen mit Geld können gefahrlos im In- und Ausland abtreiben. Frauen ohne Geld zwingt der § 218 auf die Küchentische der Kurpfuscher. Er stempelt sie zu Verbrecherinnen und droht ihnen mit Gefängnis bis zu fünf Jahren. (…) Ich gehöre dazu. Ich habe abgetrieben. Ich bin gegen den § 218 und für Wunschkinder. (…) Wir fordern die ersatzlose Streichung des § 218!"
Veröffentlicht am 6. Juni 1971 im „Stern".
Le manifeste des 343 « Un million de femmes se font avorter chaque année en France. Elles le font dans des conditions dangereuses en raison de la clandestinité à laquelle elles sont condamnées alors que cette opération, pratiquée sous contrôle médical, est des plus simples. On fait le silence sur ces millions de femmes. Je déclare que je suis l'une d'elles. Je déclare avoir avorté. De même que nous réclamons le libre accès aux moyens anticonceptionnels, nous réclamons l'avortement libre. »
Publié le 5 avril 1971 dans le « Nouvel Observateur »

Die Frau im 21. Jahrhundert

Heute garantiert der deutsche wie der französische Staat die Gleichberechtigung von Mann und Frau, und jede Form von sexistischer Diskriminierung kann juristisch verfolgt und bestraft werden. Aber

va-t-elle réaliser ses ambitions en tant que femme et mère et dans sa carrière professionnelle ? Quel est le soutien qu'elle peut attendre de son entourage et de la part de l'Etat ? Théoriquement, tout semble possible car les femmes disposent des mêmes droits que les hommes. Mais quelle est la réalité sociale ?

die Gleichberechtigung von Mann und Frau ist nicht nur eine Frage der Gesetzgebung, es ist vor allem auch eine Frage der Mentalität, von gegenseitiger Anerkennung und Respekt. Im Falle der Frauenrechte sind natürlich die Betroffenen zunächst die Frauen selbst. Welches Bild von sich hat die Frau heute in Deutschland und in Frankreich? Mit welchem Selbstverständnis setzt sie ihre Ansprüche als Frau, als Mutter und als Berufstätige in die Praxis um, und in wieweit wird sie von ihrem Umfeld, aber auch vom Staat unterstützt? Theoretisch scheinen ihr alle Türen offen zu stehen, gesetzlich genießt sie die gleichen Rechte wie der Mann. Aber wie sieht es mit der gesellschaftlichen Akzeptanz aus?

Die Frau und die Familie

Für die Französinnen ist die Familiengründung weiterhin Dreh- und Angelpunkt ihrer Lebensplanung. Dies hat keinen Exklusivitätscharakter, aber es steht für sie ganz oben auf der Prioritätenliste. Der Kinderwunsch ist nicht nur vorhanden, er wird auch umgesetzt. Der Durchschnitt liegt 2006 bei 2,01 Kind pro Frau. In Europa wird Frankreich zur Zeit nur von Irland übertroffen, erreicht somit fast die für eine Generationenerneuerung erforderliche magische Zahl von 2,1. Umfragen haben ergeben, dass Frauen sich oft mehr als zwei Kinder wünschen. 45% der Mütter von zwei Kindern hätten gerne drei oder vier Kinder, mehr als die Hälfte verzichtet aber auf diesen Kinderwunsch aus wirtschaftlichen Gründen. Und da setzt der französische Staat an: Da der Wunsch nach

La femme et la famille

La famille reste le point d'ancrage pour la majorité des femmes françaises, et les chiffres le prouvent bien. Le désir d'avoir des enfants ne reste pas abstrait. La France fait partie des rares pays européens (après l'Irlande) où le taux de natalité dépasse le taux de mortalité, le nombre d'enfants étant de 2,01 par femme en 2006. Ce chiffre, qui approche le seuil magique des 2,1 nécessaires au renouvellement des générations, ne reflète d'ailleurs pas le rêve d'une majorité de femmes qui souhaiteraient avoir plus de deux enfants. En effet, un sondage récent de la Sofres a démontré que 45% des jeunes mères rêvent d'avoir 3 ou 4 enfants. La raison principale de s'arrêter au deuxième ou troisième enfant est une question de revenus pour plus de la moitié des mères interrogées (59%). Ce sondage montre que la notion de famille nombreuse est toujours présente dans la mentalité française, et que, si elle ne peut être réalisée, elle n'en reste pas moins un désir. L'Etat français a reconnu qu'il était important d'aider ces jeunes femmes qui veulent avoir des enfants, et favorise par de nombreuses mesures la décision en faveur du troisième ou quatrième enfant.

Le combat des mouvements féministes à partir des années 70 a engendré un changement radical dans la perception de la femme vis-à-vis d'elle-même et de la société. Le principe de la femme qui s'occupe exclusivement du foyer et des enfants est révolu. Elle cherche à concilier l'activité professionnelle et la vie de famille. Les gouvernements français ont tous, depuis des décennies, veillé à aider les familles et à permettre aux deux parents d'accéder à l'activité professionnelle. Il existe

einer kinderreichen Familie vorhanden ist, und der Staat die Notwendigkeit einer familienfreundlichen Zukunftspolitik aus demographischen und aus wirtschaftlichen Gründen erkannt hat, fördert er mit allen Kräften die Entscheidung für Nachwuchs, vor allem die für ein drittes oder viertes Kind.

Der Unterschied zu früher ist, dass die junge Mutter ihre Lebenserfüllung nicht mehr einzig und allein im Kindergroßziehen sieht, sondern einen gleichwertigen, parallel verlaufenen Aufbau ihrer Berufstätigkeit anstrebt unter dem Motto „Sowohl als auch!" Seit den 70er Jahren des 20. Jh.

bien sûr des compensations dès que la femme interrompt sa vie professionnelle, mais elles ne suffisent pas pour décider les femmes à rester auprès de leurs enfants pendant très longtemps. La clé de voûte de la politique familiale est le dispositif de prise en charge des enfants depuis le plus bas âge. Une femme qui le souhaite peut, sans être considérée comme une mauvaise mère, confier son bébé à une organisation publique ou privée spécialisée dans le soin des jeunes enfants.

L'évolution d'après-guerre n'a pas du tout été la même en Allemagne. Après la guerre, à cause de l'expérience nazie, la politique familiale n'allait plus jouer qu'un rôle marginal

i

Geburtenrate in Deutschland (Gesamtdeutschland inkl. DDR) und Frankreich
Taux de natalité en Allemagne (y compris la RDA) et en France

Jahr/année	1953	1963	1973	1983	1993	2003	2006
D /Allemagne	2.15	2.51	1.56	1.43	1.28	1.34	1.34
Frankreich / F	2.69	2.89	2.30	1.78	1.65	1.89	2.01

hat es in Frankreich einen konsequenten Auf- und Ausbau von staatlichen Hilfeleistungen gegeben, die es Vater und Mutter erlauben, arbeiten zu gehen. Selbstverständlich gibt es finanzielle Kompensationen, die aber nicht ausreichend sind, um eine Frau längerfristig ans Haus zu binden. Entscheidend ist das System der Kinderbetreuung ab dem Säuglingsalter. Die Mutter, die es möchte, kann ruhigen Gewissens, ohne „schiefe Blicke" aus ihrem Umfeld, ihr Baby in die Hände einer staatlichen (oder privaten) Einrichtung geben.

dans la politique du pays. Le régime national-socialiste prônait effectivement une politique nataliste de premier ordre, les mères des petits « aryens » étaient décorées, tout ceci dans une optique raciale d'accroissement de la population allemande. Les nazis encourageaient les naissances en valorisant la femme dans son rôle de mère au foyer, les aides financières avaient le caractère de primes au mariage et aux bébés.

Après les premières années d'après-guerre – années extrêmement difficiles surtout pour les femmes (les *Trümmerfrauen*, ces femmes

In Deutschland hat sich die Situation nach dem Zweiten Weltkrieg anders entwickelt. Die Deutschen, von nationalsozialistischer Geburtenpolitik, arischem Rassegedanken und Mutterkreuzen für immer kuriert, haben die Familienpolitik lange Zeit als Stiefkind behandelt. Nach den schwierigen ersten Aufbaujahren, in denen die deutschen Frauen schier Übermenschliches leisteten (Stichwort: Trümmerfrauen), scheint es in den fünfziger Jahren ein Wiederaufleben des klassischen Rollenspiels – die Frau versorgt die Kinder, der Mann ernährt die Familie – gegeben zu haben. Getreu dem Motto eines damaligen Familienministers, die „Familie sei eine Gabe und eine Aufgabe", die der deutschen Frau zukomme, und Frauenarbeit hätte einen „gemeinschaftszerstörenden Charakter", versäumte man den progressiven Aufbau eines Betreuungssystems für die Kinder, deren Eltern beide arbeiten gehen wollten. Als in den Siebzigern, auch als Folge der 68er Bewegungen, die Geburtenrate zunehmend fiel, rückte die Familienpolitik wieder mehr in den Mittelpunkt. Es wurde eine Politik der finanziellen Anreize beschlossen, um höhere Geburtenraten zu erreichen.

Dabei wurde aber eine wesentliche Frage übersehen, die nach den Ansprüchen der Frau. Diese hatte sich zunehmend emanzipiert. Die Idee der weiblichen Selbstverwirklichung und Unabhängigkeit, gefördert durch die Antibabypille und die zunehmende Liberalisierung der Abtreibungspolitik, führte zu einem Wertewandel und einer Neuorientierung der deutschen Frau: Ein Kind zu bekommen steht nicht mehr auf Platz 1 ihrer Prioritätenliste. Die Politik des Entweder oder: entweder

qui ont déblayé les ruines) qui accomplissaient un travail surhumain – on semble être revenu dans les années 50 au modèle traditionnel du partage des rôles. La femme s'occupe des enfants et l'homme travaille pour nourrir la famille. Selon la formule d'un ministre de l'époque, la famille doit être considérée comme « un don et une vocation » qui doit revenir à la femme allemande, le travail féminin ayant un caractère « nocif pour la communauté ». L'Etat allemand n'a donc pas développé le système public de garde des enfants qui aurait été favorable à l'activité professionnelle de la mère de famille. C'est seulement dans les années 70 du 20e siècle, quand le taux de natalité a baissé à la suite des événements de 1968, que la politique familiale est revenue dans l'agenda politique allemand. Depuis cette époque, il existe des incitations financières en faveur des familles ayant des enfants.

Pour favoriser la natalité, l'Allemagne augmente donc son budget en faveur des familles, non pas pour développer les structures qui permettraient à la femme de concilier vie professionnelle et vie familiale, mais pour l'inciter à abandonner son activité au profit du foyer et de l'éducation des enfants. Le résultat n'a pas été celui qu'on espérait : le nombre d'enfants par femme est aujourd'hui de 1,34 et va en décroissant. On est loin des chiffres français, et encore plus de la moyenne de 2,1 enfants nécessaire pour redresser la courbe démographique en Allemagne.

La femme allemande a fait son choix, mais elle n'a pas suivi le modèle prôné par l'Etat : beaucoup de femmes, à défaut de pouvoir choisir, optent pour une poursuite de leur

Kind, dann aber kein Beruf, weil keine Betreuungsmöglichkeiten, oder Karriere, aber dann kein Kind, weil beides organisatorisch nicht geht und staatlicherseits nicht vorgesehen ist, führte dazu, dass die deutsche Frau sich gegen das Kinderkriegen entschied. Die Zahlen belegen es: 1,34 Kinder pro Frau, und eine Tendenzwende ist nicht in Sicht. Kinder zu bekommen wird auch oft als Armutsrisiko gesehen, weswegen junge Familien in ihrer Familienplanung Kinder zunächst nicht berücksichtigen. Die persönlichen Zukunftsperspektiven scheinen eine Hauptrolle bei der Aufschiebung des Kinderwunsches zu spielen. Wenn die wirtschaftlichen Vorstellungen dann endlich stimmen, klappt es mit dem Kinderkriegen meist nicht sofort, oder die Ehe ist längst wieder geschieden. Eine Familie mit mehreren Kindern, zumal in Großstädten, ist eine Seltenheit, und stößt bestenfalls auf Bewunderung, meist jedoch auf Unverständnis. Restaurants sind nicht darauf eingestellt, Wohnungen werden eher an ein Paar mit Haustier als an eine Familie vermietet, in den Geschäften werden die Verkäufer(innen) nervös, wenn man mehr als ein Kind an der Hand hält. Solche Verhältnisse wären in Frankreich undenkbar. Kinder gehören hier zum Alltag dazu, sie werden weder idealisiert und als Einzelkind verhätschelt, noch als lästig empfunden oder ignoriert.

Ein Phänomen, das in beiden Ländern auf dem Vormarsch ist, auch aufgrund der hohen Scheidungsraten, sind die so genannten Patchworkfamilien, in denen beide Partner Kinder aus vorangegangenen Partnerschaften mit unter ein Dach bringen.

vie professionnelle et n'ont pas d'enfants du tout. Ou bien elles auront un enfant unique, d'autant plus choyé et gâté. D'un autre côté, on observe ce paradoxe, dans la mentalité allemande, que la femme qui choisit de faire garder son bébé pour poursuivre son activité professionnelle fait parfois l'objet d'un certain rejet moral. Traitée de *Rabenmutter*, de mère indigne, elle peut être confrontée au refus d'une place dans une crèche ou autre structure de garderie sous prétexte qu'elle ferait mieux de s'occuper de son enfant, surtout s'il y a un père pour pourvoir aux besoins matériaux de la famille.

Mais il faut aussi un certain courage moral et financier pour envisager une famille nombreuse en Allemagne. Ne correspondant pas aux normes de la société, la mère se verra confrontée au pire à des remarques désobligeantes. De plus, par manque de structures d'accueil pour les enfants, il faut disposer d'un bon budget personnel pour assumer les charges familiales puisque la famille devra se contenter d'un seul salaire pendant plusieurs années.

La situation devient dramatique en cas de séparation des parents. Phénomène de plus en plus fréquent, la femme qui assume seule la responsabilité familiale et financière risque de glisser rapidement dans la précarité sans pour autant trouver le soutien nécessaire dans les institutions mises en place par l'Etat allemand.

L'évolution à la hausse de la famille monoparentale existe bien sûr aussi en France. Par ailleurs, on assiste ici, comme en Allemagne, à un phénomène social très commenté depuis quelques années : la famille recomposée. Nombreux sont les exemples de familles dont les enfants proviennent de familles

Der Anspruch auf Unabhängigkeit und Selbstständigkeit der Frauen hat wohl auch mit dazu geführt, dass mehr und mehr Frauen ein Kind bekommen, deswegen aber noch lange nicht das Sorgerecht und den Alltag mit dem Vater des Kindes teilen wollen. Oder es sind Frauen, die sich in einer Konfliktsituation mit ihrem Partner befinden und den Sprung ins kalte Wasser wagen, indem sie sich trennen. Zum internationalen Frauentag am 8. März 2005 teilte das Statistische Bundesamt mit, dass 91% der Allein-Erziehenden-Haushalte solche von Frauen mit Kindern sind. Außerdem wurde festgestellt, dass diese häufiger als verheiratete Eltern unter der Armutsgrenze leben, da das Einkommen des Partners fehlt. Hier stößt man sehr schnell an die Versäumnisse des deutschen Staates und das Fehlen der nötigen Einrichtungen für die Betreuung der Kinder, um eine Vollzeitbeschäftigung und somit ein normales Einkommen dieser Mütter zu ermöglichen. Eine zum Teil dramatische Situation, wie sie französische Einelternfamilien nicht so erleben, weil die Betreuungsstrukturen vorhanden sind.

Finanzielle Hilfestellungen

In Frankreich hängen die Höhe der verschiedenen Zahlungen und die steuerlichen Vorteile, die der Entlastung der Familien dienen, von der Kinderzahl und der finanziellen Situation der Familie ab. Aber eines haben sie alle gemeinsam: Das Kinderkriegen soll gefördert und gleichzeitig die Möglichkeit einer raschen Rückkehr in den Beruf geboten werden. Je mehr Kinder, desto größer die steuerliche Entlastung, und dies vor allem ab der Geburt

précédemment séparées et dont un des parents s'est engagé dans une nouvelle vie de couple, ayant à nouveau un ou plusieurs enfants etc. Dans ces familles *patchwork*, il n'est pas rare de trouver cinq, six, voire davantage d'enfants, avec toutes les complications que cela peut entraîner au quotidien, pire encore lors de fêtes familiales. Ainsi il n'est pas rare pour ces enfants de fêter Noël deux ou même quatre fois de suite afin de contenter tous les pères et mères concernés, sans parler des grands-parents …

Les aides financières

Face à la naissance d'un enfant se posent deux problèmes à résoudre en priorité pour la femme : celui de la garde de l'enfant, et celui du poids financier à assumer.

En France, après le congé de maternité qui est de 16 semaines pour le 1er et le 2e enfant et qui passe à 26 semaines dès la naissance du 3e, l'allocation parentale d'éducation (APE) permet à l'un des parents d'au moins deux enfants de suspendre son activité professionnelle ou de l'exercer à temps partiel jusqu'au troisième anniversaire de l'enfant. L'Etat lui attribue alors une allocation compensatoire indépendante du salaire précédemment perçu. Les conjoints peuvent cumuler leurs allocations et poursuivre chacun un travail à temps partiel, ce qui peut favoriser la répartition des tâches dans un ménage. Mais la France reste un pays fortement ancré dans certaines traditions et il est encore rare de voir un homme passer au temps partiel ou à une interruption temporaire de son activité professionnelle pour se consacrer à la famille. Tout au plus prendra-t-il quelques jours de congé paternel après la naissance de l'enfant.

Familienformen Formes de familles	Deutschland Allemagne		France Frankreich	
	1980	2005	1980	2005
Eheschließungen pro 1000 Einw. Mariages pour 1000 habitants	6,3	4,7	6,2	4,4
Ehescheidungen pro 1000 Einw. Divorces pour 1000 habitants	1,8	2,7	1,5	2,2
Außereheliche Geburten Naissances extraconjugales (%)	11,9	29,2	11,4	48,4
Anteil Alleinerziehender an Familienhaushalten (Kinder 0-14) Foyers monoparentaux parmi les foyers avec enfants de 0-14 ans	6,7	10,5	6,5	8,7

des dritten Kindes. Mit den 2004 beschlossenen Paje (*prestations d'accueil du jeune enfant*), sollen die Familien mit mindestens zwei Kindern besser gestellt werden. Mit zwei Kindern bewältigen die meisten Frauen dank der Betreuungsmöglichkeiten ihre Vollzeitarbeit weiterhin – und beziehen damit auch ihr volles Gehalt. Ein drittes Kind bedeutet meist den Übergang in die Teilzeitarbeit, also Gehaltseinbußen, außerdem eine größere Wohnung, eventuell auch ein größeres Auto, usw. Beim Kindergeld gibt es in Frankreich fürs erste Kind nichts, für das zweite 119 Euro, ab dem dritten Kind (273 Euro) erhöht es sich merklich, beim Vierten gibt es 426 Euro usw. Es gibt vom Staat zudem Unterstützung für die Kinderbetreuung oder eine Kompensation, wenn die Berufsausübung (teilweise oder ganz) unterbrochen wird. Dabei zielt man auf eine möglichst freie Wahl bei der Betreuung und Berufsausübung ab.

Les aides financières pour les familles sont multiples et dépendent de différents facteurs comme le salaire des parents, le nombre d'enfants, le régime fiscal. Mais toutes ces mesures visent à alléger la charge financière parfois lourde que représentent deux enfants ou plus. Les objectifs majeurs sont le libre choix du mode de garde et le libre choix d'activité pour les parents.

Face à une situation démographique inquiétante qui a engendré progressivement une prise de conscience dans la société, l'Allemagne réinvente sa politique familiale. On constate une hausse des aides financières et des allègements fiscaux, et ceci dès le premier enfant, calculés bien sûr en fonction du salaire annuel dont dispose la famille. Dans son traité de coalition de novembre 2005 (CDU/CSU-SPD), le gouvernement Merkel émet le souhait que « les familles aient plus d'enfants [...]. Sans enfants, l'Allemagne n'a

In Deutschland ist das Thema Familienpolitik seit einigen Jahren auf die politische Bühne zurückgekehrt. Über alle Parteien hinweg ist man sich einig, dass es angesichts der demographischen Entwicklung und der allgemein festgestellten Benachteiligung der Familien dringenden Handlungsbedarf gibt. Fest steht: Die deutsche Familienpolitik befindet sich im Umbruch, und sollte die Regierung Merkel es schaffen, ein attraktives familienpolitisches Paket zu schnüren, wird es vielleicht mittelfristig auch in Deutschland zu einem Sinneswandel kommen. Ansetzen will man dabei auch bei den Akademikerinnen, die, im Gegensatz zu Frankreich, das Schlusslicht bei den deutschen Müttern darstellen. Je höher die Qualifikationen, je länger die Ausbildung, desto geringer die Bereitschaft, auf eine berufliche Laufbahn zu verzichten, um sich nur noch auf die Kinder zu konzentrieren. 40% der 1965 geborenen Frauen, die jetzt in Deutschland mitten im Berufsleben stehen, haben keine Kinder (gegen 10% in Frankreich).

Die finanziellen Anreize für Familien mit Kindern sind vielfältig. Das Kindergeld wird vom ersten Kind an gezahlt (154 Euro monatlich bis zum dritten Kind, ab dem 4. Kind 179 Euro), und auch die Bundesländer wollen durch finanzielle Anreize die Familien mit Kindern fördern. 2006 wurde ein neues nationales Gesetz verabschiedet: seit 1.1.2007 wird für jedes Kind bis zu 14 Monaten Elterngeld bezahlt. Damit sollen diejenigen Eltern finanziell unterstützt werden, bei denen ein Elternteil seine Arbeit vorübergehend aufgeben oder reduzieren muss. Das Elterngeld richtet

pas d'avenir ». Afin d'encourager les parents à avoir plus d'enfants, l'allocation parentale d'éducation actuelle sera remplacée par une allocation versée en fonction des revenus : les parents qui feront une pause professionnelle pour élever leurs enfants percevront de l'Etat, pendant un an, les deux tiers de leur dernier revenu net (ce montant étant plafonné à 1 800 euros par mois). Ce règlement est censé inciter plus spécialement les pères et mères hautement qualifiés qui ont actuellement très peu d'enfants. En Allemagne, 40% des femmes nées en 1965 ayant un diplôme universitaire n'ont pas d'enfants (contre 10% seulement en France). Reste à savoir si l'argument financier sera suffisant pour redresser la courbe démographique de l'Allemagne.

Moralement et légalement, l'Etat allemand est dans l'obligation de revoir sa politique familiale : maintes fois déjà, la cour suprême de Karlsruhe a rappelé Berlin à l'ordre, insistant sur les droits élémentaires et économiques des familles que l'Etat devrait non seulement protéger mais également aider, dans l'intérêt du pays évidemment.

La garde des enfants

À côté des allègements financiers et fiscaux, il existe en France tout un système de possibilités de garde pour les enfants, et ceci dès leur plus jeune âge, c'est-à-dire environ dix semaines. La mère a le choix entre différentes solutions de garderie. Pour les tout-petits, il existe des crèches municipales, mais l'Etat ne peut pas couvrir seul tous les besoins de garde collective, il a donc débloqué des fonds importants pour faire bénéficier de financement public les crèches privées, associatives ou d'entreprise.

sich nach dem Einkommen und beträgt höchstens 1800 Euro monatlich.

Kinderbetreuung

Neben der steuerlichen und finanziellen Unterstützung der Familien, vor allem auch in den ersten drei Jahren des Kindes, hat der französische Staat Erhebliches geleistet, um das Betreuungsangebot für die Kinder kontinuierlich zu verbessern und somit die Vereinbarkeit von Beruf und Familie zu erleichtern. Das staatliche Krippenangebot deckt zwar nicht den gesamten Bedarf ab, zumal dieser durch die hohe Geburtenrate der letzten Jahre enorm gestiegen ist, aber es werden neue Plätze geschaffen, und es ist auch privaten Trägern erlaubt, staatlich geförderte Kinderkrippen zu führen. Ziehen die Eltern zunächst eine individuelle Betreuung ihrer Kleinsten vor, gibt es die staatlich ausgebildeten und geprüften Tagesmütter, die sich großer Beliebtheit erfreuen, und die mehrere Kinder in ihre Obhut nehmen, was vor allem für Einzelkinder eine gute Möglichkeit der Sozialisierung bedeutet. Ansonsten gibt es die *nounous*, die *nourrices*, die Kinder und Haushalt übernehmen, während die Eltern arbeiten. Die Kosten für diesen Rundumservice sind steuerlich absetzbar (bis zu 345 Euro/Monat), und für die Eltern eine ernsthafte Alternative zu den staatlichen Strukturen.

Mit zwei oder spätestens drei Jahren kann man das Kind in die kostenfreie *école maternelle* einschreiben, eher eine Vorschule als ein Kindergarten, wo das Kind theoretisch ganztags betreut werden kann (7.30-18.30 Uhr). Dies führt nahtlos in die Grundschule über, in der Ganztagsunterricht, Mittags-

Pour les mères qui préfèrent une structure plus individuelle pour leur bébé, elles peuvent faire appel aux assistantes maternelles agréées (AMA) qui gardent plusieurs enfants chez elles. Cette formule est très prisée, donc rare. Et puis, il existe tout un réseau de nounous (du mot nourrice) qui viennent garder l'enfant à domicile. Cette solution, bien que la plus onéreuse pour les familles, est rendue intéressante par la réduction d'impôt mensuelle accordée aux familles pour l'emploi d'une salariée à domicile, somme qui peut varier entre 151 et 354 euros par mois.

À l'âge de deux ou trois ans, l'enfant peut être pris en charge par les écoles maternelles (publiques, donc gratuites), où il peut rester toute la journée, avec un système de garderie périscolaire en fin d'après-midi (7 h 30-18 h 30). À partir du primaire, les établissements scolaires disposent de structures d'études surveillées dans lesquelles les enfants dont les parents travaillent peuvent faire leurs devoirs. La cantine est évidemment de rigueur pour assurer le déjeuner des élèves qui ne rentrent pas manger chez eux, puisque les cours se poursuivent jusqu'après 16 h 30, voire plus tard encore à partir du collège. Le mercredi, jour habituellement libre dans les établissements scolaires publics, les centres de loisirs ouvrent leurs portes pour accueillir les enfants et les jeunes. Y sont proposés jeux, activités sportives, mais aussi cours de soutien scolaire.

Bien sûr, il reste beaucoup à faire sur le terrain. En ce qui concerne les crèches municipales, les parents, et surtout ceux qui travaillent en horaire décalé, déplorent un manque de souplesse dans les heures d'ouverture, l'offre de garde ne correspondant pas toujours à la demande. Les crèches ne permettent

Kinderbetreuung / Accueil des enfants

Die Krippe, Kindertagesstätte (KiTa) – La crèche
Hier werden vor allem Kinder unter 3 Jahren in Gruppen betreut. Die Alternative zur Krippe sind privat organisierte Tagesmütter, die ein oder mehrere Kinder bei sich betreuen.
La crèche prend surtout en charge les enfants de moins de 3 ans. Une alternative sont les assistantes maternelles qui gardent un ou plusieurs enfants à domicile.

Der Kindergarten / L'école maternelle
Im Unterschied zum Kindergarten ist die *école maternelle* schulisch organisiert. Das pädagogische Personal gehört zum Erziehungsministerium, genau wie die Grundschullehrer. Die französische „Vorschule" ist gratis. Für den Kindergarten muss man in den meisten Gemeinden einen Beitrag zahlen.
A la différence de l'école maternelle, le „jardin d'enfants" allemand n'est pas considéré comme une école. Le personnel d'éducation n'a pas le même statut que les professeurs de l'école primaire. Autre différence: dans la plupart des communes, les parents doivent verser une contribution mensuelle (heureusement pas trop élevée).

Der Hort / La halte-garderie
Die *halte-garderie* betreut Kinder unter 6 Jahren, besonders morgens, bevor die *école maternelle* beginnt, oder nachmittags, wenn sie vorbei ist. Sie wird von den Kindern aber nicht regelmäßig besucht, sondern eben dann, wenn Betreuung von Nöten ist und wird auch so flexibel bezahlt. Der deutsche Hort greift vor allem für Grundschüler, da es in Deutschland kaum Ganztagsschulen gibt.
La halte-garderie s'adresse surtout aux enfants de moins de 6 ans qui doivent être gardés avant ou après l'école maternelle. En Allemagne, l'institution équivalente est également importante pour les élèves de l'école primaire qui finit à midi ou une heure

Tagesmütter/Kinderfrauen / Assistantes maternelles/garde à domicile
Während in Deutschland Kinderfrauen oder Tagesmütter privat engagiert und deswegen nur für Familien mit höheren Einkommen finanzierbar sind, müssen die französischen *assistantes maternelles* beim Département und bei der Sozialversicherung gemeldet sein. Das Engagieren von Tagesmüttern wird zudem von der *Caisse nationale d'allocation familiale (CNAF)* unterstützt.
En Allemagne, le marché des assistantes maternelles est moins développé qu'en France et se fait surtout au niveau de l'organisation privée. Il n'y a pas de soutien financier direct mais, depuis quelques années, il existe des possibilités d'allègements fiscaux.

kantine und Hausaufgabenbetreuung im Anschluss an den Unterricht eine Selbstverständlichkeit sind. Mittwochs ist in den meisten Schulen kein Unterricht, dafür

d'accueillir aujourd'hui que 10% des enfants de moins de 3 ans. L'Etat est conscient du problème et promet d'autres mesures pour faire face à la pression des familles qui, avec

oftmals noch am Samstag. Viele Mütter arbeiten auf der Basis ⅘, und halten sich den Mittwoch für die Kinder frei. Ansonsten können die Kinder ganztags in die Freizeitzentren gehen, die neben sportlichen und künstlerischen Aktivitäten auch Nachhilfeunterricht anbieten.

Von diesen nahezu ideal scheinenden Verhältnissen kann die deutsche Frau, die Berufstätigkeit und Familie parallel aufbauen möchte, heute nur träumen, vor allem in Westdeutschland, wo Kinderbetreuung über Jahrzehnte ein Stiefkind der Politik war. Die in Ostdeutschland auch aus politischen Gründen aufgebaute, flächendeckende Betreuungsinfrastruktur wurde nach dem Mauerfall von der Bundesrepublik nicht übernommen, geschweige denn ausgebaut. Mit diesem Versäumnis muss sich die heutige Regierung auseinandersetzen, sollte sie einen tatsächlichen Wandel der Familienpolitik bewirken wollen. Trotz des seit 1996 bestehenden Rechtsanspruchs auf einen Kindergartenplatz für alle Kinder ab dem vollendeten dritten Lebensjahr ist es Deutschland bis heute nicht gelungen, dies in die Tat umzusetzen. Man muss sowohl zwischen Ost und West, wie auch zwischen Halb- und Ganztagsbetreuung unterscheiden. Wie das Statistische Bundesamt (2004) feststellte, fehlten Ende 2002 in Westdeutschland für 22% der Kinder altersgemäße Kindergartenplätze, nur für 3% der Kinder gab es Krippenplätze und für 5% der Schulkinder war ein Hortplatz vorhanden. Seine Kinder in die Krippe bzw. in den Hort zu geben, gilt in Westdeutschland immer noch als unüblich, und man kann schnell zur Rabenmutter abgestempelt werden.

le mini-babyboom des dernières années, exigent des systèmes de garde plus souples pour ne pas être obligés de recourir aux structures privées.

En Allemagne, pour décrire les possibilités de garde des jeunes enfants, il faut distinguer entre l'Est et l'Ouest. Étant donné la division passée du pays, avec ses deux systèmes politiques, la situation y est très différente, et les mentalités le sont aussi.

La femme originaire de l'Est, habituée à un environnement où les femmes travaillaient et où les enfants étaient confiés très tôt à une structure de garde extérieure, n'aura aucun scrupule à faire garder son jeune enfant, même à plein temps. Sous le régime politique communiste, la RDA disposait en effet d'un important réseau de structures de garderie pour les enfants dès leur plus jeune âge, qui en assurait non seulement la garde, mais se substituait en quelque sorte à la famille en se chargeant de leur éducation sociale. Après la chute du mur et l'absorption des structures est-allemandes dans le système fédéral, ce réseau qui garantissait l'accueil d'enfants du matin au soir et couvrait tout le territoire est-allemand, a cessé d'être développé, mais il continue à pourvoir aux besoins existants. Les crèches peuvent accueillir 37 % des enfants, les maternelles proposent plus de places qu'il n'en faut, et 41% des élèves scolarisés sont pris en charge après les cours. L'offre dépasse la demande parce que le taux de natalité a diminué davantage à l'Est qu'à l'Ouest de l'Allemagne. Après la réunification, avec l'effondrement du marché du travail, beaucoup de jeunes gens sont partis vers l'Allemagne de l'Ouest pour trouver un emploi.

Die Situation ist eine ganz andere im Osten des Landes; die außerhäusliche Kinderbetreuung ist allgemein akzeptiert, nicht nur aus historischen und frauenberuflichen Gründen, sondern weil angesichts der hohen Anzahl von Einzelkindern der pädagogische Auftrag dieser Tageseinrichtungen anerkannt wird und wesentlich zur Sozialisierung der Kinder beiträgt. Ende 2002 gab es in den Neuen Bundesländern sogar ein Überangebot von Ganztags-Kindergartenplätzen, Konsequenz des drastischen Geburtenrückgangs und der wirtschaftlich bedingten Abwanderung vieler junger Menschen. Für 37% der Krippenkinder standen Plätze zur Verfügung und für 41% war ein Hortplatz vorhanden.

Die Lage ist also vor allem in Westdeutschland dramatisch, Ganztagsbetreuung ist praktisch nicht zu haben. Die steuerliche Absetzbarkeit für private Kinderbetreuung ist sehr begrenzt. Auch für Mütter von Schulkindern bleibt die Situation problematisch, da in Deutschland immer noch das System der Halbtagsschule vorherrscht, kaum Schulkantinen vorgesehen sind und die Nachmittagsbeschäftigungen wie Sport, Musik o.Ä. von der Organisation der Eltern abhängt.

C'est donc à l'Ouest que la recherche d'une place dans une crèche ou une maternelle ressemble au parcours du combattant. Dans les crèches, il n'y a de la place que pour 3% des enfants de moins de trois ans et il n'y a pas, comme en France, de structures parallèles d'assistantes maternelles, de haltes-garderies, de subventions des nourrices etc. À l'avenir, le gouvernement Merkel envisage de favoriser fiscalement l'emploi d'une nourrice à domicile.

Quant aux enfants de plus de trois ans, l'Etat allemand s'est engagé en 1996 à garantir une place de jardin d'enfants à chacun d'eux. En réalité, cette promesse n'a pu être tenue, il n'existe des places que pour 88% des demandes. De plus, la plupart des enfants ne sont pris en charge que jusqu'au déjeuner, l'après-midi restant à la charge des familles. Une fois l'enfant scolarisé, le problème n'est pas résolu. Le parent qui veut enfin reprendre une activité extérieure devra faire preuve d'imagination, puisqu'en Allemagne l'école s'arrête avant l'heure du déjeuner et qu'il n'y a ni structure de cantine ni programme scolaire l'après-midi, tout au plus un système de garderie qui couvre 5% des besoins pour les plus grands, et qui est donc réservé aux plus nécessiteux. Toutes les activités périscolaires dépendent de l'initiative et de l'organisation des parents.

Frauen im Beruf

Eine junge Frau, ob mit oder ohne Kinder, wird in Frankreich schräg angeschaut, wenn sie nicht wenigstens halbtags arbeiten geht oder einer sonstigen außerhäuslichen Tätigkeit nachgeht. Seit den Siebzigern hat sich die Frauenberufstätigkeit zunehmend entwickelt, heute sind 64%

La femme et l'emploi

En France, contrairement à la réalité allemande, on s'étonne plutôt si une mère ne travaille pas, ne serait-ce qu'à temps partiel, et il existe même une certaine pression sous-jacente de la société sur les mères qui

der Französinnen über 15 Jahre trotz der hohen Geburtenrate berufstätig, in der Altersgruppe 25-49 sind es 81%. Allerdings gibt es auf dem französischen ähnlich wie auf dem deutschen Arbeitsmarkt in der Praxis noch keine konsequente Gleichberechtigung: Die Arbeitslosigkeit trifft mehr Frauen als Männer, mehr Frauen arbeiten mit Teilzeitverträgen, vor allem ab dem dritten Kind, und weniger Frauen als Männer erreichen die Chefetagen.

Dabei sind die Grundvoraussetzungen für einen Job mit Führungsaufgaben vor allem bei jungen Frauen durchaus vorhanden. Die französischen Abiturzahlen beweisen es: 2002/03 haben 5% mehr Mädchen ihr *baccalauréat* gemacht als Jungen, und es gab 10% mehr Studentinnen als Studenten. Bei den Einstellungszahlen holen die Männer den Rückstand allerdings auf, und spätestens nach Mutterschaftsurlaub und Babypause dreht sich die Situation um. Männer werden eher befördert, und die Einkommensschere klafft immer weiter auseinander.

Die Situation in Deutschland ist durchaus vergleichbar. Seit 1990 machen in Deutschland regelmäßig mehr Mädchen als Jungen das Abitur. Im Durchschnitt sind ihre Leistungen in allen Altersstufen und in allen Schultypen besser als die der Jungen. Dieser Unterschied verschwindet dann, genau wie in Frankreich, in der Arbeitswelt. Auch die Beschäftigungsquote ist in Deutschland kontinuierlich gestiegen: mittlerweile sind 67% der Frauen zwischen 15 und 65 Jahren erwerbstätig, in den neuen Bundesländern mehr als in den alten.

Eine traurige Wirklichkeit in beiden Ländern bleibt die ungerechte Verteilung der

ont décidé de se consacrer exclusivement à l'éducation de leurs enfants et à leur ménage. La part des femmes sur le marché du travail ne cesse d'augmenter. Il faut dire que presque sept Françaises sur dix travaillent, et ceci malgré le taux de natalité élevé. Mais des inégalités subsistent face à l'emploi : chômage plus élevé que pour les hommes, temps partiel plus fréquent, surtout à partir du troisième enfant, et moindre accès aux postes d'encadrement et de direction.

Et pourtant, les conditions de départ sont les mêmes, parfois même meilleures pour les filles. En 2002/03, 58,4% des filles passaient leur bac, 5% de plus que chez les garçons. Dans l'enseignement supérieur, le nombre des étudiantes dépasse de 10% celui des étudiants. Les hommes se rattrapent ensuite au niveau de l'embauche, et la balance bascule définitivement à leur avantage au moment des naissances et pauses de maternité, qui incombent naturellement aux femmes. La situation en Allemagne est comparable. Depuis 1990, les filles atteignant le bac sont majoritaires par rapport aux garçons, et en moyenne leurs notes sont meilleures dans tous les types d'école. Comme en France, cet avantage disparaît dès qu'on est dans le monde du travail. Mais le taux d'activite professionnelle des femmes a considérablement augmenté : aujourd'hui 67% des femmes entre 15 et 65 ans travaillent.

Il n'y a aucun doute là-dessus : la famille reste une affaire de femmes, en France aussi. Le travail domestique (ménage, courses etc.) et familial (enfants, aide aux personnes âgées etc.) continue d'être assuré par la femme, active ou inactive. C'est d'autant plus vrai dans les familles monoparentales, dont le nombre ne cesse de croître : dans 86% des cas, celles-

häuslichen Arbeiten: Die Frau trägt trotz der weit verbreiteten Berufstätigkeit die Hauptlast beim „Familienmanagement" und den traditionellen Hausarbeiten.

Chancengleichheit

Die Ungleichheit im Berufsleben wird vom französischen Staat immer wieder bemängelt, nachdem die Chancengleichheit seit 2000 auch gesetzlich verankert ist. Im Prinzip darf es keine geschlechtsbedingte Bevorzugung oder Diskriminierung geben, im öffentlichen wie im privaten Sektor. In der Praxis lassen sich allerdings immer noch große Unterschiede feststellen: ⅔ der Führungsposten in der Wirtschaft sind fest in Männerhand, im öffentlichen Bereich sind die Frauen zwar in der Überzahl, aber nicht auf der Leitungsebene. Die Politik sollte da mit gutem Beispiel vorangehen, und im Präsidentschaftswahlkampf 2007 schien das Thema der *parité* wiederentdeckt worden zu sein. Vom damaligen Staatspräsidenten Chirac bis zum Oppositionsführer Hollande forderten alle mehr Frauen in Spitzenpositionen. Auf Gemeinde- und Stadtratsebene sind die Frauen im europäischen Vergleich mit einem Anteil von 44% hingegen sehr präsent, auch im Europaparlament ist der Frauenanteil mit 32 der insgesamt 78 französischen Abgeordneten vergleichsweise hoch. Die weiblichen deutschen Europaabgeordneten sind hingegen nur 31 von insgesamt 99. Nicolas Sarkozy hat sein während des Wahlkampfs abgegebenes Versprechen wahr gemacht und eine paritätisch besetzte Regierung gebildet.

Auch in Deutschland spielt das Thema Gleichberechtigung seit den Achtzigern

ci sont constituées d'une femme et de ses enfants.

La parité

L'Etat tente de remédier à cette inégalité. Depuis 2000, la législation pose pour principe général l'interdiction des discriminations basées sur le sexe dans l'accès aux métiers. Il y a eu progrès, mais certains emplois restent très fermés aux femmes. Les deux tiers des postes de cadres du secteur privé sont occupés par des hommes, et moins de deux dirigeants sur dix sont des dirigeantes. Même dans la fonction publique, on observe des inégalités. Bien que majoritaires (57%), les femmes y sont encore peu présentes dans les postes à responsabilité.

Sur la scène politique, la place des femmes progresse depuis 2000. A l'Assemblée et au Sénat, le nombre des députées femmes reste très faible (21ème rang sur 25 en Europe). Aux élections locales, la part des femmes élues est plus forte et progresse rapidement. Dans l'ensemble, 44% des élus en France sont des femmes, soit une proportion supérieure de 12 points à la moyenne des autres pays. La parité a d'ailleurs été un des mots-clés de la campagne présidentielle 2007. De l'ancien Président Chirac et François Hollande, les dirigeants politiques demandaient devantage de femmes dans des positions importantes. Nicolas Sarkozy a tenu sa promesse, faite pendant la campagne électorale, en formant un gouvernement dont la moitié des membres sont des femmes.

Comme en France, c'est dans les années 80 que la politique allemande a commencé à discuter la nécessité d'un droit légal de parité pour faciliter et garantir l'accès de la fem-

eine große Rolle. Die Partei der Grünen führte als erste Partei eine Frauenquote ein, die festlegte, dass 50% der Posten weiblich besetzt werden sollten. Die SPD folgte mit einem ähnlichen Modell (40%-Frauenquote), die CDU konnte sich nicht dazu durchringen und argumentierte, dass die Besetzung einer Position von der Qualifikation und der Erfahrung des/r Einzelnen abhängt, und nicht vom Geschlecht. Im Bundestag sind 32% weibliche Abgeordnete.

Frauen in Spitzenpositionen

So sehr Deutschland bei vielen frauenpolitischen Aspekten im Vergleich zu Frankreich hinterherhinkt, so hat doch die Wahl von Angela Merkel als erster Frau an die Spitze einer deutschen Regierung für interessiertes Aufhorchen in Frankreich gesorgt. Mit Bewunderung wurde ihr zäher und bestimmter Widerstand gegen Gerhard Schröder während des Wahlkampfs 2005 beobachtet. Ihre ersten Schritte als Kanzlerin auf dem politischen Parkett wurden mit viel Wohlwollen begleitet.

In der Wirtschaft hat hingegen eindeutig Frankreich die Vorbildfunktion in Sachen Frauen auf Chefposten, wie es die Liste der *top female executives* von der Financial Times Deutschland ernüchternd wiedergibt: Auf der Liste der 25 erfolgreichsten Frauen auf europäischen Chefsesseln 2005 sucht man vergebens nach einer deutschen Frau. In Frankreich herrscht ein anderes Selbstverständnis, 30% der Topstellen sind in Frauenhand, und es gehören immerhin zwei Frauen zu den 25 Gelisteten, worunter auf Platz 2 die Chefin des Energiekonzerns AREVA, Anne Lauver-

me à un certain pourcentage de postes dans le secteur public et privé et au niveau politique. Ce sont les Verts, à l'époque jeune mouvement écologique, qui les premiers s'engagent à respecter une proportion 50/50 entre hommes et femmes lors de la répartition des postes. En Allemagne, la nécessité d'un tel quota est très discutée, certains affirmant que l'accès à un poste devrait entièrement dépendre de la qualification et des capacités du candidat et non pas être déterminé par son sexe. Les emplois dans la fonction publique sont tenus de respecter un certain quota, c'est-à-dire qu'en cas de candidatures à qualification égale, la femme aurait la priorité dans le processus d'embauche.

Femmes phares

L'exemple de l'élection en Allemagne de la première femme au poste de chancelier a suscité un grand intérêt en France. Effectivement, Angela Merkel a déclenché une vague d'admiration dans les médias français pour sa ténacité et son calme apparent face à l'ancien chancelier Schröder tout au long de l'automne 2005.

Dans le secteur de l'économie privée, la parité est loin d'être établie, la situation en France étant toutefois moins dramatique qu'en Allemagne. On compte en France environ 30% de femmes qui font partie des «femmes d'affaire les plus influentes » tandis qu'en Allemagne il faut chercher loin pour trouver une femme dans le « top management ». En 2005, d'après le Financial Times qui a établi un palmarès des 25 femmes européennes à la tête de structures du secteur économique, on trouve aucune Allemande, mais deux femmes françaises, dont l'une à la deuxième place. Il s'agit d'Anne Lauvergeon, qui est aujourd'hui à la

geon, und auf Platz 19 Laurence Danon (Printemps) zu finden sind. Seit 2005 ist Laurence Parisot Präsidentin des nationalen Arbeitgeberverbands MEDEF. Aber auch dieser Erfolg bleibt relativ: Von den 40 größten an der französischen Börse notierten Unternehmen werden nur 7% von Frauen geleitet.

Gehälter

In beiden Ländern bestehen weiterhin Ungleichheiten bei der Bezahlung der Frauen im Vergleich zu ihren männlichen Kollegen auf vergleichbaren Posten. Ausnahme bildet da wohl nur der öffentliche Dienst, dessen Gehaltslisten öffentlich zugänglich sind, so dass eine Diskriminierung festgestellt und angefochten werden kann.

In Deutschland stellte die Wirtschaftswoche (Januar 2006) im Marketingsektor eine durchschnittliche Differenz von jährlich 15.000 Euro zwischen Mann und Frau fest, bei gleicher Qualifikation und Berufserfahrung. Ähnlich sieht es in anderen wirtschaftlichen Sektoren aus, im Consulting sind es im Schnitt 4000 Euro jährliche Differenz, im Pharmabereich 3600 Euro, usw. Auch in Frankreich wird das Ungleichgewicht zugunsten der männlichen Gehälter kritisiert. In einem Vergleich aller Gehälter (inkl. Teilzeit) wurde 2003 eine Differenz von ca. 27% geschätzt, und das in der Hälfte der Fälle ohne konkreten Grund. Diese Diskriminierung wird oftmals in Kauf genommen, weil die Berufstätigkeit für viele Frauen nicht den einzigen Schwerpunkt in ihrem Leben darstellt. Sie sind bereit, auf eine Gehaltserhöhung zu verzichten oder ein Teilzeitangebot anzunehmen, um somit mehr Zeit für Familie und Haushalt zu haben.

tête d'Areva. Loin derrière, en 19ᵉ position, il y a Laurence Danon, actuellement à la tête du grand magasin parisien Printemps. Depuis 2005, c'est une femme, Laurence Parisot, qui a pris la présidence de l'organisation du patronat français (MEDEF). Et pourtant, ce succès reste statistiquement modeste : 7% de femmes à la tête des entreprises du CAC 40.

Les salaires

Côté salaire, les inégalités persistent dans les deux pays. En prenant comme exemple le secteur du marketing, l'hebdomadaire allemand *Wirtschaftswoche* du 11 janvier 2006 a calculé une différence de 15 000 euros par an dans le salaire payé à une femme par rapport à un homme ayant les mêmes qualifications et la même expérience (6-10 ans). Ceci vaut pour toutes les branches de l'économie allemande ; dans le domaine du consulting, la différence est en moyenne de 4 000 euros par an, dans le domaine pharmaceutique de 3 600 euros par an etc.

Récemment, cette inégalité a été en France le sujet d'une nouvelle discussion. On a constaté que pour l'ensemble des salariés (temps partiel inclus), l'écart salarial estimé est de 27% en faveur des hommes. Parmi les salariés à temps complet, près de la moitié de l'écart salarial entre hommes et femmes peut s'interpréter comme résultant de discrimination. Cette inégalité s'explique aussi par le fait que les femmes sont plus nombreuses que les hommes à occuper des emplois temporaires (CDD, stages etc.). De plus, les femmes travaillent à temps partiel cinq fois plus souvent que les hommes, surtout après la naissance du troisième enfant.

Die Bestrebungen, Frauen sprachlich nicht zu diskriminieren, haben im Deutschen zu umständlichen Formulierungen geführt. In Frankreich wird dies etwas anders gesehen. Die französische Sprache erlaubt es nicht immer, durch eine Endung die weibliche Form zu markieren. Aber es wird auch nicht so wichtig genommen. Im Gegenteil: manche Politikerinnen legen Wert darauf, als „Madame le Ministre" angeredet zu werden, so wie es rein sprachlich gesehen auch korrekt ist.

En Allemagne, la volonté de ne pas discriminer les femmes par l'usage de la langue « masculine », a parfois entraîné des néologismes. La langue allemande permettant grammaticalement la féminisation de tous les mots par le simple ajout d'une terminaison « -in », les choses sont assez simples pour les désignations professionnelles, où l'on privilégie les formes féminines, de la « *Professorin* » (femme professeur) jusqu'à la « *Kanzlerin* » (chancelière). Pour former un pluriel neutre sans compliquer la formule sous la forme écrite, on a inventé le « I » interne aux mots: le terme *BürgerInnen* désigne donc à la fois les citoyens de sexe masculin (*Bürger*) et féminin (*Bürgerinnen*).

En France on accorde globalement moins d'importance à cet aspect du féminisme. L'administration a introduit depuis une dizaine d'années une féminisation parfois étrange des noms de métier et de fonction n'en comportant pas jusqu'alors (écrivaine, professeure, rapporteure ou rapporteuse), mais il y a encore bien des politiques (femmes) qui tiennent à être saluées comme « Madame le Ministre » – ce qui est d'ailleurs la forme linguistiquement correcte.

Frau sein

Die Doppelbelastung von Familie und Berufstätigkeit tut dem Auftritt der französischen Frau keinen Abbruch. Vor allem in Paris und den anderen Großstädten kann man auf einen Typ Frau treffen, der dem Klischee von der eleganten, charmanten, modisch gekleideten und raffinierten Französin entspricht. Sie achtet auf ein elegantes und gepflegtes Äußeres, opfert ihre Mittagspause dem Frisör oder der Maniküre und retouchiert ihr Make-up im Autorückspiegel an der roten Ampel. Schlankheit und Diäten sind ein wichtiges Thema im Leben der Französinnen, vor allem kurz vor den Sommerferien sprühen die Frauenzeitschriften nur so vor Diätwunderrezepten, und es grenzt schon fast an einen Massenwahn. Des Rätsels Lösung ist nicht selten das Ersetzen des Mittagessens durch schwarzen Kaffee und Zigaret-

Vivre sa féminité

La Française jouit d'une réputation à l'image de sa capitale Paris, synonyme de l'élégance, de la sophistication, du charme, de la mode et de la féminité. Dans les grandes villes surtout, on peut rencontrer en effet ce type de femme française. Plutôt d'apparence frêle, rarement sans maquillage, le mascara appliqué dans le rétroviseur avant d'arriver au bureau, elle soigne son look. Même après la naissance de ses enfants, elle garde la ligne, parfois au prix de cigarettes et de café. Le tabagisme a fortement diminué avec les hausses du prix des cigarettes depuis 2002, mais une femme sortant de la bouche du métro avec une cigarette déjà allumée à la main reste chose courante. « Fumer tue » et le nombre de décès pour cause de cancer du poumon est en constante augmentation chez la femme, tandis que le taux de mortalité chez l'homme s'est stabilisé depuis

ten. Der Zigarettenverkauf ist allgemein zurückgegangen, aber das Rauchen ist vor allem bei jungen Leuten, insbesondere bei jungen Frauen, immer noch sehr beliebt. Konsequenz: die Zahl der Lungenkrebserkrankungen nimmt bei weiblichen Patientinnen weiterhin zu, während sie sich bei den Männern zu stabilisieren scheint. Auch rauchende Schwangere sind keine Seltenheit, spätestens nach der Geburt wird die alte Gewohnheit wieder aufgenommen, vor allem weil die wenigsten Frauen in Frankreich ihre Babys lange Zeit stillen. Es ist vor allem das schnelle Zurück ins Berufsleben, das ein längeres Stillen verhindert. In Paris und anderen französischen Großstädten gibt es sogar eine Art Ammenservice, der finanziell gut situierten Frauen die Möglichkeit gibt, eine Person für die Nachtschichten anzuheuern. Diese versorgt das Baby bis es durchschläft und erlaubt den berufstätigen Eltern eine Nacht ohne Unterbrechung.

In Deutschland wird die Frau, die sich zum Muttersein entschieden hat, tendenziell anders mit der Sache umgehen. Sie achtet mehr auf eine möglichst gesunde Ernährung, geht zum Stillkurs und zum Babyschwimmen, Biokost und Vollkornprodukte stehen auf dem Speiseplan, die zusätzlichen Pfunde auf den Hüften werden meist als lästige, aber unumgängliche Begleiterscheinung in Kauf genommen. Während sich die französische Frau sehr unter Druck setzt, um möglichst schnell wieder in ihre Kleidergröße 38 (entspricht der deutschen Größe 36!) zu passen, geht die deutsche Frau gelassener damit um. Im europäischen Vergleich gehören die Französinnen zu den schlanksten Frauen,

quelques années. Même enceinte, la mère n'abandonnera pas nécessairement son paquet de « clopes ».

Par rapport aux autres Européennes, les femmes françaises sont par ailleurs moins nombreuses à allaiter leur nouveau-né. Par manque de temps bien sûr, celles qui retournent travailler essaient de récupérer physiquement le plus vite possible, et elles n'en voient pas vraiment la nécessité, ni affectivement ni pour la santé du bébé. En Allemagne, la femme qui décide de se consacrer à son bébé allaitera volontiers et il n'est pas rare de voir une femme allaiter dans des lieux publics, parfois jusqu'à ce que le bébé ait un an. La femme allemande est très attentive à une alimentation saine, voire « bio », plutôt qu'à ses conséquences sur son poids. Cette observation est confirmée par une récente étude sur le phénomène de l'obésité, publiée par le Commissaire Européen à la Santé en décembre 2005 et qui démontre que la femme française est la plus mince d'Europe. En France, il n'y a que 35% des femmes qui dépassent l'indice de masse corporelle (BMI) de 25 (limite entre poids normal et surpoids), tandis qu'en Allemagne on atteint presque les 60%. Il y a d'ailleurs une différence dans les tailles d'habillement : un 38 allemand correspond à un 40 français. Au-delà du 42, on n'est pas toujours assuré de trouver un choix aussi vaste dans les marques françaises.

De stature généralement plus grande, la femme allemande porte plutôt des chaussures plates, préférant le confort à l'élégance. Pourtant, depuis quelque temps, la femme française délaisse volontiers ses hauts talons au profit de baskets style Adidas ou Puma. Et on a même aperçu des sandales du genre

nur 35% liegen über dem Bodymassindex (BMI) von 25 (Grenze zwischen Normalgewicht und Übergewicht), in Deutschland liegen fast 60% der Frauen darüber.

Schuhe mit Absätzen bleiben in Frankreich sehr beliebt, obwohl Anfang 2006 veröffentlichte Studien ergeben haben, dass die französische Frau in den letzten zehn Jahren im Schnitt um 2cm (auf 163 cm) gewachsen ist, dementsprechend auch durchschnittlich 2kg mehr wiegt (63,0). Die deutsche Frau hingegen trägt gerne flaches Schuhwerk und bevorzugt bequeme Kleidung.

Birkenstock dans les vitrines des Grands Magasins dans les collections d'été.

Grâce aux voyages, aux médias et aux grandes marques de vêtements, bas de gamme ou prêt-à-porter de luxe, installées partout en Europe aujourd'hui, les styles s'unifient de plus en plus, les Allemandes ont pris goût à la sophistication et les Françaises s'habillent de façon plus décontractée.

A côté de la famille et de l'emploi, la femme française consacre environ 3 h 50 par jour à ses loisirs. A côté de la télévision, elle préférera les livres à la presse quotidienne, et de plus en plus de femmes pratiquent une

Nützliche Links / Liens utiles

www.uni-kassel.de/frau-bib – Stiftung Archiv der deutschen Frauenbewegung

www.fembio.org – Frauenbiographieforschung

www.frauenrechte.de – Terre des Femmes

www.deutschland-wird-familienfreundlich.de

www.bmfsfj.de – Bundesministerium für Familie, Senioren, Frauen und Jugend

www.infofemmes.com – réseau national d`information sur le droit des femmes et des familles

www.archivesdufeminisme.fr – site de recherche et de documentation

www.cnaf.fr – Caisse Nationale des Allocations famliales

www.inegalites.fr – Observatoire des inégalités

www.travail-solidarite.gouv.fr – Secrétariat d'Etat auprès du ministre du Travail, des Relations sociales et de la Solidarité

Allgemein lässt sich jedoch ein Trend zur Vereinheitlichung der weiblichen Mode über die Grenzen hinweg beobachten. Die Medien, die internationalen Modekonzerne und das Reisen haben den Frauen die Augen geöffnet für andere Modetrends und Schönheitsideale: die Französin greift auch schon mal zu bequemen Bir-

activité physique et sportive (78%). Elles privilégient aussi les sorties théâtre, concert et musée, n'hésitant pas à sortir entre copines. Dans la tranche d'âge entre 25 et 39 ans, 38% seulement des femmes en France ne font jamais de sorties culturelles.

La femme allemande dispose statistiquement de plus de temps (5 h 24), mais ses loi-

kenstocksandalen oder Adidas und hat den lockeren Stil entdeckt, die Deutsche verschmäht nicht mehr die Stöckelschuhe oder das elegante Kostüm und verfolgt aufmerksam die Pariser Mode.

Deutsche und französische Frauen teilen in ihrer Freizeit ähnliche Interessen, wobei der Schwerpunkt bei beiden eindeutig im zwischenmenschlichen Bereich liegt. Deutsche Frauen verfügen im Schnitt täglich über mehr freie Zeit als ihre französischen Kolleginnen, aber beide bevorzugen Besuche, Gespräche im Freundeskreis und kulturelle Aktivitäten (Kino, Theater, Konzerte, soziale und politische Veranstaltungen). Auch Fitness und Lesen sind im Trend.

sirs favoris ressemblent fort aux passe-temps préférés des femmes françaises. Comme celles-ci, elles favorisent les sorties et les rencontres avec les ami(e)s, les sorties cinéma, théâtre et concert.

06

Die Wirtschaft

L'économie

Längst ist der Begriff „Globalisierung" zu einem zentralen Stichwort unserer Zeit geworden. Der rasante technische Fortschritt in Bereichen wie der Kommunikation, der Produktion, im Kapital- und im Warenverkehr macht es Unternehmen aus Frankreich und Deutschland möglich, weltweit zu agieren. Sie produzieren und verkaufen ihre Produkte in allen Teilen der Welt und sind damit den nationalen Schranken ihrer Herkunftsländer längst entwachsen. Auch die staatlichen Wirtschaftspolitiken müssen sich an die Gegebenheiten der Globalisierung anpassen. Die Regierungen Frankreichs und Deutschlands treiben die Liberalisierung der Märkte voran, treten aber gleichzeitig zunehmend als Beschützer vermeintlich „nationaler" Unternehmen auf, um etwa feindliche Übernahmen durch ausländische Investoren zu verhindern.

Diese durch die Globalisierung notwenig gewordenen Anpassungen fügen sich aber nicht immer nahtlos in die traditionellen wirtschaftsideologischen Konzepte Deutschlands und Frankreichs, die lange Zeit die Politik in Paris und Bonn/Berlin bestimmt haben. Frankreich galt und gilt z.T. auch heute noch als Paradebeispiel für ein ökonomisches System, das durch eine umfangreiche staatliche Einflussnahme auf die nationale Wirtschaft gekennzeichnet ist. Die Verflechtung von Politik, Wirtschaft und staatlicher Verwaltung, staatlicher Schutz der heimischen Wirtschaft oder die finanzielle Unterstützung der Industrie

Le terme « mondialisation » est devenu l'un des concepts clés de notre époque. Les progrès fulgurants accomplis dans les domaines de la communication, de la production et de la circulation des biens et des capitaux permettent à de nombreuses entreprises françaises et allemandes de se déployer à l'échelle mondiale. Les frontières nationales ont depuis bien longtemps cessé de délimiter l'activité de ces entreprises. De même, les Etats ne peuvent pas ignorer la mondialisation et sont contraints d'adapter leurs politiques à cette nouvelle donne économique mondiale, ce qui n'est pas sans entraîner certaines situations paradoxales. Les gouvernements allemand et français cherchent, d'une part, à faire progresser la libéralisation et l'ouverture des marchés. Ils interviennent, d'autre part, de plus en plus pour protéger les entreprises nationales d'OPA hostiles émises par des investisseurs étrangers.

Toutefois, les idéologies économiques traditionnellement dominantes en France et en Allemagne, et qui ont longtemps guidé la politique économique mise en place à Paris, Bonn et Berlin, ne se prêtent pas toujours très bien aux exigences de la mondialisation et aux adaptations que cette dernière requiert. La France a longtemps été considérée comme un modèle de système économique interventionniste, marqué par la très forte influence de l'Etat sur l'économie nationale. L'enchevêtrement des sphères politique, économique et administrative, le rôle protecteur de l'Etat, souvent au chevet de l'économie nationale, et son soutien finan-

sind Elemente dieses französischen Etatismus. Demgegenüber ist mit dem deutschen Wirtschaftssystem der Name des Ökonomen Walter Eucken verbunden, der mit seinem Konzept des Ordoliberalismus ein wirtschaftliches Modell zwischen dem laissez-faire Liberalismus und der staatlichen Planwirtschaft begründet hat und damit den Weg für die soziale Marktwirtschaft der Bundesrepublik in den 1960er Jahren frei gemacht hat. Die Grundüberlegung ist, dass der Staat nicht in die konkrete wirtschaftliche Planung eingreifen, sondern lediglich den adäquaten Rahmen für die freie und bestmögliche Entwicklung der nationalen Wirtschaft bereit stellen soll.

Ökonomische Situation in Frankreich und Deutschland

Entwicklungen bis zur Industrialisierung

Dank der merkantilistischen Wirtschaftspolitik Jean-Baptiste Colberts, Finanzminister des Sonnenkönigs Ludwig XIV., wurde Frankreich neben England im 17. Jahrhundert die führende Wirtschaftsmacht Europas. Beim Übergang der europäischen Staaten von agrarisch geprägten hin zu Industrie- und Dienstleistungsgesellschaften hinkte Frankreich allerdings lange Zeit hinterher. Zwar entstanden im 19. Jahrhundert große Industrieunternehmen (z.B. Peugeot, Renault, Michelin), letztendlich blieb die französische Wirtschaft aber bis Mitte des 20. Jahrhunderts mangels umfassenden Ausbaus der Infrastruktur und auch wegen eines geringen Bevölkerungswachstums agrarisch geprägt.

cier au secteur industriel, en ont longtemps constitué les caractéristiques principales. Le système économique allemand répond, quant à lui, à des principes et des logiques d'action différents. Associé au nom de l'économiste Walter Eucken, l'un des fondateurs du concept d'ordolibéralisme, il s'agit d'un modèle situé entre la forme la plus poussée du libéralisme économique, et l'économie planifiée étatique. Selon ce courant de pensée économique, l'Etat ne doit pas intervenir dans la planification concrète de l'économie mais faire en sorte que les conditions adéquates pour le développement et le bon fonctionnement de l'économie nationale soient réunies. Dans les années 1960, ce modèle économique a ouvert la voie à l'instauration de l'économie sociale de marché en Allemagne.

Situation économique de la France et de l'Allemagne

Vers l'industrialisation

Grâce à la politique économique mercantiliste de Jean-Baptiste Colbert, ministre des finances de Louis XIV, la France devint, au 17e siècle, la deuxième puissance économique en Europe, derrière l'Angleterre. Néanmoins, pendant longtemps, la France accusa un retard important par rapport aux processus d'industrialisation puis de tertiarisation de l'économie et de la société déjà à l'œuvre dans d'autres pays européens. Même si le 19e siècle marqua l'apparition de grandes entreprises (par exemple Peugeot, Renault, Michelin), l'économie française demeura jusqu'au milieu du 20e siècle très largement dominée par le secteur agricole, en raison de

Jean-Baptiste Colbert (1619-1683) versuchte als französischer Finanzminister durch die Gründung von Manufakturen die Importabhängigkeit Frankreichs zu reduzieren und den nationalen Reichtum durch eine positive Außenhandelsbilanz zu mehren. Er sorgte für den Ausbau der Straßen und der französischen Handelsflotte, damit Produkte (aus den Kolonien) besser und schneller transportiert werden konnten. Unter „Colbertismus" versteht man bis heute eine Tendenz zur staatlichen Intervention in die Wirtschaft.

Jean-Baptiste Colbert (1619-1683) était ministre des finances sous Louis XIV. Il essaya de réduire la dépendance de la France en matière d'importations en favorisant la création de manufactures. Il réussit à doter la France d'une balance commerciale excédentaire. Il investit dans l'infrastructure routière et dans la construction navale afin d'accélérer le commerce avec l'outre-mer. Le terme de « colbertisme » désigne une tendance forte d'intervention étatique dans le domaine économique.

Anders in Deutschland. Von 1871-1914 wuchs die deutsche Bevölkerung um das Doppelte an und deckte so den steigenden Bedarf der deutschen Industrie an Arbeitskräften. Industriezentren und Großstädte entstanden. Unternehmen wie AEG, Hoechst, Siemens oder Krupp stiegen im Zuge der Industrialisierung in Bereichen wie Chemie, Stahl, Maschinenbau oder Elektrik zur Weltspitze auf. Das Deutsche Reich schaffte so in kurzer Zeit den Übergang von einer Agrar- zu einer Industriegesellschaft.

„Trente Glorieuses" und „Wirtschaftswunder"

Die wirtschaftliche Entwicklung beider Staaten wurde durch die beiden Weltkriege um Jahrzehnte zurückgeworfen. Politisch gesehen ging zwar Frankreich als Siegermacht hervor und verwaltete nach 1945 neben Großbritannien, den USA und der Sowjetunion eine Besatzungszone auf deutschem Boden. Wirtschaftlich aber hatte Frankreich genauso wie Deutschland große Rückschläge zu verarbeiten. Ver-

son retard considérable dans le développement des infrastructures et du faible taux de croissance de la population.

En Allemagne, l'évolution fut tout à fait différente. Entre 1871 et 1914, la population allemande doubla et les industries nationales purent couvrir leur besoin croissant en main d'œuvre. Bientôt, les centres industriels et les grandes villes se développèrent sur l'ensemble du territoire, le processus d'industrialisation se poursuivit dans les domaines de la chimie, de l'acier, de l'industrie électrique et de la mécanique, marquant le début de l'apogée d'entreprises telles que AEG, Hoechst, Siemens ou Krupp. Ainsi, l'Allemagne réussit en peu de temps le passage d'une société agricole à une société industrielle.

Les « Trente Glorieuses » françaises et le « miracle économique » allemand

Les deux Guerres mondiales eurent un effet dévastateur sur le développement économique de la France et de l'Allemagne. Certes, sur le plan politique, la France faisait partie après 1945 des puissances victorieuses et, avec le Royaume-Uni, les Etats-Unis et l'URSS,

lierer waren beide Volkswirtschaften, der Ausdruck „Stunde Null", der oft für die Beschreibung der Situation in Deutschland am Ende des Krieges benutzt wird, galt für beide.

Sowohl die westdeutsche als auch die französische Volkswirtschaft erlebten in den drei Jahrzehnten nach 1945 einen großen wirtschaftlichen Aufschwung, der in Frankreich unter dem Begriff „die dreißig glorreichen Jahre" in die Wirtschaftsgeschichte eingegangen ist und in Deutschland gar als Wirtschaftswunder bezeichnet wird. Die USA unterstützten durch den Marshallplan den Wiederaufbau in ganz Europa, aber vor allem in Deutschland und Frankreich. Mit zunehmender Normalisierung des Alltags nach dem Krieg riss die Nachfrage nach Gütern und Dienstleistungen nicht ab. Damit war natürlich auch der Bedarf an Arbeitskräften enorm, der mit der eigenen Bevölkerung bei weitem nicht gedeckt werden konnte. Einwanderungswellen aus den Maghreb-Staaten nach Frankreich und von so genannten Gastarbeitern aus Südeuropa in die Bundesrepublik Deutschland überbrückten den Mangel an Arbeitskräften, bis sich der Baby-Boom in Frankreich und Deutschland auswirkte.

In Frankreich setzte zu Beginn der 1950er Jahre eine verspätete, dafür aber umso schnellere Industrialisierung ein. Der Industrie- und Dienstleistungssektor wurde bedeutender als der Agrarsektor. Dies war nicht zuletzt ein Verdienst der französischen Politik. Der Sprung in die Moderne basierte in erster Linie auf den *planifications* und den *nationalisations*, also der Vorgabe von Wirtschaftsplänen an die französische Wirtschaft durch den Staat

fut chargée de l'administration d'une des quatre zones d'occupation de l'Allemagne. Néanmoins, d'un point de vue économique, sa situation n'était guère meilleure que celle de l'Allemagne : les deux pays devaient faire face à des dégâts considérables.

Au cours des trois décennies qui suivirent, la France et l'Allemagne de l'Ouest bénéficièrent l'une comme l'autre d'une croissance économique exceptionnelle, connue dans l'histoire économique française sous le nom des « trente glorieuses » et présentée en Allemagne comme le « miracle économique ». Par le biais du Plan Marshall, les Etats-Unis contribuèrent à la reconstruction de l'Europe en général, et notamment de la France et de l'Allemagne occidentale. De même, la normalisation de la vie quotidienne après la guerre permit de maintenir durablement la demande de biens et de services à un niveau élevé, ce qui s'accompagna d'un énorme besoin de main d'œuvre auquel la seule population nationale ne parvenait pas à répondre. Des vagues d'immigration de travailleurs originaires du Maghreb vers la France et de « *Gastarbeiter* » du sud de l'Europe vers l'Allemagne de l'Ouest permirent de combler ce manque de main d'œuvre jusqu'à ce que les enfants du baby-boom commencèrent à arriver sur le marché du travail.

En France, un processus d'industrialisation, certes tardif mais d'autant plus rapide, s'est engagé au début des années 1950. Les secteurs de l'industrie et des services ont alors dépassé le secteur agricole. Ce développement, que d'aucuns qualifieraient de « saut dans la modernité », est d'ailleurs dû à l'action politique de l'Etat français qui s'appuya sur l'outil de la planification, c'est-à-dire des

und der Nationalisierung von Unternehmen wie etwa Renault, EDF, Elf Aquitaine oder Air France. Durch die Einflussnahme des französischen Staates auf die nationale Wirtschaft wurden in Schlüsselindustrien wie der Öl-, Gas- und Elektrizitätswirtschaft, des Transportwesens, des Bergbaus sowie der Banken- und Versicherungswirtschaft „nationale Champions" aufgebaut, die im weltweiten Wettbewerb bestehen konnten.

plans économiques contenant des directives adressées à l'économie nationale, et sur les nationalisations d'entreprises telles que Renault, EDF, Elf Aquitaine ou Air France. L'influence de l'Etat sur l'économie nationale permet à des « champions nationaux » de voir le jour dans des secteurs aussi importants que le pétrole, le gaz et l'électricité, le transport, l'exploitation des mines, les banques et assurances, et aide ces « champions » à faire face à la concurrence mondiale.

Ludwig Erhard (1897-1977) war von 1949-1963 Bundeswirtschaftsminister und in dieser Position Mitbegründer der freien sozialen Marktwirtschaft. Er gilt als Vater des deutschen Wirtschaftswunders und war von 1963-1966 deutscher Bundeskanzler.
Ludwig Erhard était ministre de l'économie de RFA de 1949 à 1963. Fondateur de l'économie sociale de marché, il est considéré comme le père du miracle économique d'après-guerre. Il a été chancelier fédéral de 1963 à 1966.

In Deutschland dagegen beschränkte sich der Staat auf die Schaffung günstiger wirtschaftlicher Rahmenbedingungen, zu denen auch die Absicherung der Deutschen durch den Sozialstaat zählte. Nach der Währungsreform 1948 und der Einführung der Deutschen Mark schnellten die Produktivität und die Qualität deutscher Erzeugnisse nach oben, so dass deutsche Produkte, gerade im Maschinenbau, schon bald ein hohes Ansehen im internationalen Handel genossen. Der hohe industrielle Entwicklungsstand, die traditionelle Exportorientierung und eine vorteilhafte Spezialisierung werden gemeinhin als die

En République fédérale en revanche, l'Etat se limitait à créer des conditions structurelles favorables à l'économie, au nombre desquelles figure la protection accrue de la population par l'Etat social. Grâce à la réforme monétaire de 1948 et à l'introduction du Mark, l'économie de la zone occidentale de l'Allemagne put réaliser d'importants gains de productivité, son industrie bénéficia rapidement d'une réputation de qualité et ses produits, surtout ceux issus de l'industrie mécanique, devinrent de plus en plus compétitifs dans les échanges commerciaux internationaux. Tandis que l'économie de l'Allemagne de l'Ouest se développait rapidement, la RDA

wichtigsten Gründe für den Erfolg der deutschen Wirtschaft gesehen.

Während sich die Wirtschaft der Bundesrepublik Deutschland schnell entwickelte, verfolgte die aus der sowjetischen Besatzungszone hervorgegangene DDR ein genau entgegen gesetztes Wirtschaftsmodell. Die sozialistische Planwirtschaft verstaatlichte alle Bereiche der Volkswirtschaft und ließ dem Privateigentum nur einen geringen Platz. In einigen Sektoren konnte die DDR ein innerhalb des Ostblocks vergleichsweise gutes Niveau aufbauen, aber nach dem Fall der Mauer 1989 erwiesen sich nur ausgewählte Unternehmen als überlebensfähig.

Entwicklung bis heute

Die Ölkrise der Jahre 1973 und 1974 führte zu einer Verlangsamung bzw. zu einem Ende des wirtschaftlichen Wachstums. Inflation, Arbeitslosigkeit und Staatsverschuldung wurden zu schwerwiegenden Problemen.

Präsident Valéry Giscard d´Estaing versuchte, durch eine tendenziell eher sozialliberale Wirtschaftspolitik die französische Wirtschaft zu modernisieren und strukturell anzupassen. Auch während der Präsidentschaft François Mitterrands wurden Verstaatlichungen (u.a. Rhône-Poulenc, C.G.E) wieder rückgängig gemacht. Jacques Chirac sorgte ab 1986 als Premierminister und später als Präsident für weitere Privatisierungswellen.

Die deutsche Wirtschaft konnte demgegenüber trotz der Rezession noch Ende der 1980er Jahre ein neues Wachstumshoch verzeichnen. Mit der Wiedervereinigung von 1990 musste die westdeutsche Wirtschaft

(République démocratique allemande), issue de la zone d'occupation soviétique, adopta un système économique diamétralement opposé. Le gouvernement communiste nationalisa tous les secteurs clés de l'économie et laissa peu de place à la propriété privée. Le développement économique devait suivre des plans de production établis par le régime. En comparaison avec les autres pays membres du bloc soviétique, la RDA sut atteindre un bon niveau de production dans quelques secteurs, mais lors de la chute du mur en 1989, on se rendit compte que bien peu d'entreprises etaient en mesure survivre dans une situation de concurrence ouverte.

Evolution de 1973 à nos jours

La crise pétrolière de 1973-1974 a provoqué un ralentissement de l'activité économique dans les deux pays. A partir de cette date, les gouvernements français et allemand ont dû composer avec l'inflation, le chômage et l'endettement de l'Etat.

En France, le président Valéry Giscard d'Estaing a essayé de moderniser l'économie française et de lancer des réformes structurelles en menant une politique économique d'inspiration plutôt social libérale. De même, dès la fin du premier mandat présidentiel de François Mitterrand, le premier gouvernement de cohabitation (1986-1988) a lancé, sous la houlette du Premier ministre de l'époque, Jacques Chirac, un vaste programme de privatisation de certaines entreprises publiques. Une fois élu président de la République en 1995, Jacques Chirac s'est fait l'artisan de nouvelles vagues de privatisations.

En Allemagne, l'évolution de la situation économique a pris un cours sensiblement différent car, tandis que la récession touchait

die ökonomische Sanierung der neuen Bundesländer schultern. Neuverschuldung, Solidaritätszuschlag und Länderfinanzausgleich sorgten in den Folgejahren zwar für eine schrittweise Verbesserung des Lebensstandards, der Produktivität, der Infrastruktur und des BIPs in den ostdeutschen Ländern, dennoch wird die Wiedervereinigung auch heute noch als eine schwere Hypothek für die gesamtdeutsche Wirtschaft wahrgenommen. Noch bestehen eklatante wirtschaftliche Diskrepanzen zwischen Ost- und Westdeutschland, deren Ausgleich durch die andauernde Abwanderung qualifizierter Arbeitskräfte nach Westen auch in den kommenden Jahren mehr als unwahrscheinlich ist.

Die aktuelle Situation

Die französischen Bauern stellen lediglich 3,8% der Erwerbstätigen Frankreichs und erwirtschaften knapp 2,2% des BIP.
Aber dank der umfangreichen Modernisierungsprozesse in den letzten Jahrzehnten und auch durch bedeutende finanzielle Unterstützung aus Paris und Brüssel spielt die Landwirtschaft eine nicht zu unterschätzende Rolle in Frankreich. Warum das so ist, wird verständlich, wenn man sich die geographische Aufteilung der Wirtschaftsleistung in Frankreich vor Augen führt: Mit einer durchschnittlichen Bevölkerungsdichte von 111 Einwohner/ km² (Deutschland: 231 EW/km²) und einer starken Konzentration der Bevölkerung und der Wirtschaftsleistung in Zentren wie Paris, Marseille oder Lyon, sind große Teile Frankreichs vorwiegend landwirtschaftlich geprägt. 51% der Fläche Kontinentalfrankreichs werden landwirtschaftlich genutzt.

d'autres économies européennes, le pays connaissait un nouveau pic de croissance à la fin des années 1980. A partir de 1990 et de la réunification, l'économie allemande a dû absorber et financer le redressement économique des *Länder* de l'ancienne Allemagne de l'Est. Dans ces nouveaux *Länder*, les nombreux investissements et transferts financiers de solidarité (il existe un impôt sur le revenu spécifique à la solidarité avec les nouveaux *Länder*) ainsi que le processus de redistribution financière entre les *Länder* les plus riches et les plus pauvres ont commencé à porter leurs fruits et entraîné une amélioration du niveau de vie, de la productivité, des infrastructures et une augmentation du PIB. Néanmoins, des disparités économiques considérables persistent entre l'Allemagne de l'Est et l'Allemagne de l'Ouest et l'exode ininterrompu de la main d'œuvre qualifiée des *Länder* de l'Est vers ceux de l'Ouest de l'Allemagne risque de creuser davantage encore ces écarts dans les années à venir.

La situation actuelle

Aujourd'hui, les agriculteurs français ne représentent plus que 3,8% de la population active en France et contribuent au PIB seulement à hauteur de 2,2%. Toutefois, le processus de modernisation à l'œuvre depuis plusieurs décennies et les aides financières substantielles de Paris et de Bruxelles garantissent la survie de ce secteur, l'agriculture continue de jouer un rôle non négligeable en France. D'ailleurs, lorsque l'on considère la répartition géographique de l'activité économique sur l'ensemble du territoire français, on comprend mieux pourquoi il en est ainsi. En effet, avec une densité moyenne de 111 habitants au km² – en Allemagne, ce chiffre

Bruttoinlandsprodukt Produit intérieur brut (2006)	Deutschland	Frankreich
Pro Einwohner / Par habitant	25400	26600
Mrd. EUR	2307	1792,4

Quelle/Source: Cidal, Eurostat

In über 567.000 landwirtschaftlichen Betrieben sind 836.000 Menschen beschäftigt. Französische Bauern bringen jährlich Getreide (61,2 Mio. t), Wein (53,7 Mio. hl), Milch (23,3 Mio. l), Zuckerrüben (28,3 Mio. t) und andere landwirtschaftliche Produkte im Wert von etwa 73 Mrd. Euro auf den Markt, wovon etwa 11 Mrd. Euro exportiert werden. Damit ist Frankreich Europas wichtigstes Agrarland und nach den USA weltweit der zweitgrößte Exporteur von landwirtschaftlichen Produkten.
Das dicht besiedelte Deutschland ist demgegenüber weltweit der größte Importeur landwirtschaftlicher Produkte. Lediglich

s'élève à 231 – et une forte concentration de la population et de l'activité économique dans les grands centres urbains comme Paris, Marseille ou Lyon, une bonne partie du territoire français demeure fortement marquée par l'activité agricole, comme le confirment les chiffres suivants : 51% de la surface de la France métropolitaine sont consacrés à l'agriculture. Les 567 000 exploitations agricoles que compte la France procurent un emploi à environ 836 000 personnes, les agriculteurs français produisent chaque année 61,2 millions de tonnes de céréales, 53,7 millions d'hectolitres de vin, 23,3 millions de litres de lait, 28,3 millions de tonnes de bette-

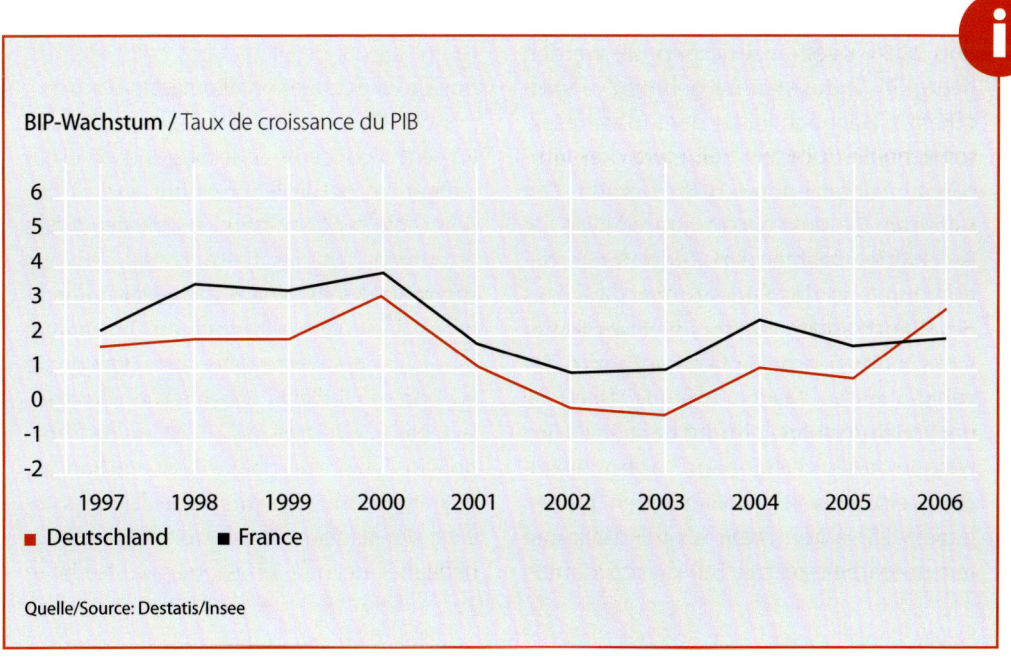

BIP-Wachstum / Taux de croissance du PIB

■ Deutschland   ■ France

Quelle/Source: Destatis/Insee

2,4% der Beschäftigten arbeiten in der Landwirtschaft und leisten einen Beitrag von 0,9% zum nationalen BIP. Der Gesamtwert landwirtschaftlicher Produktion in Deutschland beläuft sich auf etwa 40 Mrd. Euro und wird in ca. 366.000 landwirtschaftlichen Betrieben erzeugt. Dazu kommt, dass die deutsche Landwirtschaft nach wie vor durch Familienunternehmen gekennzeichnet ist. 1999 wurden 57% der Betriebe nur nebenberuflich bewirtschaftet, das heißt, dass das Haupteinkommen der Familien durch andere Einkommen sichergestellt wird. Während in Frankreich ein landwirtschaftlicher Betrieb durchschnittlich 84 Hektar umfasst, ist der durchschnittliche Hof in Deutschland gerade einmal 30 Hektar groß.

Der Industriesektor wird häufig als die Stütze der deutschen Wirtschaft bezeichnet und auch in Frankreich trägt die Industrie einen erheblichen Anteil zur nationalen Ökonomie bei. 29,6% des deutschen und 20,5% des französischen BIP werden heute in Industrieunternehmen erwirtschaftet. Dennoch leidet der Industriesektor in beiden Ländern seit etwa drei Jahrzehnten unter enormen Problemen. Der Anteil am BIP sinkt genauso rapide wie die Beschäftigtenzahlen. Im Zuge der Tertialisierung, also des Bedeutungszuwachses des Dienstleistungssektors, werden immer mehr Industriearbeitsplätze aufgrund der zunehmenden Mechanisierung und v.a. der Verlegung vieler Produktionswerke ins billigere Ausland abgebaut. So verschwanden beispielsweise in Frankreich in den letzten 25 Jahren mehr als 1,5 Millionen Industriearbeitsplätze. Bei diesen Zahlen

raves ainsi que beaucoup d'autres produits, représentant une valeur totale d'environ 73 milliards d'euros, dont 11 milliards grâce aux exportations. Ainsi, en matière agricole, la France est le premier pays d'Europe, et le deuxième pays exportateur de produits agroalimentaires dans le monde derrière les Etats-Unis.

En revanche, l'Allemagne détient le record inverse puisque ce pays est le plus gros importateur de produits agricoles à l'échelle mondiale. Aujourd'hui, 2,4% seulement de la population active de l'Allemagne travaille dans le secteur agricole, contribuant au PIB à hauteur de 0,9%, et la valeur totale de la production agricole, fournie par les quelque 366 000 exploitations que compte le pays, ne dépasse pas 40 milliards d'euros. A cela il faut ajouter qu'en Allemagne l'agriculture est restée, en grande partie, l'affaire de petites exploitations familiales. En 1999, 57% des exploitations agricoles étaient gérées en tant qu'activité secondaire. Alors qu'en France la taille moyenne d'une exploitation agricole tourne autour de 84 hectares, ce chiffre n'est que de 30 hectares en Allemagne.

En ce qui concerne le secteur industriel, les différences de développement et de situation entre les deux pays se sont peu à peu estompées. Même si l'industrie continue d'être considérée comme le pilier de l'économie allemande, elle représente également une part importante dans la production de la richesse nationale en France. Aujourd'hui, le secteur industriel est à l'origine de 29,6% du PIB allemand et de 20,5% du PIB français. Toutefois, depuis une trentaine d'années environ, ce secteur est en proie à d'énormes difficultés de part et d'autre du Rhin et le

darf allerdings nicht übersehen werden, dass viele große Industrieunternehmen sowohl in Frankreich als auch in Deutschland in den letzten Jahren vermehrt Unternehmensbereiche ausgelagert haben, bei denen es sich um klassische Dienstleistungen handelte. Während also der BIP-Beitrag und die Beschäftigtenzahlen dieser Bereiche zuvor in Statistiken dem sekundären Sektor zugewiesen wurden, erscheinen sie nun beim Dienstleistungssektor.

Den größten Beitrag zum BIP leistet beiderseits des Rheins der so genannte tertiäre Sektor. Dienstleistungsunternehmen erwirtschaften in Frankreich 76,9% und in Deutschland 69,5% des BIP. Seit den 1960er Jahren boomt es im französischen Dienstleistungssektor, wobei die Hauptkräfte in Frankreich der Fremdenverkehr sowie das Banken- und Versicherungswesen sind. Frankreich ist das beliebteste Urlaubsziel in der Welt und nicht nur sonnenbedürftige Nord- und Mitteleuropäer zieht es an die Atlantik- und Mittelmeerstrände Frankreichs, sondern auch die Franzosen selbst machen am liebsten am heimatlichen Strand Urlaub. 2006 waren fast zwei Millionen Menschen in der Tourismusbranche beschäftigt (nicht mitgerechnet sind dabei Unternehmen, die indirekt vom Tourismus profitieren). Der französische Staat ist mit mehr als einer Million Beschäftigten der größte Dienstleister Frankreichs und im Vergleich zu seinen Pendants der größte in Europa.

Der Dienstleistungssektor Deutschlands ist im internationalen Vergleich noch relativ schwach ausgeprägt. Der wichtigste

pourcentage du PIB qu'il engendre décline aussi rapidement que le nombre de personnes qu'il emploie. La tertiarisation de l'économie, c'est-à-dire la croissance significative du secteur des services, la mécanisation croissante du travail et la délocalisation de nombreuses usines dans des pays où le coût de la main d'œuvre est inférieur ont entraîné d'innombrables suppressions d'emploi. En France, on avance le chiffre de 1,5 million de postes supprimés dans l'industrie depuis vingt-cinq ans environ. A propos de ces chiffres, il ne faut toutefois pas oublier que de nombreuses grandes entreprises industrielles françaises et allemandes se sont, ces dernières années, séparées de secteur d'activité relevant traditionnellement du domaine des services. Alors qu'auparavant la contribution au PIB et le nombre d'employés de ces activités étaient répertoriés dans les statistiques du secteur secondaire, ces chiffres sont aujourd'hui comptabilisés dans celles du secteur tertiaire.

Enfin, si l'on étend la comparaison au secteur tertiaire, nul ne pourra contester que l'essentiel de l'activité économique dépend aujourd'hui des services en France comme en Allemagne, où les entreprises et institutions prestataires de services contribuent respectivement à 76,9% et 69,5% du PIB. En France, depuis les années soixante, le secteur des services a connu une forte croissance, tirée vers le haut en grande partie par le tourisme, les assurances et les institutions bancaires. En effet, la France est la destination touristique la plus prisée au monde et les plages ensoleillées des bords de la Méditerranée et de l'Atlantique attirent non seulement les touristes du nord et du centre de

Wirtschaftszweig ist im Bereich der Finanzierung und der Unternehmensdienstleister angesiedelt. Der Handel spielt in Deutschland eine herausragende Rolle. Nicht zu unterschätzen ist auch der Anteil der Dienstleistungen, die der Staat erbringt. Dieser Anteil ist jedoch bei weitem nicht so groß wie der des *service public* in Frankreich.

Seit dem 1.1. 2005 gilt die europaweite Definition für kleine und mittlere Unternehmen (KMU): Sie haben weniger als 250 Mitarbeiter und machen einen Jahresumsatz von höchstens 50 Mio. Euro. Von mehr als 3 Mio. Unternehmen in Deutschland und knapp 2,5 Mio. Unternehmen in Frankreich haben nur je 1% mehr als 250 Mitarbeiter. Knapp ⅔ der Beschäftigten in Frankreich und Deutschland arbeiten in KMU und etwa die Hälfte der erbrachten Wertschöpfung wird beiderseits des Rheins von KMU erbracht.

Die großen Unternehmen Frankreichs und Deutschlands sind dabei auch wichtige Abnehmer industrieller Produkte der KMU. Es sind diese wenigen großen Unternehmen, die die Standorte Deutschland und Frankreich weltweit berühmt machen und die über Niederlassungen, Produktionsstätten oder Forschungs- bzw. Entwicklungszentren im Ausland verfügen. Aber der Mittelstand bleibt in beiden Ländern die tragende Säule der Wirtschaft und spielt eine herausragende Rolle als Wertschöpfer, Arbeitgeber und Ausbildungsstätte.

Frankreich und Deutschland im Welthandel

Sowohl die französische als auch die deutsche Volkswirtschaft sind in hohem Maße

l'Europe mais aussi les Français eux-mêmes qui aiment passer leurs vacances sur les plages de l'Hexagone. En 2006, presque deux millions de personnes travaillaient dans le secteur touristique, sans compter les salariés des entreprises qui profitent indirectement du tourisme. En outre, en France, les secteurs d'activité relevant du domaine du service public sont encore en grand nombre et l'Etat français continue d'employer plus d'un million de personnes, un chiffre record en Europe.

En Allemagne par contre, le secteur tertiaire est relativement faible si on le considère dans une perspective internationale. Les institutions financières, les prestataires de services aux entreprises et le secteur commercial figurent parmi les spécialités les plus dynamiques de cette branche de l'économie. Par ailleurs, même si elle n'est en rien comparable à celle des agents du service public en France, il convient de ne pas sous-estimer la part des emplois qu'engendrent l'Etat fédéral ainsi que les collectivités régionales et locales.

Depuis le 1er janvier 2005, les petites et moyennes entreprises (PME) font l'objet d'une définition commune au niveau européen. Il s'agit d'entreprises de moins de 250 employés dont le chiffre d'affaires annuel est inférieur à 50 millions d'euros. Les PME constituent le cœur du tissu économique français et allemand puisque, parmi les 2,5 millions d'entreprises recensées en France et les 3 millions du pays voisin, 1% seulement compte plus de 250 employés. Les deux tiers environ des actifs des deux pays travaillent dans des PME qui, par ailleurs, contribuent à plus de la moitié de la richesse nationale. Il faut également mentionner que les PME

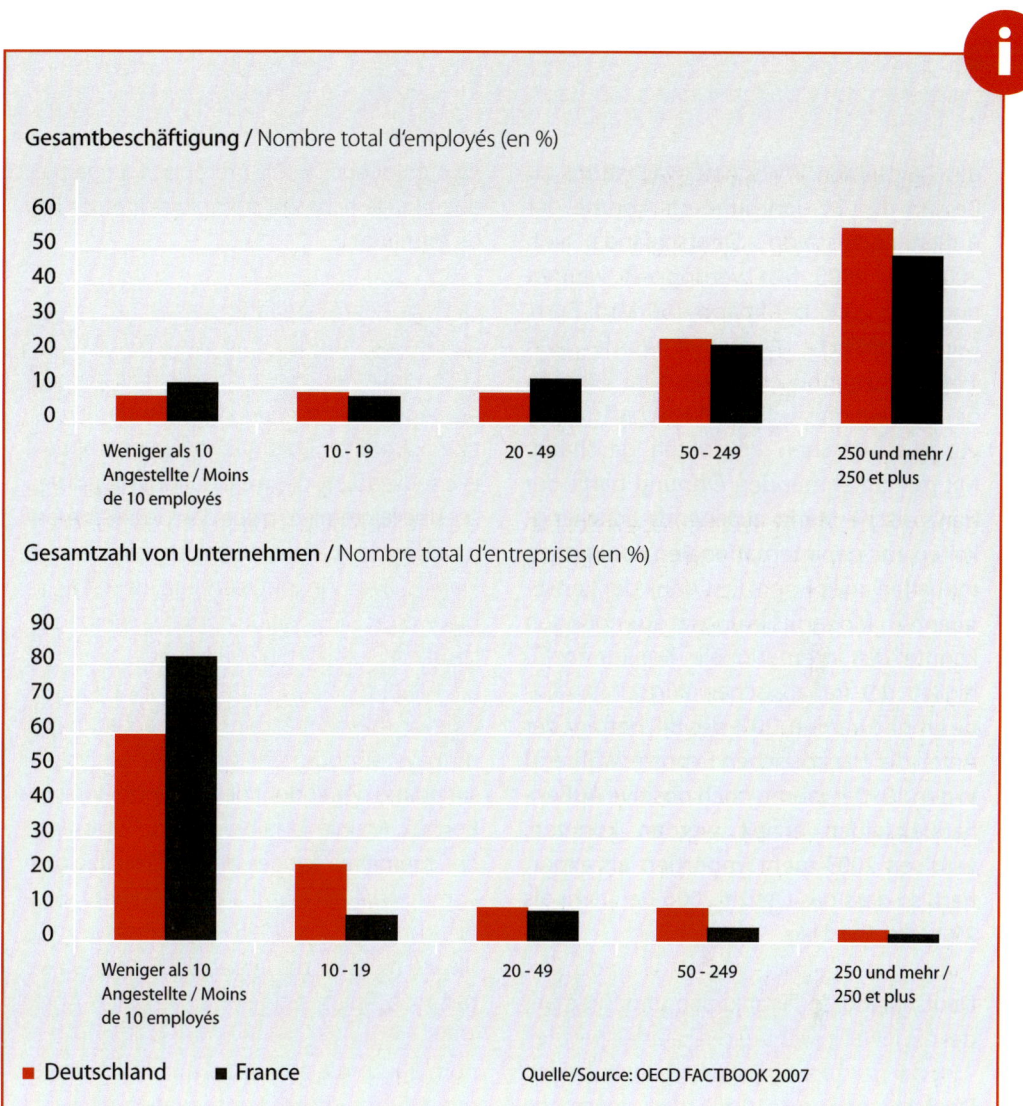

Gesamtbeschäftigung / Nombre total d'employés (en %)

- Weniger als 10 Angestellte / Moins de 10 employés
- 10 - 19
- 20 - 49
- 50 - 249
- 250 und mehr / 250 et plus

Gesamtzahl von Unternehmen / Nombre total d'entreprises (en %)

- Weniger als 10 Angestellte / Moins de 10 employés
- 10 - 19
- 20 - 49
- 50 - 249
- 250 und mehr / 250 et plus

■ Deutschland   ■ France   Quelle/Source: OECD FACTBOOK 2007

exportorientiert. Mit einem Anteil von 9,3% am Welthandel ist Deutschland Exportweltmeister. Frankreich liegt mit einem Anteil von 4,4% im weltweiten Export-Ranking an fünfter Stelle hinter Deutschland, den USA, China und Japan.

Besonders in Deutschland ist das Wirtschaftsleben äußerst stark auf den internationalen Handel ausgerichtet. 55% des BIP werden durch ihn erbracht und jeder vierte Arbeitsplatz hängt von ihm ab. Trotz

françaises et allemandes demeurent des fournisseurs importants pour les grandes entreprises industrielles, fleurons de l'économie nationale des deux pays. En effet, bien que ce soient ces quelques entreprises qui, avec leurs succursales, leurs centres de production et leurs instituts de recherche et de développement à l'étranger, font la renommée mondiale de la France et de l'Allemagne, les entreprises de taille moyenne restent les piliers de l'économie des deux

des langsamen Wirtschaftswachstums zu Beginn des 21. Jahrhunderts konnte der Außenhandelssaldo Deutschlands von 2000 bis 2005 fast verdoppelt werden und liegt 2006 bei knapp 160 Mrd. Euro. Die französische Wirtschaft wurde nach 1945 durch hohe Zollmauern im Rahmen der protektionistischen Wirtschaftspolitik vor ausländischen Produkten geschützt. Mit der zunehmenden Öffnung hatte der französische Markt zusehends Schwierigkeiten, mit der internationalen Konkurrenz mithalten zu können. Erst dank der konsequenten Modernisierungsanstrengungen konnte die internationale Konkurrenzfähigkeit der französischen Wirtschaft rapide erhöht werden. 20% des BIP beträgt der Anteil der französischen Exporte. Während in den 1990er Jahren noch positive Außenhandelssalden erzielt werden konnten, wird seit 2003 mehr importiert als exportiert, so dass das Defizit 2006 bei mehr als 29,1 Mrd. Euro lag.

Deutschland und Frankreich sind füreinander die jeweils wichtigsten Handelspartner. 15% der französischen Exporte gehen nach Deutschland und 10,5% der deutschen Ausfuhr nach Frankreich. Neben Frankreich sind die westlichen Industrieländer und v.a. die EU-Staaten die wichtigsten Handelspartner Deutschlands, mit denen mehr als 50% des Außenhandelsumsatzes erzielt werden. Die Zukunftsmärkte Asiens und speziell die VR China sowie der Osten und Südosten Europas haben aber für die deutsche Wirtschaft eine zunehmende Bedeutung.
Deutschland versteht sich nicht nur politisch als Tor zum Osten, sondern intensi-

pays et jouent un rôle irremplaçable de producteur de richesse, d'employeur et de lieu de formation.

La France et l'Allemagne dans le commerce mondial

L'économie française et l'économie allemande dépendent en grande partie de l'exportation. En effet, l'Allemagne, qui contribue à elle seule à 9,3% des exportations mondiales, occupe la première place dans le classement mondial des pays exportateurs alors que la France, avec un pourcentage de 4,4%, se place en 5ème position derrière l'Allemagne, les Etats-Unis, la Chine et le Japon.
En Allemagne, le commerce international joue un rôle central dans la vie économique du pays puisque 55% du PIB et un emploi sur quatre dépendent des échanges internationaux. Malgré le faible taux de croissance des premières années de ce siècle, le solde commercial allemand a pratiquement doublé entre 2000 et 2005 pour atteindre près de 160 milliards d'euros en 2006. Le bilan est beaucoup plus mitigé pour la France. Après 1945, la mise en œuvre d'une politique économique protectionniste, qui s'est traduite entre autres choses par la fixation de droits de douane élevés, a longtemps protégé l'économie française de la concurrence des produits étrangers. Mais l'ouverture progressive des marchés mondiaux a entraîné la remise en cause de cette politique économique. Le marché français a eu de plus en plus de difficultés à faire face à la concurrence internationale. Ce n'est que grâce aux efforts de modernisation que l'économie française est parvenue à accroître sa compétitivité et à affronter la concurrence internationale. Aujourd'hui, 20% du PIB français provien-

viert auch in der Wirtschaft die Kontakte mit seinen Handelspartnern im ehemaligen Ostblock. Der Handel mit den neuen EU-Beitrittsländern steigt dabei deutlich schneller als der gesamte Außenhandel der Bundesrepublik und hatte 2005 ein Volumen von 104 Mrd. Euro. Tschechien, Polen und Ungarn sind dabei die derzeit wichtigsten Partner. Auch für Frankreichs internationale Wirtschaftsbeziehungen spielt die EU eine herausragende Rolle, in die mehr als 60% der französischen Exporte geliefert werden. Neben Deutschland sind v.a. Spanien (10% der Exporte, 8% der Importe) und Italien (9%, 9%) wichtige Handelspartner. Nicht zu unterschätzen ist der Handel französischer Unternehmen mit Staaten des ehemaligen Kolonialreiches Frankreichs. Auch nach ihrer Unabhängigkeit in den 60er Jahren bestehen staatlich festgelegte Handelserleichterungen wie etwa erleichterte Ein- und Ausfuhrbestimmungen und niedrige Zölle. Insgesamt gehen 5,5% der Exporte nach und kommen 4,5% der Importe aus Afrika.

Wirtschaftspolitik in Deutschland und Frankreich

Deutschland und Frankreich, deren Volkswirtschaften gemeinsam die Hälfte des BIP der Euro-Zone und knapp 40% der EU erwirtschaften, sind derart in den Wirtschaftsraum Europa eingebunden, dass eine Vernachlässigung der wirtschaftlichen Wohlfahrt aller EU-Mitglieder erhebliche negative Folgen auf die deutsche und französische Wirtschaft hätte. Zahlreiche wirtschaftspolitische Kompetenzen

nent des exportations mais, contrairement à l'Allemagne, le pays affiche une balance commerciale déficitaire. Alors que les années quatre-vingt-dix ont été marquées par un solde commercial positif, le déficit commercial de la France n'a cessé d'augmenter depuis 2003, pour atteindre plus de 29,1 milliards d'euros en 2006.

La France et l'Allemagne sont, l'une pour l'autre, le premier partenaire commercial : 15% des exportations françaises sont destinées à l'Allemagne qui livre 10,5% de ses exportations à la France. Pour l'Allemagne, les Etats industrialisés occidentaux, dont les Etats-Unis, figurent parmi les partenaires commerciaux les plus importants. Les marchés asiatiques émergents, en particulier la Chine, ainsi que les pays de l'Est et du Sud de l'Europe sont amenés à jouer un rôle de plus en plus significatif pour l'économie allemande. L'Allemagne intensifie ses contacts économiques avec ses partenaires commerciaux de l'ancien bloc de l'Est. A titre d'exemple, il convient de souligner que, parmi les partenaires commerciaux de l'Allemagne, ce sont ses échanges avec les nouveaux membres de l'UE qui connaissent de loin la croissance la plus forte. Ils ont atteint une valeur de 104 milliards d'euros en 2005. Aujourd'hui, la République tchèque, la Pologne et la Hongrie comptent au nombre des partenaires commerciaux privilégiés de l'Allemagne.
Les relations économiques de la France se déploient également largement dans le cadre européen puisque 60% des exportations françaises vont vers un pays de l'UE. Les partenaires principaux de la France sont, après l'Allemagne, l'Espagne et l'Italie, à qui sont destinées respectivement 10% et 9%

sind bereits von Paris und Berlin nach Brüssel gewandert, so dass immer mehr Entscheidungen, die bisher auf nationaler Ebene getroffen wurden, nun dort fallen. Was deutsche und französische Politiker aus wirtschaftspolitischer Sicht als gut für ihr Land erachten, muss erst durch Verhandlungen und Kompromisse mit den anderen EU-Mitgliedern gemeinschaftlich beschlossen werden. Trotzdem gibt es einige Felder, wo nationale Programme viel bewirken können.

Standortpolitik

Die wirtschaftspolitischen Konzepte zur Steigerung der Attraktivität der Standorte Deutschland und Frankreich sind in vielen Bereichen identisch. Die Steigerung des Wirtschaftswachstums genießt in beiden Ländern höchste Priorität, da es als wichtigste Voraussetzung für die Konsolidierung der öffentlichen Haushalte und zur Schaffung von mehr Arbeitsplätzen gilt. Dazu kommt, dass sowohl in Frankreich als auch in Deutschland an der Reform der Arbeitsmärkte gearbeitet wird. Die Lockerung des Kündigungsschutzes und die Schaffung von mehr Flexibilität auf dem Arbeitsmarkt sollen es Unternehmen ermöglichen, kurzfristiger als bisher ihre Mitarbeiterzahlen an die konjunkturellen Anforderungen anzupassen. Ein weiteres Arbeitsfeld der Wirtschaftsministerien ist die Förderung der Bildungsstandards und der Forschung sowie die Investition in Zukunftstechnologien. Die Informations- und Kommunikationstechnologien, Verkehr und Raumfahrt, Energie und Nachhaltigkeit sind nur einige zukunftsträchtige Kernbereiche, in denen Frankreich und

des exportations françaises et qui fournissent respectivement 8% et 9% des importations. Par ailleurs, on ne saurait évoquer le commerce extérieur de la France sans mentionner la nature particulière de ses échanges commerciaux avec les pays de l'ancien empire colonial français. Beaucoup d'entre eux bénéficient d'avantages commerciaux, accordés par l'Etat français soit sous la forme d'aides à l'exportation ou à l'importation, soit en abattements sur les droits de douane. Aujourd'hui, 5,5% des exportations françaises sont ainsi destinés à l'Afrique et 4,5% de ses importations proviennent de ce continent.

La politique économique française et allemande

Les économies française et allemande, qui contribuent à elles deux à la moitié du PIB de la zone euro et à près de 40% du PIB de l'Union européenne, sont tellement liées à l'espace économique européen qu'une dégradation de la situation économique dans cet espace aurait pour elles de graves conséquences. De nombreuses compétences relatives à la politique économique ont d'ailleurs déjà été transférées aux institutions européennes. De ce fait, pour défendre les intérêts de leur pays et faire valoir leurs préférences en matière de politique économique, les responsables politiques français et allemands se voient obligés de négocier et de parvenir à des compromis avec les autres Etats membres de l'UE. Néanmoins il reste quelques champs d'action où les politiques nationales peuvent produire de bons effets.

Deutschland weltweit zu Spitzenreitern werden wollen. In Frankreich soll zudem die Situation der KMU verbessert werden, um deren Potenziale bei der Beschäftigung, der Innovation und beim Export auszunutzen.

La politique de compétitivité territoriale

Les termes du débat politico-économique sur les moyens d'accroître l'attractivité des sites de production que sont la France et l'Allemagne se révèlent identiques dans de nombreux domaines. Dans les deux pays, la

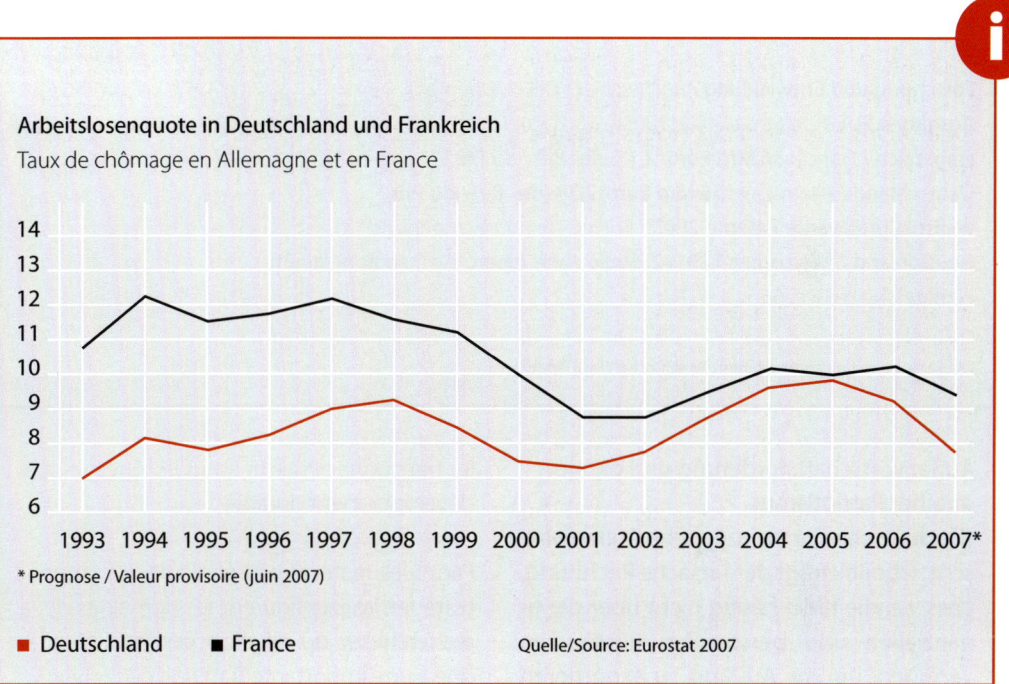

Arbeitslosenquote in Deutschland und Frankreich
Taux de chômage en Allemagne et en France

* Prognose / Valeur provisoire (juin 2007)

■ Deutschland   ■ France   Quelle/Source: Eurostat 2007

Ein weiterer wichtiger Standortfaktor sind die Möglichkeiten bei Forschung und Entwicklung. Die deutsche Tradition kennt die außeruniversitären renommierten Forschungseinrichtungen wie die Fraunhofer- oder die Helmholtzgesellschaft, dazu die Max-Planck-Institute. Die französische Regierung hat seit einigen Jahren begonnen, die Forschungsförderung zu intensivieren. Dabei will man die Idee der Fraunhoferinstitute ebenso aufgreifen wie die Förderlogik der Deutschen Forschungsgemeinschaft.

priorité est donnée à la croissance économique, condition primordiale à la maîtrise des finances publiques et à la création d'emplois. De plus, en France comme en Allemagne, une réforme du marché du travail visant à assouplir les procédures de licenciement et à introduire plus de flexibilité sur ce marché, a été engagée afin de donner la possibilité aux entreprises de gérer leur personnel à court terme en fonction de la conjoncture. Un autre axe concerne la politique de l'éducation, de la formation et de la recherche ainsi que l'inves-

Neue Institutionen sind mit erheblichen Mitteln geschaffen worden: die *Agence de l'Innovation industrielle* (2005) und die *Agence nationale de la Recherche* (2007) mit dem Programm der *Instituts Carnot*.

tissement dans les technologies du futur. La France et l'Allemagne mettent tout en œuvre pour devenir des leaders mondiaux dans certains secteurs d'avenir comme les technologies de l'information et de la communication,

---

Forschung und Entwicklung / Recherche et développement
Ausgaben FUE / Dépenses R&D (2005)
Frankreich / France: 36 Mrd Euro; 2,1% des BIP / du PIB
Deutschland / Allemagne: 56 Mrd Euro; 2,5% des BIP / du PIB
Weltmarktrelevante Patente 2003 / Brevets de portée mondiale
Deutschland / Allemagne: 129 (=2. Stelle nach Japan, =2ème après le Japon)
Frankreich / France: 66

Quelle/Source: Bundesministerium für Wirtschaft und Finanzen

Außenwirtschaftsförderung und ökonomischer Patriotismus

Die deutsche und französische Außenwirtschaftspolitik trägt der Tatsache Rechnung, dass v.a. die KMU häufig nicht über die finanziellen und personellen Ressourcen verfügen, um ins Ausland zu exportieren oder zu expandieren. Zwei weltumspannende Netze von französischen und deutschen Außenhandelskammern sowie andere staatliche und private Einrichtungen (z.B. in Frankreich: *Invest in France, Mission Economique*; in Deutschland: Bundesagentur für Außenwirtschaft) informieren über den jeweiligen Standort, organisieren Messeauftritte und unterstützen die Präsentation französischer bzw. deutscher Unternehmen im Ausland. Beide Regierungen bieten Exportunternehmen zudem Exportkreditgarantien an (Deutschland:

les transports et l'aéronautique, l'énergie et le développement durable.

Parmi les facteurs essentiels de la compétitivité territoriale figurent les domaines de la recherche et du développement. L'Allemagne a une importante tradition de recherche extra-universitaire, menée dans des centres indépendants de renom tels que les instituts Fraunhofer, Helmholtz ou Max Planck. En France, le gouvernement a commencé il y a quelques années à intensifier son action en faveur de la recherche en s'inspirant notamment du modèle des centres de recherche indépendants et de la logique de promotion des activités scientifiques allemandes. Pour ce faire, d'importants moyens ont été déployés et de nouvelles institutions ont vu le jour, parmi lesquelles l'Agence de l'Innovation industrielle (créée en 2005) et l'Agence

„Hermesdeckung"; Frankreich: *La politique d´assurance-crédit"*), um den Unternehmen den nötigen finanziellen Grundstock für ihr internationales Engagement zu sichern. Eine dritte Form der staatlichen Unterstützung exportorientierter Unternehmen besteht in der Öffnung von Märkten durch eine internationale Wirtschaftspolitik der Regierungen. Unternehmerreisen, bei denen hochrangige Politiker mit einer Delegation von Wirtschaftsvertretern in für diese interessante Länder reisen, erleichtern den Markteintritt und dienen dem Aufbau von Netzwerken zwischen Unternehmen. Aber der französische und der deutsche Staat beschränken sich nicht nur auf die Öffnung fremder Märkte für heimische Unternehmen. Zum Schutz der nationalen Wirtschaft setzen sich Deutschland und Frankreich mittlerweile auch vermehrt gegen feindliche Übernahmen heimischer Unternehmen durch internationale Konzerne ein, um ihre Zerstörung zu verhindern. Dieser „ökonomische Patriotismus" zeigte sich in Frankreich zuletzt in der Verabschiedung eines Gesetzes, das französische Firmen mit umfangreicheren legalen Mitteln ausstattet, sich gegen feindliche Übernahmen zu wehren.

Deutsch-französische Wirtschaftskooperation

Gegenseitige Wahrnehmung

Die militärische Stärke des Deutschen Reichs war der Ursprung der Vorstellung, dass ein wirtschaftlich starkes Deutschland eine existenzielle Bedrohung für Frankreich darstelle. Auch nach 1945 forderten

nationale de la Recherche (fondée en 2007) avec son programme des Instituts Carnot.

Soutien au commerce extérieur et patriotisme économique

La politique commerciale extérieure de la France et celle de l'Allemagne prennent en compte le fait que bien souvent les PME n'ont ni les moyens financiers ni le personnel nécessaire pour se déployer à l'étranger ou même orienter leur production vers l'exportation. La promotion du commerce extérieur relève essentiellement de l'action du vaste réseau des chambres de commerce établies aux quatre coins du monde et d'autres institutions publiques et privées (par exemple Invest in France et les Missions économiques pour la France ; la *Bundesagentur für Außenwirtschaft* pour l'Allemagne) qui fournissent nombre d'informations sur la situation économique et financière des pays où elles sont implantées, organisent des salons et soutiennent les efforts commerciaux des entreprises françaises et allemandes présentes à l'étranger. De plus, les gouvernements français et allemand offrent aux entreprises exportatrices et aux banques de leur pays diverses formes de garantie contre les risques financiers liés à l'exportation et à leur engagement international. Une troisième forme de soutien étatique aux entreprises exportatrices consiste à favoriser leur accès aux marchés étrangers par le biais de l'action diplomatique des gouvernements. Lors de leurs déplacements à l'étranger, il n'est pas rare que les chefs d'Etat ou de gouvernement soient accompagnés d'une délégation de chefs d'entreprise qui y voient un moyen d'accéder plus facilement aux marchés étrangers et de nouer des contacts avec les entreprises sur place.

deshalb französische Politiker, wie bereits 1918 und 1923, die langfristige wirtschaftliche Schwächung Deutschlands, was vor dem Hintergrund des beginnenden Kalten Kriegs und nicht zuletzt auf Druck der USA jedoch nicht zur Strategie der Besatzungsmächte wurde. Die französische Angst vor einer wirtschaftlichen Hegemonialstellung Deutschlands in Europa war einer der Gründe, die deutsche Wirtschaft in die Strukturen der Europäischen Gemeinschaft für Kohle und Stahl (EGKS 1951) oder der Europäischen Wirtschaftsgemeinschaft (EWG 1957) einzubinden und spiegelte sich in der Skepsis Frankreichs hinsichtlich der Wiedervereinigung Deutschlands 1990 oder in den Bedenken Frankreichs zur Osterweiterung der EU wider. Die schnelle wirtschaftliche Aufholjagd Deutschlands nach 1945 bestätigte die Klischees der starken deutschen Wirtschaft und des tüchtigen deutschen Arbeiters. Französische Manager schätzen auch heute noch an den Deutschen ihre Zuverlässigkeit, Präzision, Gründlichkeit und Pünktlichkeit. Die zu Beginn des 21. Jahrhunderts herrschende Wirtschaftskrise Deutschlands traf daher auf Unverständnis in Frankreich und ließ leise Zweifel an der vermeintlichen Allmacht der deutschen Wirtschaft entstehen. Der Aufschwung in Deutschland seit 2006 wurde sofort wieder in die alte Wahrnehmungsschablone eingefügt.

Das deutsche Bild der französischen Wirtschaft ist demgegenüber geprägt von der Vorstellung eines starken Staates, der in sämtlichen wirtschaftlichen Belangen ein Wörtchen mitzureden hat. Das Schreckgespenst des Colbertismus ist auch heute

Toutefois, l'action des gouvernements français et allemand ne se limite pas à favoriser l'ouverture des marchés étrangers aux entreprises de leur pays. En effet, pour protéger leur économie, la France et l'Allemagne n'ont pas hésité, à plusieurs reprises, à s'opposer aux OPA hostiles que certaines multinationales étrangères avaient lancées sur des entreprises nationales. Une illustration de ce « patriotisme économique » est la loi du 31 mars 2006 relative aux offres publiques d'acquisition qui fournit aux entreprises françaises un véritable arsenal juridique pour se défendre contre des OPA hostiles.

La coopération économique franco-allemande

Les perceptions réciproques

La puissance militaire de l'Empire allemand a entretenu la classe politique française dans l'idée qu'une Allemagne économiquement forte représente une menace existentielle pour leur pays. C'est pourquoi, en 1945, les responsables politiques français revendiquèrent, tout comme en 1918 et 1923, une politique d'affaiblissement économique durable de l'Allemagne, stratégie à laquelle les autres puissances d'occupation, sur fond de début de Guerre froide et avant tout sous la pression des Etats-Unis, restèrent sourdes. Cette crainte française d'une hégémonie économique allemande en Europe compta au nombre des raisons qui motivèrent, au début des années 1950, l'intégration de l'économie allemande dans les structures européennes en construction (la Communauté européenne du charbon et de l'acier, CECA, en 1951 et la Communauté économique européenne,

noch omnipräsent in deutschen Köpfen und taucht regelmäßig in der öffentlichen Debatte auf, etwa wenn sich Frankreich in europäischen Gremien für seine wirtschaftlichen Interessen einsetzt. Dabei wird übersehen, dass sich die französische Wirtschaft seit Jahren erheblich liberalisiert hat und der direkte Einfluss des Staates zurückgegangen ist. Das scheinbare oder wirkliche starke Engagement der Politik zugunsten der französischen Unternehmen wird von deutschen Unternehmern manchmal aber auch mit Anerkennung und ein wenig Neid zur Kenntnis genommen. Grundsätzlich genießen französische Ingenieure, Manager und Unternehmer einen guten Ruf. Von einer generellen Überheblichkeit deutscher Unternehmer gegenüber ihren französischen Kollegen, die zur Sorge der Franzosen vor einer deutschen wirtschaftlichen Übermacht passen würde, kann heute keine Rede (mehr) sein.

Allerdings sind gegenseitige Wahrnehmungen nicht immer sachlich. Sobald in der Zusammenarbeit Stress aufkommt und die Situation für einen (oder beide) der Partner schwierig wird, rasten alte Muster wieder ein: „Die Franzosen sind sowieso unzuverlässig, die Deutschen wollen immer alles dominieren." „Die Franzosen sind oberflächlich, die Deutschen total pedantisch." Wer darüber nachdenkt, weiß recht bald, dass diese pauschalen Urteile nicht allgemein zutreffen – und dennoch besteht die Gefahr, in diese Stereotype zu verfallen, sobald man unter Druck arbeitet.

CEE, en 1957). Elle s'exprima aussi dans les hésitations de la France au moment de la réunification de l'Allemagne en 1990 ou lors de l'élargissement de l'Union européenne aux pays d'Europe centrale et orientale. Le rattrapage économique rapide qu'a connu l'Allemagne après 1945 a d'ailleurs renforcé les clichés sur la puissance économique de ce pays. Les chefs d'entreprise français soulignent aujourd'hui encore la fiabilité, la précision, la minutie et la ponctualité de leurs partenaires allemands.

En revanche, l'idée que se font les Allemands de l'économie française est empreinte d'autres représentations, notamment celle d'un Etat puissant, qui a son mot à dire dès qu'il s'agit des intérêts économiques du pays. En Allemagne, le spectre du colbertisme hante aujourd'hui encore les esprits et surgit régulièrement dans le débat public, en particulier lorsque la France fait valoir ses intérêts nationaux au sein des institutions européennes. Or, cette inquiétude très répandue en Allemagne ignore le fait que, depuis des années, l'économie française a été considérablement libéralisée et que l'influence directe de l'Etat a beaucoup reculé. Et inversement, l'engagement réel ou supposé de la classe politique française en faveur des entreprises est parfois salué par des managers allemands quelque peu envieux vis-à-vis de leurs homologues français. De manière générale, les ingénieurs, managers et entrepreneurs français bénéficient d'une bonne réputation en Allemagne et les patrons français n'ont plus lieu aujourd'hui de fustiger l'arrogance de leurs partenaires allemands ni de craindre une domination économique de ce pays.

Toutefois, les perceptions réciproques ne sont pas toujours objectives et dès que des

Politische Kooperationsstrukturen

Die europäische Ebene bot den Rahmen für die ersten deutsch-französischen Initiativen zur wirtschaftlichen Zusammenarbeit. Die Schaffung der gemeinsamen Kohle- und Stahlproduktion (EGKS) und des gemeinsamen Marktes mit freiem Personen-, Güter-, und Kapitalverkehr war die Keimzelle der heutigen Europäischen Union. Deutsche und französische Regierungen waren in den letzten Jahrzehnten maßgeblich an der Schaffung der Wirtschafts- und Währungsunion beteiligt.

Auf bilateraler Ebene wurde bereits 1955 die Deutsch-Französische Handelskammer ins Leben gerufen, die als ein fester Bezugspunkt der deutsch-französischen Wirtschaftsbeziehungen gilt. Der 1963 unterzeichnete Elysée-Vertrag weist der wirtschaftlichen Kooperation einen besonderen Stellenwert zu. Im 1988 gegründeten Deutsch-Französischen Wirtschafts- und Finanzrat kommen die Finanz- und Wirtschaftsminister sowie die Präsidenten der Zentralbanken Deutschlands und Frankreichs regelmäßig zusammen, um über gemeinsame Initiativen zu beraten. Des Weiteren ist die Wirtschaft Thema in den bilateralen Abstimmungsinstitutionen auf Regierungsebene, also etwa im zweimal jährlich abgehaltenen Ministerrat oder bei

situations de tension apparaissent dans le travail de coopération, les clichés et autres schémas de pensée traditionnels ont tendance à reprendre le dessus, tels que « de toutes façons les Français ne sont pas fiables », « les Allemands veulent toujours tout dominer » ou bien « les Français sont superficiels », « les Allemands pédants ». Si l'on réfléchit au sens de ces phrases, on se rend rapidement compte qu'il ne s'agit que de généralisations hâtives, qui ne correspondent en rien à la réalité. Pourtant, chaque fois que l'on est amené à travailler sous la pression, on court le risque de retomber dans ce genre de stéréotypes.

Les structures de coopération

Les premières initiatives franco-allemandes en faveur de la coopération économique ont vu le jour dans le cadre du processus d'intégration européenne. On doit la création de la CECA et de la CEE en grande partie à des initiatives franco-allemandes et ces réalisations, c'est-à-dire la gestion commune de la production de charbon et d'acier ainsi que le marché commun européen caractérisé par la libre circulation des personnes, des capitaux, des biens et des services, forment la base de l'Union européenne telle qu'on la connaît aujourd'hui. De même, les gouvernements français et allemand ont beaucoup œuvré ces dernières décennies à la réalisation de l'Union économique et monétaire.

„An kaum einer der einschlägigen (deutsch-französischen) Veranstaltungen nehmen Führungskräfte aus Unternehmen teil. Sie halten sich nicht von sich aus für berufen, ungebeten in die deutsch-französischen Beziehungen einzugreifen. Im eigenen Haus sind sie damit alltäglich beschäftigt. (…) Die Unternehmen könnten ihre Erfahrung und Arbeitsmethodik dazu einbringen, viele deutsch-französische Probleme sind dort längst gelöst." Klaus W. Herterich, Unternehmensberater (2005)

« La coopération économique entre nos deux pays est d'une continuité exemplaire. Depuis près d'un demi-siècle, elle a résisté à toutes les tensions et controverses politiques. Les entreprises des deux côtés ont apporté un élément de solidité et de fiabilité aux relations politiques entre nos deux pays. » Klaus W. Herterich, consultant (2005)

den Blaesheim-Treffen der Staats- und Regierungschefs.

Auf lokaler und regionaler Ebene nimmt die Wirtschaft v.a. im Rahmen von Länder- oder Gemeindepartnerschaften, aber auch in der grenzüberschreitenden Zusammenarbeit eine herausgehobene Stellung ein.

Die Regierungen hegen seit vielen Jahren die Hoffnung, dass von den großen Unternehmen Unterstützung für den engen politischen Kooperationswillen kommt. Tatsächlich gibt es von Unternehmern geleitete und initiierte Kooperationsstrukturen, die im politischen Umfeld angesiedelt sind. Die jährlichen deutsch-französischen Unternehmergespräche von Evian, bei denen seit 1992 zahlreiche Vorstände bedeutender deutscher und französischer Unternehmen zusammenkommen, befassen sich zwar am Rande auch mit politischen Fragen, verstehen sich aber bewusst als informeller Gesprächskreis. Mit einer deutlich politischen Mission hingegen startete im Jahre 2004 eine Arbeitsgruppe „Deutsch-französische Wirtschaftskooperation" von je 5 französischen und deutschen Großunternehmen (die so genannte Beffa-Cromme-Gruppe), die von Jacques Chirac und Gerhard Schröder eingesetzt wurde mit dem Auftrag, in ausgesuchten wirtschafts- und industriepolitischen Themen gemeinsame Positionen zu ermitteln und so zu einer europäischen Industriepolitik beizutragen. Aber es hat sich erneut herausgestellt, dass politischer Wille und praktische Realisierung nur schwer zusammenfinden. Keines der angestrebten gemeinsamen Projekte konnte bisher vollständig verwirklicht werden.

Sur un plan bilatéral, les efforts de coopération se sont concrétisés dès 1955 avec l'instauration de la Chambre franco-allemande de Commerce et d'Industrie, considérée comme un solide point de repère dans le domaine des relations économiques franco-allemandes. Le Traité de l'Elysée, signé en 1963, consacre également une place importante à la coopération économique. Depuis 1988, date de la création du Conseil économique et financier franco-allemand (CEFFA), les ministres français et allemand de l'économie et des finances ainsi que les présidents des banques centrales des deux pays se rencontrent régulièrement pour discuter d'initiatives communes. Les enjeux économiques figurent en outre parmi les thèmes récurrents abordés au niveau gouvernemental, dans l'enceinte des institutions de concertation bilatérale telles que le Conseil des ministres franco-allemand qui se tient deux fois par an ou les rencontres dites « de Blaesheim » entre le président français et le chef du gouvernement allemand.

Enfin, sur le plan local et régional, l'économie joue un rôle non négligeable dans les relations bilatérales, en particulier dans le cadre des partenariats entre Länder et collectivités territoriales françaises ou dans les institutions de coopération transfrontalière.

Depuis de nombreuses années, les gouvernements français et allemand nourrissent l'espoir que leurs efforts en faveur d'une coopération politique étroite seront soutenus par les milieux d'affaires. Il existe en effet des structures de coopération franco-allemande mises en place et dirigées par des chefs d'entreprise. Les « rencontres d'Evian » entre patrons français et allemands, qui ont lieu chaque année depuis 1992 et rassemblent

Wirtschaftliche Verflechtung

Die wirtschaftliche Kooperation ist heute neben der Zusammenarbeit in Bildung und Kultur die wichtigste Grundlage der deutsch-französischen Beziehungen. Im Jahr 2005 erreichte der deutsch-französische Handel ein Volumen von 132,7 Mrd. Euro, wovon 79 Mrd. Euro auf Einfuhren nach Frankreich und 53,7 Mrd. Euro auf Einfuhren nach Deutschland entfielen.

les dirigeants des plus grandes entreprises des deux pays, sont l'occasion de traiter de sujets politiques, même si leurs initiateurs les présentent comme de simples cercles de discussion et insistent sur leur caractère informel. En revanche, nul ne peut douter de la nature politique du « groupe de travail Beffa-Cromme », institué par Jacques Chirac et Gerhard Schröder en 2004 et composé de cinq patrons français et d'autant de patrons

Es existieren 11 Deutsch-Französische Wirtschaftsclubs in Frankreich und 9 in Deutschland. Die Zielsetzungen der einzelnen Clubs sind sehr unterschiedlich, beziehen sich aber meist auf die Schaffung von Synergien sowie auf den Erfahrungs- und Meinungsaustausch.

Les Clubs d'Affaires Franco-Allemands (11 en France et 9 en Allemagne) s'engagent en faveur d'un renforcement de la coopération pour créer des synergies et améliorer les échanges d'expériences et d'opinions.

www.clubs-des-affaires.org

Der deutsch-französische Warenaustausch vollzieht sich hauptsächlich in den Branchen des Fahrzeugbaus (Exporte Deutschland: 30%, Frankreich: 31%), der chemischen Industrie (Exporte Deutschland: 12%, Frankreich: 13%), des Maschinenbaus (Exporte Deutschland: 13%, Frankreich: 8%), der Nahrungsmittelindustrie (Exporte Deutschland: 5%, Frankreich 9%) und der Elektroindustrie (Exporte Deutschland: 15%, Frankreich 10%). Die deutsch-französische Dienstleistungsbilanz fällt zugunsten Frankreichs mit einem Saldo von 4 Mrd. Euro aus.

2004 wurden deutsche Direktinvestitionen in Frankreich in Höhe von über 51 Mrd. Euro getätigt, die damit seit 1998

allemands, dont la mission consiste à formuler des positions communes sur des sujets de politique économique et industrielle afin de contribuer à la définition d'une politique au niveau européen. Toutefois, les faits ont montré combien il est difficile de traduire la volonté politique en réalisations concrètes. A ce jour, aucun des projets menés en commun n'a pleinement abouti.

L'interdépendance économique de la France et de l'Allemagne

La coopération économique constitue aujourd'hui, avec les échanges dans le domaine de l'éducation et de la culture, l'essentiel des relations franco-allemandes. En 2005, les échanges commerciaux entre la France et

verdoppelt wurden. In 2700 Niederlassungen in Frankreich beschäftigen deutsche Unternehmen etwa 300.000 Menschen. Die französischen Direktinvestitionen in Deutschland beliefen sich im selben Jahr auf 45 Mrd. Euro. 2200 französische Niederlassungen in Deutschland sind Arbeitgeber für 471.000 Menschen. Herausragende und viel zitierte Beispiele der deutsch-französischen Wirtschaftsverflechtung sind die großen transnationalen Unternehmen wie z.B. die EADS. Zu diesem weltweit führenden Unternehmen der Luft- und Raumfahrt gehören die Produktion des Eurocopter, der Trägerrakete Ariane oder das Satellitensystem Galileo sowie des Airbus, dessen Produktion auf dem 13. Deutsch-Französischen Gipfeltreffen 1969 in Bonn beschlossen wurde. Weitere herausragende Beispiele deutsch-französischer Unternehmenskooperation sind die Fusion von Framatome und der Kernenergiesparte der Siemens AG zu Framatome ANP, die Übernahme der Versicherung AGF durch die Allianz-Gruppe oder neuerdings die Zusammenarbeit der Bahngesellschaften im Bereich der Hochgeschwindigkeitszüge TGV und ICE.

Von der deutsch-französischen Öffentlichkeit weniger wahrgenommen, dafür aber umso erfolgreicher und kontinuierlicher ist der deutsch-französische Austausch auf der Ebene des Mittelstands. 60% der französischen Unternehmen mit Niederlassungen in Deutschland machen weniger als 25 Mio. Euro Jahresumsatz. Und jedes fünfte deutsche mittelständische Industrieunternehmen ist mit einer Produktionsstätte in Frankreich vertreten.

l'Allemagne ont atteint un montant de 132,7 milliards d'euros, dont 79 milliards provenant des importations de produits allemands en France et 53,7 milliards des importations de produits français en Allemagne.

Le commerce franco-allemand concerne principalement les secteurs de la construction automobile (pourcentage des exportations, Allemagne : 30%, France : 31%), de l'industrie chimique (Allemagne : 12%, France : 13%), de la construction mécanique (Allemagne : 13%, France : 8%), de l'industrie agroalimentaire (Allemagne : 5%, France : 9%) et de l'industrie électrotechnique (Allemagne : 15%, France 10%). Dans le secteur des services, la balance penche en faveur de la France qui affiche un excédent commercial de 4 milliards d'euros.

En 2004, les investissements directs allemands en France s'élevaient à plus de 51 milliards d'euros, soit deux fois plus qu'en 1998, et la présence des entreprises allemandes sur le territoire français a un impact économique certain puisque l'on dénombre 2 700 succursales, employant au total environ 300 000 personnes. La même année, le montant des investissements directs français en Allemagne a frôlé les 45 milliards d'euros et les quelque 2 200 succursales françaises implantées en Allemagne comptaient environ 471 000 employés.

Parmi les exemples d'interdépendance économique franco-allemande les plus connus et les plus cités figurent les grandes entreprises transnationales telles que EADS. EADS fait partie des entreprises de construction de matériel aéronautique et aérospatial les plus performantes au monde et la gamme de ses produits comprend Eurocopter, les

Miteinander oder gegeneinander?

Die enge wirtschaftliche Verflechtung zwischen Frankreich und Deutschland hat die wechselseitige Abhängigkeit erhöht. Allerdings hat diese Tatsache noch lange nicht dazu geführt, dass altes Konkurrenzdenken überwunden wurde. Die gefürchtete Überlegenheit deutscher Forschung und Industrie spielt immer dann eine (vielleicht unbewusste) Rolle, wenn es um hochtechnologische Prestigeprojekte geht. Auf deutscher Seite kommt Zurückhaltung auf, wenn man den direkten Eingriff des Staates in unternehmerische Planungen oder sonstige dirigistische Tendenzen vermutet.

In Schlüsselindustrien wie Automobil und Telekommunikation ist es daher nie zu tragfähigen gemeinsamen Projekten gekommen. Es scheint einfacher, mit japanischen oder amerikanischen Unternehmen zu kooperieren. Auch im Bankenbereich sind alle Versuche, gemeinsam eine weltweit relevante Größenordnung zu erreichen, schnell gescheitert. Der Versuch, die Deutsche Börse und die von Frankreich maßgeblich bestimmte Börse Euronext zu einem starken Finanzplatz zusammenzuführen, scheiterte an divergierenden Konzepten und an mangelndem Willen, die eigene Position infrage zu stellen. Die Schwierigkeiten in der Zusammenarbeit sind vor allem dort groß, wo öffentlich sichtbare oder strategisch relevante Bereiche betroffen sind. Hier geht es um mehr als die normale Konkurrenz im Markt. Die Praxis zeigt aber auch, dass immer noch kulturelle Differenzen die Zusammenarbeit im Detail erschweren können.

fusées Ariane, le système de navigation par satellite Galileo et les avions Airbus. Plusieurs cas de rapprochement d'entreprises françaises et allemandes sont à signaler dans d'autres secteurs d'activité, comme la fusion entre Framatome et la branche nucléaire de Siemens qui a abouti à la création de Framatome ANP, le rachat du groupe d'assurance AGF par le groupe Allianz ou, plus récemment, la coopération entre les sociétés ferroviaires des deux pays dans le domaine des trains à grande vitesse (TGV et ICE).

Enfin, même s'ils font l'objet de moins d'attention de la part de l'opinion publique française et allemande, il ne faut pas oublier d'évoquer les exemples de coopération entre PME qui s'avèrent souvent plus réguliers et plus fructueux que ceux mentionnés plus haut. A ce sujet, deux chiffres méritent d'être cités : 60% des entreprises françaises ayant des succursales en Allemagne font moins de 25 millions d'euros de chiffre d'affaires par an et une PME allemande sur cinq possède un site de production en France.

Partenaires ou concurrents ?

Les liens économiques étroits entre la France et l'Allemagne ont engendré une sorte de dépendance réciproque. Néanmoins, cela n'a pas fait totalement disparaître les vieilles logiques de rivalité parfois encore ancrées dans les esprits. Du côté français, la crainte d'une supériorité de l'industrie et de la recherche allemandes persiste et entre toujours en ligne de compte (peut-être inconsciemment) dès qu'il s'agit de prestigieux projets de haute technologie.

Dans les secteurs clés de l'industrie automobile et de la télécommunication, les entreprises des deux pays n'ont ainsi jamais réussi

à mettre en œuvre de solides projets communs. Dans ces deux domaines, elles sont plus enclines à coopérer avec des entreprises japonaises ou américaines. Il en va de même dans le secteur bancaire et financier. Toutes les tentatives de coopération franco-allemande ayant pour objectif de permettre aux institutions bancaires des deux pays de se déployer davantage à l'échelle mondiale se sont soldées par un échec. Récemment, l'idée de créer une grande place boursière européenne grâce à un rapprochement entre la bourse allemande et la bourse Euronext (issue de la fusion des bourses de cinq pays européens, mais plutôt dominée par la France) s'est heurtée à des divergences de conception et à la volonté insuffisante des acteurs concernés de remettre en cause leur propre position. En d'autres termes, la coopération économique franco-allemande se révèle difficile dans les secteurs particulièrement stratégiques ou dans ceux qui ont un écho important dans l'opinion publique.

Zusammenarbeit im Bereich der Hochgeschwindigkeitszüge TGV und ICE
Coopération dans les domaine des trains à grande vitesse TGV et ICE

07

Die Umwelt

L'environnement

Eine Begriffsbestimmung

Une définition

Der Begriff „Umwelt" hat viele Facetten. Zunächst geht es um das soziale und kulturelle Umfeld, sozusagen die politische, berufliche und persönliche Entourage jedes Einzelnen. Vor allem aber bezieht sich der Begriff auf das natürliche Umfeld, in dem wir leben. Die Natur ist dabei keine unberührte Wirklichkeit, sondern durch die menschliche Zivilisation verändert. Die Umwelt prägt und bestimmt unser Leben.

In Deutschland hat das Bewusstsein für die Umwelt schon vor mehr als 30 Jahren erheblich zugenommen, und seit den 70er Jahren ist Umwelt und deren Schutz ein zentrales politisches Thema. Anfangs vom Bonner Polit-Establishment belächelt oder ignoriert, sind die damaligen Sorgen der Umweltschützer und Atomgegner heutzutage in Deutschland allgemein akzeptiert, und die Notwendigkeit einer veränderten Lebensweise zum Schutz der Umwelt durch eine Mehrheit der Deutschen verinnerlicht.

In Frankreich beobachtet man seit einigen Jahren eine ähnliche Entwicklung in der breiten Öffentlichkeit. Umfragen zeigen, dass sich die Franzosen um die Zukunft der Umwelt Sorgen machen und die rasanten Veränderungen in der Welt als Bedrohung empfinden. Das Bewusstsein wächst, auch wenn sich das praktische Verhalten nur langsam ändert, da man bisher von einer stabilen natürlichen Umwelt ausging.

L'environnement, un mot qui recouvre bien des choses dans le langage courant français. L'environnement, c'est notamment une donnée sociologique : le milieu dans lequel on naît, l'entourage dans lequel on se meut, qu'il soit politique, professionnel ou celui du cercle d'amis que l'on se donne. Mais l'environnement, c'est aussi et surtout le milieu naturel qui nous entoure, nous concerne et nous préoccupe.

On note en France une prise de conscience, qui n'entraîne pas pour autant nécessairement un changement des habitudes. Les sondages prouvent que la population française s'interroge, s'inquiète de ce monde qui change. Il change à une vitesse difficilement supportable pour le commun des mortels, qui jusqu'à présent n'avait pas vraiment à se soucier d'un quelconque changement de son environnement habituel, et donc de son mode de vie.

Dans la société allemande, la complexité du sujet de l'environnement semble aujourd'hui mieux acceptée. Cela inquiète tout autant, mais c'est devenu partie intégrante d'un débat qui a son origine dans les années 1970. A l'époque, la population et le gouvernement de Bonn réagirent aussi face aux premières manifestations vertes par des haussements d'épaules ou des grimaces mi-figue miraisin. Depuis, les mentalités ont évolué. On a progressivement assisté à une prise de conscience des dangers que notre façon de vivre représentait pour l'environnement.

Unterschiedliche Anschauungen

Das Konzept des französischen Gartens

In Frankreich hatte sich schon sehr früh die Auffassung durchgesetzt, die Natur stelle sozusagen eine Modelliermasse für den Menschen dar. Sie stand ihm und seinen ästhetischen Vorstellungen frei zur Verfügung, und nichts, weder die Zeit, noch eventuelle natürliche Hindernisse sollten sich ihm und seinem Gestaltungswillen widersetzen. Höhepunkt für diese Art der angestrebten Naturbändigung waren die im 17. Jh. sehr beliebten französischen Gärten, die in Versailles die wohl berühmteste Umsetzung fanden. Neben

Des approches différentes

Un jardin à la française

L'environnement naturel a toujours été perçu en France comme un acquis dont on disposait à sa guise, qu'on modelait selon ses désirs. Face à la diversité et à l'opulence de cet élément, tout semblait possible, éternellement. Cette idée s'exprime par exemple dans la création des premiers jardins dits à la française (17ᵉ s.), dont le plus connu est celui de Versailles. Symbole de la monarchie absolue personnifiée par Louis XIV, les jardins de Versailles devaient, au même titre que le château, exprimer l'idée d'un monde soumis à l'homme, en l'occurrence au Roi Soleil. La

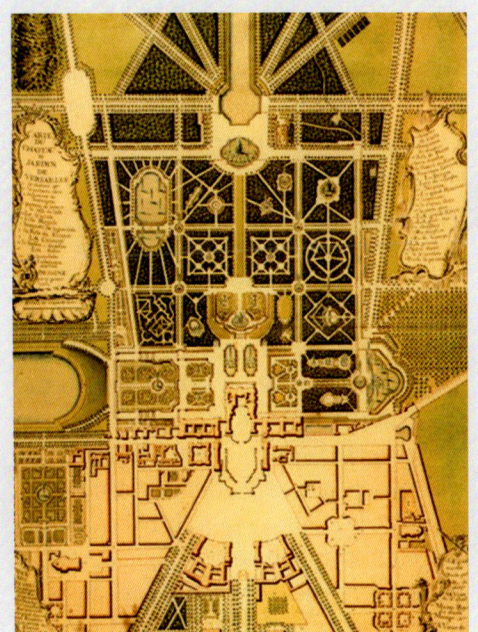

Versailles

André Le Nôtre (1613-1700), dessen Vater und Großvater bereits Gärtner in den Tuilerien waren, verbrachte seine gesamte Jugend als Lehrling des Gärtnerhandwerks und gleichzeitig als Kunstschüler in einer Werkstatt des Louvre. 1652 wird er von Fouquet engagiert, um den Park seines Anwesens in Vaux-Le-Vicomte anzulegen. 1661 vertraut Ludwig XIV. Le Nôtre die Gestaltung des Parks von Versailles an. Der mittlerweile berühmte Gartenarchitekt erneuert ebenfalls die Schlossgärten von Chantilly, Saint-Cloud und Saint-Germain-en-Laye.

André Le Nôtre (1613-1700), fils et petit-fils de jardiniers des Tuileries, passa toute sa jeunesse entre l'apprentissage du métier de jardinier et une formation artistique dans un atelier du Louvre. En 1652, Le Nôtre est engagé par Fouquet pour l'aménagement du parc de son domaine de Vaux-Le-Vicomte. En 1661, Louis XIV confie à Le Nôtre la réalisation du parc du château de Versailles et l'architecte de jardin, devenu alors très célèbre, se consacre également à la rénovation des jardins des châteaux de Chantilly, Saint-Cloud et Saint-Germain-en-Laye.

dem Schloss symbolisierten die Gärten die absolute Herrschaft des französischen Königs, dem alle untergeben waren, auch die Natur. Wie auf einem Podest inszeniert, befand sich im Zentrum dieser modellierten Natur das Schloss, Symbol der Macht Ludwigs XIV.

Trotz wachsenden Umweltbewusstseins scheint sich bis heute in Frankreich die Meinung zu halten, dass der Mensch die natürlichen Elemente beherrscht und seinen Zwecken unterordnen kann. Laurence Tubiana, Professorin für nachhaltige Entwicklung an Sciences Po, stellt in einem in *Libération* erschienenen Artikel im Mai 2006 fest: „Die französische Gesellschaft zielt eher auf die Beherrschung der Natur ab als auf ein Miteinander".

Die deutsche Romantik

In Reaktion auf diesen französischen Gartenstil entwickelte sich in England ein Gartenideal, nach dem sich die Natur frei entfalten sollte: Hecken sollten nicht kunstvoll beschnitten werden, Wasserspiele wurden verbannt, und natürliche Wasserläufe nicht in künstliche Kanäle umgeleitet. Die Landschaft wurde zelebriert. Hügel und Wälder dienten zwar perspektivischen Zwecken, ohne jedoch den Eindruck des gebändigten Elements zu vermitteln. Vielmehr waren sie Ausdruck einer mächtigen, wilden Natur, in die sich der Mensch als ein Element harmonisch einzufügen hatte. Diese englischen Gärten fanden im 18. Jh. bei den deutschen Fürsten und später in der Romantik großen Anklang. Beispiele wie die Wörlitzer Parklandschaft oder der Pücklersche Park in Bad Muskau (Sachsen) zeugen bis heute von dem Bestreben ihrer

demeure était mise en scène au centre d'un environnement domestiqué, dominant une nature apprivoisée qui traduisait la puissance du maître des lieux. Cette mentalité semblerait subsister jusqu'à aujourd'hui en France. Laurence Tubiana, directrice de la chaire du développement durable à Sciences Po, constate dans un article paru dans *Libération* (mai 2006) à propos de l'attitude de la classe politique française vis-à-vis des problèmes écologiques : « Par ailleurs, la société française est plutôt dans la maîtrise de la nature que dans la cohabitation. »

Le romantisme allemand

En réaction aux jardins français, jugés artificiels, se développa l'idée du jardin à l'anglaise. Epris de liberté, l'idéalisme anglais mit en valeur les éléments naturels, refusant la taille et les fontaines, appréciant les paysages vallonnés, les méandres des cours d'eau, les forêts au loin. La nature ne devait pas être assujettie, domptée. L'homme et l'environnement forment un ensemble harmonieux, source d'inspiration dans son aspect plus libre, plus sauvage. Cette conception trouva rapidement des adeptes dans différents Etats allemands. Exemple type d'un jardin à l'anglaise en Allemagne : le Parc de Wörlitz, créé au 18e s. pour symboliser les convictions humanistes du Prince Leopold III. La libre conception du jardin s'oppose à la rigidité de la symétrie française. Toute une symbolique des idées de liberté qui s'oppose à celle du monarque absolu en France. De cette époque date donc une approche très différente de l'élément naturel qui nous entoure. Le romantisme allemand fit de la nature un de ses sujets favoris, surtout à travers la peinture. En regardant un tableau de

Nach mehreren Englandreisen entschließt sich Prinz Léopold III. Friedrich Franz von Anhalt-Dessau (1740-1817), gemeinsam mit dem Architekten Friedrich Wilhelm von Erdmannsdorff ein großes Projekt zur Landschaftsgestaltung zu initiieren, das auf dem englischen Modell beruhte. Aus dem kleinen Fürstentum Anhalt-Dessau wurde ein Königreich der Gärten. Im Zentrum dieses Königreichs befindet sich der Park von Wörlitz, der zwischen 1799 und 1813 gebaut wurde, und der heute als der bedeutendste seiner Art in Deutschland gilt.

Après différents voyages en Angleterre, le prince Léopold Friedrich Franz d'Anhalt-Dessau (1740-1817) décide, en collaboration avec l'architecte Friedrich Wilhelm von Erdmannsdorff, de lancer un vaste projet de conception paysagère à partir du modèle anglais et fait de la petite principauté d'Anhalt-Dessau un royaume des jardins. Au cœur de ce royaume des jardins se trouve le parc de Wörlitz, construit entre 1769 et 1813, connu aujourd'hui comme l'un des plus importants exemples de jardins « à l'anglaise » existant en Allemagne..

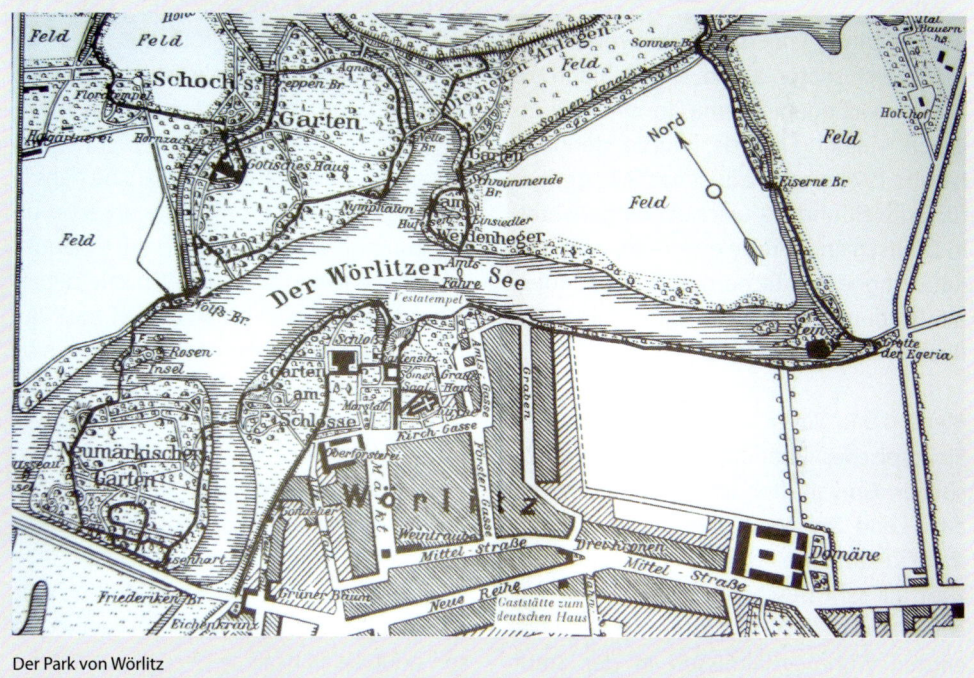

Der Park von Wörlitz

damaligen Besitzer, ihr humanistisches, der Freiheit verschriebenes Weltbild gartentechnisch in Szene zu setzen. Den Malern der Romantik waren die Naturgewalten ein bevorzugtes Motiv. Ein Blick auf die Werke Caspar David Friedrichs zeigt, wie sehr für ihn der Mensch nur ein winziges Element

Caspar David Friedrich, on peut imaginer ce que les romantiques ont voulu exprimer : la nature est issue d'une manifestation divine, l'individu lui est soumis, la nature triomphe sur les aspirations humaines.

Ces deux conceptions contradictoires peuvent aider à comprendre un certain scep-

in der von Gott bestimmten Unendlichkeit der Schöpfung darstellt.

Diese beiden Entwicklungen stehen sich diametral gegenüber, und erklären zum Teil die anfangs skeptische Haltung der französischen Gesellschaft gegenüber den deutschen Umweltschützern der 70er Jahre und ihren Forderungen nach einem bewussteren Umgang mit der Umwelt, nach Schutzmaßnahmen zum Erhalt der Artenvielfalt und der schwindenden Bodenschätze.

Auch wenn in Frankreich die Umweltthematik erst später als in Deutschland zu einem wichtigen Thema in der öffentlichen Meinung wurde, wurde dennoch bereits 1971 ein französisches Ministerium für Umwelt und Naturschutz eingerichtet. In Deutschland wurde erst 1986, nach der Katastrophe von Tschernobyl, ein Bundesministerium für Umwelt, Naturschutz und Reaktorsicherheit gegründet.

Mensch und Natur

Ein typisches Phänomen in den französischen Großstädten ist das Hinausfahren aufs Land am Wochenende. Mehr und mehr Franzosen haben ein Landhaus, zum Teil sehr bescheiden, aber immerhin ein Ort, an dem sie aus ihren teilweise beengten Wohnverhältnissen in der Stadt ausweichen und „frische Luft tanken" können. Dieser Tapetenwechsel scheint angesichts des zunehmenden Stresses und der Luftverschmutzung in den Großstädten immer wichtiger zu werden. Bei einigen Landhäusern handelt es sich um geerbte Familienhäuser. Meist sind es jedoch vom derzeitigen Besitzer in teilweise heruntergekommenem Zustand erworbene Ge-

ticisme de la part de la France lorsque la protection de l'environnement arriva sur le devant de la scène politique allemande dans les années 1970.

Si en France l'environnement est devenu un sujet primordial pour l'opinion publique plus tard qu'en Allemagne, il est néanmoins vrai que des 1971 la France a créé le premier ministère de l'Environnement et de la Protection de la Nature. En Allemagne, il a fallu attendre 1986 et la catastrophe de Tchernobyl pour que soit créé le ministère fédéral de l'Environnement, de la Protection de la Nature et de la Sécurité nucléaire.

L'homme et la nature

Lorsqu'on se promène un dimanche dans la campagne française, on pourra observer un grand nombre de voitures dont les plaques d'immatriculation n'indiquent pas le département dans lequel on se trouve, mais qui proviennent de grands centres urbains plus ou moins éloignés. Il s'agit de citadins qui sortent le week-end pour profiter de leurs maisons de campagne. Parfois, il s'agit d'une maison de famille. Mais, de plus en plus souvent, le Français se laisse tenter par la perspective d'une résidence secondaire. Celle-ci ne sera pas nécessairement en bon état à l'achat, histoire de pouvoir la « retaper » à son goût. Le Français se découvre une fibre de maçon, et de jardinier. Résultat : les prix de l'immobilier flambent dans certaines régions rurales, surtout dans un périmètre de 250 km autour de Paris, et dans les régions facilement accessibles grâce aux lignes de TGV. Les jardineries et autres centres commerciaux spécialisés dans la construction et le bricolage investissent la campagne française.

bäude, die dann in liebevoller Eigenarbeit jahrelang wieder in Stand gesetzt werden. Der Franzose entdeckt seine gärtnerischen und bautechnischen Fähigkeiten, Baumärkte und Gärtnereien schießen wie Pilze aus dem Boden. Und auch die Preise für solche Immobilien auf dem Land sind in die Höhe geschossen, vor allem in einem Umkreis von ca. 250 km um Paris, bzw. überall dort, wo der Schnellzug (TGV) die Region schnell erreichbar macht.

Die französische Landschaft ist weniger zersiedelt als die deutsche und hat so vielerorts ihren ursprünglichen Charakter bewahren können. Die Dörfer erfreuen sich verschiedenster Bezeichnungen, wie *village de charme,* oder *village fleuri,* und bemühen sich um eine Wiederbelebung der Dorfstruktur. Am Wochenende nehmen die Städter den pittoresken Markt ein und huldigen den kulinarischen Spezialitäten der Region. Einziger Nachteil an dieser Tendenz zum zweiten Wohnsitz: das Raus- und Reinfahren aus und in die Städte am Freitag- bzw. Sonntagabend. Die teilweise stundenlangen Staus erfordern eine große Portion Geduld.

Diese Tendenz zur allwöchentlichen „Völkerwanderung" gibt es in Deutschland nicht. Mit dem Ende des 2. Weltkriegs wurden nicht nur die politischen und staatlichen Strukturen neu geordnet, sondern der Krieg hatte auch für die Familien und deren finanzielle Situation tief greifende Folgen. Viele deutsche Familien verloren ihren gesamten Besitz, ihre Ersparnisse aber oft auch ihr Elternhaus. Hinzu kommen die Deutschen der ehemaligen Ostgebiete, die ihre Ländereien und ihren Besitz aufgeben mussten, gleich ob sie einfache

Le paysage français, moins morcelé et urbanisé qu'en Allemagne, semble avoir gardé un certain charme d'antan. La plupart des villages, parfois d'origine médiévale, ont su préserver leur apparence et leur structure ancienne. Ils sont souvent classés : Village de charme, Village fleuri, à une ou plusieurs étoiles.

Phénomène de mode ou besoin de nature, ce réflexe de quitter la ville en fin de semaine pour se « ressourcer » à la campagne peut être interprété comme une réaction à la pollution, au bruit et au stress qui sévissent dans les villes. Seul bémol : les fins de week-end qui se terminent parfois par des bouchons impressionnants aux portes de Paris et des autres grandes villes, exigeant une bonne dose de patience.

Cette tendance à la « transhumance hebdomadaire » n'existe pas en Allemagne. La fin de la Seconde Guerre mondiale a non seulement bouleversé les structures politiques et étatiques de l'Allemagne, elle a eu aussi un impact désastreux sur les structures familiales et leurs situations économiques. Beaucoup de familles allemandes ont perdu tous leurs biens pendant la guerre, leurs économies bien sûr, mais le plus souvent aussi leur maison de famille. Sans parler des Allemands des anciens territoires allemands en d'Europe de l'Est qui ont dû abandonner leurs terres et leurs propriétés, quelle que soit leur origine sociale, simples fermiers ou grands propriétaires terriens. Obligés de quitter leurs villes et villages d'origine, ils perdirent leur *Heimat* et durent se reconstruire une existence et une identité dans une partie de l'Allemagne qui leur était étrangère. 1945 a été pour beaucoup de familles l'année zéro

Bauern oder Großgrundbesitzer waren. Sie waren gezwungen, ihre Städte und Dörfer zu verlassen, und mussten sich vielfach eine neue Existenz und Identität in einem Teil Deutschlands aufbauen, der ihnen fremd war. 1945 war für viele Familien die Stunde Null eines neuen Lebens. Dazu gehören die Schaffung einer neuen Existenzgrundlage, neuer sozialer Bindungen und neuer Wurzeln für die kommenden Generationen. Anders als in Frankreich gibt es also in Deutschland nur selten die Vorstellung des „Familienhauses" auf dem Land. Neben diesen historischen Faktoren spielt sicher eine große Rolle, dass die dezentrale Besiedelung in Deutschland zu einem geringeren Kontrast zwischen „Stadt" und „Land" führt als in Frankreich.

In Deutschland gibt es hingegen ein anderes Phänomen, den Schrebergarten. Diese Erfindung des 19. Jhs. erfreute sich nach 1945 einer großen Renaissance. Für viele Deutsche waren diese grünen Oasen nicht nur ein nahes und willkommenes Ausflugsziel, sondern auch jahrelang Ersatz für unerschwingliche Urlaubsziele, und nebenbei wichtige Obst- und Gemüsequelle. Viele Schreberparzellen wurden zum Ausdruck der Träume ihrer Pächter, im Kleinen eine heile Welt aufzubauen, geschmückt mit Gartenzwerg und Plastik-„Bambi". Auch wenn heute die meisten Deutschen in Urlaub fahren können und keinen Gemüsegarten brauchen, bleiben die Schrebergärten dennoch sehr populär.

Die Jagd

Fährt der deutsche Besucher durch das herbstliche oder winterliche Frankreich, wird ihm vielerorts die große Anzahl an

d'une nouvelle vie. Ce qui implique la création d'une nouvelle base économique, de nouveaux liens sociaux et de nouvelles racines pour les générations à venir. Il y a donc dans une moindre mesure cette notion de maison de famille en Allemagne, comme elle a toujours existé en France. Au delà de ces raisons historiques, le tissu décentralisé des villes allemandes rend le contraste entre « ville » et « campagne » moins évident qu'en France.

Beaucoup d'Allemands, par contre, sont adeptes des jardins ouvriers, les *Schrebergärten*. En tout, ils sont plus de 4 millions à profiter de ces espèces de jardins communautaires, divisés en lots individuels et cultivés par une personne ou une famille. Ce phénomène, qui existe depuis la fin du 19e siècle et s'est renforcé après 1945, est bien plus développé en Allemagne qu'en France. Beaucoup d'habitations ayant été détruites, la population avait été relogée dans des appartements, et les *Schrebergärten* leur servaient à la fois de potager, de jardin et de « maison de vacances ». Aujourd'hui, l'Allemand moyen n'a plus besoin d'un potager et il a les moyens financiers de partir en vacances, mais les *Schrebergärten* restent populaires. Ces oasis de calme et de verdure dans les centres urbains, les propriétaires en font leur refuge secret, y créant un paysage de rêve, peuplé de nains de jardin, avec des cabanons qui ressemblent parfois à des maisons de poupée.

La chasse

Un visiteur allemand qui sillonne les routes de campagne françaises en automne et en hiver sera frappé par le nombre de chasseurs. Une enquête CSA (2006) démontre

Jägern auffallen. Jung und Alt scheinen unterwegs zu sein, größtenteils Männer, unterschiedlichster sozialer Herkunft, Landwirte natürlich, aber auch Arbeiter, Lehrer, bis hin zu Notaren und Großgrundbesitzern. Der ehemalige Staatspräsident Valéry Giscard d'Estaing galt als begeisterter Jäger. Wie eine CSA-Meinungsumfrage (2006) zeigt, ist die Jagd ein weit verbreiteter Sport in Frankreich, und schenkt man den Zahlen der Vereinsmitglieder Glauben, ist nur der Fußball noch beliebter. Der Umfrage zufolge gehen 99% der französischen Jäger dieser Leidenschaft nach, „um mit der Natur in Kontakt zu sein". Fast 1,5 Millionen Jagdscheininhaber sind eine einflussreiche politische Größe. Seit vielen Jahren gibt es sogar eine eigene Partei „Jagd, Fischfang, Natur und Tradition", die bei den Präsidentschaftswahlen mit einem eigenen Kandidaten antritt.

Die Vorliebe für die Jagd wird durch eine rechtliche Eigenheit gefördert, die jedem französischen Bauern seit der französischen Revolution das Jagdrecht auf dem von ihm bearbeiteten Boden zuspricht, unabhängig davon, ob das Land gepachtet ist oder ihm gehört. Diese Jagdberechtigung besteht also neben dem auch in Deutschland üblichen Jagdrecht, das an den Besitz von Land (mindestens 75 Hektar) geknüpft ist. In Deutschland hat es keine vergleich-

l'engouement des Français pour ce loisir. Si on réunit dans un même panier le nombre de licences ou de permis dans chaque type de loisir, la chasse n'est dépassée que par … le football ! La chasse reste un sport essentiellement masculin, pratiqué par toutes les générations confondues, et tous les milieux. Du simple fermier, qui use de son droit de chasser sur ses terres (héritage de la Révolution) à l'ancien Président de la République, Valéry Giscard d'Estaing, éminent chasseur. Et pourquoi chassent-ils ? Toujours d'après CSA, 99% des chasseurs français répondent vouloir être en contact avec la nature. Avec leur véritable culte de la chasse, ils représentent, de par leur nombre, un poids politique qui leur permet de faire pression sur les élus et de défendre ainsi leurs intérêts. Il existe même depuis longtemps un parti politique « Chasse, Pêche, Nature et Tradition ».

L'accès à la chasse est facilité depuis 2004 par la possibilité pour les adeptes de s'initier à la chasse accompagnée avant d'obtenir le permis de chasser, autorisé à partir de 16 ans. Calquée sur le modèle de la conduite accompagnée, elle est gratuite et permet la pratique de la chasse dès l'âge de 15 ans, à condition d'être accompagné par un détenteur de permis de chasse qui fait fonction de parrain. En Allemagne, un système équivalent existe à partir de l'âge de 16 ans. Le permis de chasse peut être obtenu à partir de

---

Die Begeisterung für die Jagd ist in Frankreich europaweit am stärksten ausgeprägt. 1.400.000 Jäger sind in 70.000 Vereinen organisiert, wobei der Südwesten und die Mittelmeerregion besonders stark vertreten sind. In Deutschland gibt es nur 340.000 Jäger. Nordrhein-Westfalen, Niedersachsen und Bayern sind die drei Bundesländer mit den meisten Jägern

Aujourd'hui, la France est le premier pays cynégétique d'Europe avec plus de 1 400 000 pratiquants, répartis entre 70 000 associations de chasse à travers toute la France, même si le sud-ouest et le pourtour méditerranéen restent les grandes régions de prédilection de ce loisir. L'Allemagne ne compte qu'environ 340 000 pratiquants. La Rhénanie-du-Nord-Westphalie, la Basse-Saxe et la Bavière sont les trois *Länder* où ce loisir est le plus répandu.

bare Demokratisierung der Jagd gegeben, sie bleibt einer Minderheit vorbehalten. Der Erhalt des eigentlichen französischen Jagdscheins, d.h. eine mündliche und eine schriftliche Prüfung, gilt bisher als für (fast) jeden ab dem 16. Lebensjahr zugänglich. Vereinfacht wird der Zugang zur Jagd durch ein seit 2004 in Kraft getretenes Gesetz, das es einem jungen Jäger ab 15 Jahren erlaubt, unter Aufsicht eines erfahrenen Jagdscheininhabers zu jagen. Dieser Schein der begleiteten Jagd ist kostenlos und soll vor allem das heimliche Jagen vieler Jugendlicher eindämmen. In Deutschland gilt eine ähnliche Regelung ab 16 Jahren, den Jagdschein kann man mit 18 Jahren erwerben. Wie in Deutschland gibt es auch in Frankreich derzeit keinen jagdfreien Tag. Einzige Ausnahme: die Wälder in Staatsbesitz, in denen das Jagen am Sonntag verboten ist.

Umwelt und Landwirtschaft

In Frankreich wie in Deutschland sind vor allem die Fischer, Jäger und Landwirte die tagtäglichen Nutznießer eines gesunden, ausgewogenen Ökosystems. Beide Berufsgruppen gehören auch zu den ersten Opfern in Zeiten von Klimakatastrophen oder Umweltverschmutzungen. Gleichzeitig Mitwirkende und Auslöser gewisser Umweltsünden, die es in Zukunft zu vermeiden gilt, sind sie die bevorzugten Ansprechpartner für eine Neudefinition der Landwirtschaftspolitik. Auf europäischer Ebene hat die gemeinsame Agrarpolitik (GAP) schon immer einen hohen Stellenwert gehabt, verbunden mit dem größten Haushalt (40% des Gesamtbudgets), den Brüssel zu verwalten hat – was von

18 ans, mais l'examen (écrit, oral et pratique) est réputé très difficile.

En Allemagne, la chasse a certes une longue tradition. Mais, en l'absence de Révolution, elle reste le privilège d'une minorité. Comme en France, le droit de chasse est étroitement lié au droit de propriété. Par contre, il n'existe pas ce droit de chasser concédé à ceux qui travaillent la terre. En Allemagne, seul le propriétaire d'un terrain d'une superficie minimum (75 ha) a le droit de chasse, ou le droit au refus de chasse sur son terrain.

En France, la discussion autour d'un jour de non-chasse hebdomadaire revient régulièrement à l'ordre du jour. Ayant existé jusqu'en 2002, il a ensuite été abandonné sauf pour les forêts domaniales, propriétés de l'Etat, où la chasse est interdite le dimanche. L'Allemagne n'a pas de jour de non-chasse.

Environnement et agriculture

En France comme en Allemagne, ce sont les agriculteurs qui, à côté des chasseurs et des pêcheurs, sont en contact direct avec le patrimoine naturel du pays. Ils sont les premiers concernés par l'état de l'environnement, la dégradation progressive de celui-ci, et par d'éventuelles catastrophes naturelles. A la fois acteurs et victimes, ce sont aujourd'hui les interlocuteurs privilégiés dans la formulation d'une nouvelle politique agricole. Au niveau national comme au niveau européen (politique agricole commune, PAC), on a pour objectif de maintenir une agriculture économiquement forte mais respectueuse de l'environnement. Bruxelles vise une évolution écologique et cherche à favoriser l'agriculture biologique. Cela représente un défi important pour les

Deutschland als einem der stärksten Zahler schon öfter moniert wurde. In Zukunft will Brüssel nicht nur den Haushaltsanteil des Agrarbereichs verringern, sondern vor allem eine langfristig angelegte, umweltschonende und wirtschaftlich starke Landwirtschaftspolitik formulieren. Diese Neuorientierung stellt für die Politik in Paris, Berlin und Brüssel eine große Herausforderung dar, die kaum ohne Konflikte gemeistert werden kann. Die französischen Fischer und Bauern, die nur noch 3,8% der aktiven Bevölkerung ausmachen (gegenüber 2,4% in Deutschland), gelten als sehr hart, wenn es um die Verteidigung ihrer Interessen geht. Bisher konnten sie auf eine europäische Politik zählen, die sowohl protektionistisch als auf Massenproduktion ausgerichtet war. Angesichts der in der Vergangenheit angehäuften Butterberge, der schwindenden Fischbestände und der verseuchten Böden, gehen aber die Prioritäten heute auf nationaler und europäischer Ebene eindeutig in Richtung strengere Qualitäts- und Hygienekontrolle bei gleichzeitigem schonenderem und respektvollerem Umgang mit Land und Tier.

politiques à Paris, Berlin et Bruxelles et ne va pas toujours sans heurts et sans manifestations. Les agriculteurs et les pêcheurs français ont une réputation de « durs », prêts à tout pour assurer leur existence. Jusqu'à présent, leurs intérêts étaient bien défendus à Bruxelles, qui visait une politique à la fois productiviste et protectionniste. L'Allemagne, un des principaux financiers du budget européen, dénonce les dépenses exorbitantes au profit de la PAC (40% du budget de l'UE). L'arrivée de nouveaux pays membres, la révision des dépenses et des subventions et la prise de conscience des menaces qui pèsent sur l'environnement ont entraîné une réorientation de la politique commune. Il ne s'agit plus de financer la quantité, avec un risque de surproduction, mais de diminuer progressivement le coût de la PAC tout en redéfinissant ses priorités. L'érosion des sols, la dégradation alarmante de l'état des ressources naturelles, la diminution dramatique des stocks de poissons, exigent une réorientation des aides aux agriculteurs et aux pêcheurs. Celles-ci doivent aujourd'hui être subordonnées au respect de la qualité, de l'environnement, du bien-être de l'animal et de la sécurité alimentaire.

Die bedrohte Umwelt

Das Thema Umwelt und die Frage nach einer zukunftsorientierten Energiepolitik sind in Deutschland wie in Frankreich eng miteinander verknüpft. In Deutschland und Frankreich ist dieser Zusammenhang erkannt worden, in den Lösungsansätzen jedoch unterscheiden sich beide Länder aus geopolitischen und historischen Gründen erheblich.

L'environnement menacé

Plus que jamais, en France comme en Allemagne, le sujet de l'environnement ne peut plus être dissocié de la question énergétique, l'un semble être lié à l'autre pour le meilleur comme pour le pire. Ce qui est très différent dans les deux pays analysés, c'est la perception du problème, et ceci pour des raisons géopolitiques et historiques.

Die Situation im Vergleich

Eine Erklärung für diese unterschiedlichen Ansätze ist zweifelsohne der Faktor der Bevölkerungsdichte. Deutschland hat mit einer mehr als doppelt so großen Bevölkerungsdichte und der daraus resultierenden viel größeren Zersiedelung des Territoriums ein frühes Bewusstsein für die Umweltproblematik entwickelt. Dem westlichen Lebensstil entsprechend bedingt eine hohe Bevölkerungsdichte einen größeren Energieverbrauch, was (bisher) auch eine stärkere Umweltbelastung bedeutete. In Frankreich betrachtete man die Umwelt noch als ein unerschöpfliches und unendliches Reservoir.

Und tatsächlich ist die Umweltsituation in Frankreich bis heute nicht so dramatisch wie in Deutschland. Die amerikanischen Universitäten Yale und Columbia stellten beim Weltwirtschaftsgipfel 2006 in Davos eine gemeinsam erarbeitete Studie vor, in der 133 Länder auf ihre umweltpolitische Situation hin untersucht wurden. Dabei wurden die verschiedensten Umweltaspekte analysiert, von der Luftverschmutzung über die Gesundheitspolitik bis hin zur Förderung von erneuerbaren Energien. Die als umweltbewusst geltenden Länder Schweiz und Deutschland landeten auf den Plätzen 16 und 22, während Frankreich den 12. Platz einnahm. Auch wenn man einwenden kann, dass der deutsche 22. Platz in einer Liste von 133 Ländern nicht allzu schlecht ist, so stellt man bei genauerer Betrachtung große Defizite im Bereich der Artenvielfalt und deren Schutz fest. Die Artenvielfalt nimmt in Deutschland stetig ab und stellt weniger als die Hälfte der in Frankreich festgestellten Vielfalt dar.

La situation actuelle en France et en Allemagne

Une explication simple et pourtant très importante pour mieux comprendre l'écologisme allemand : le facteur de la densité de population en Allemagne par rapport à la France. Qui dit forte densité de population, dit urbanisation galopante. Moins l'homme dispose d'espace, plus vite il se rend compte des conséquences néfastes de ses actes sur son environnement immédiat. L'Allemagne des années 1970 s'est rendue compte de la fragilité et de l'importance de l'équilibre environnemental à un moment où les Français percevaient encore leur environnement comme une ressource inépuisable et renouvelable à l'infini.

Effectivement, l'état actuel de l'environnement en France n'est pas aussi catastrophique qu'en Allemagne. Une étude présentée au Forum économique mondial de Davos en 2006, qui compare la situation écologique dans 133 pays, situe la France à la 12ème place, derrière plusieurs pays scandinaves et le Canada (8ème), mais bien avant la Suisse (16ème) ou l'Allemagne (22ème), des pays à réputation pourtant bien plus écolo. Dans cette étude, rédigée par des scientifiques des universités de Yale et de Columbia, le sujet de l'environnement est divisé en 6 catégories : santé, biodiversité, politique des énergies renouvelables, état des ressources en eau, qualité de l'air et réserves naturelles.

En comparant les résultats de cette étude en France et en Allemagne, on comprend mieux l'impact négatif de la densité démographique et de l'urbanisation allemande sur le facteur de la biodiversité : celle-ci est en net recul et comprend moins de la moitié de la variété d'espèces constatée en France.

In beiden Ländern wird die Luftqualität moniert, in Deutschland wird der CO_2-Ausstoß der Industrie und Energiewirtschaft maßgeblich dafür verantwortlich gemacht, in Frankreich sind es die Autoabgase, die die Giftwerte in den Ballungszentren gefährlich ansteigen lassen.

Die Grünen

Die oben zitierte Studie bestätigt die Vermutungen und Mahnungen, wie sie ökologisch engagierte Gruppierungen und Persönlichkeiten seit den 70er Jahren auch in Deutschland immer wieder äußerten. Das unbekümmerte Konsumverhalten in den 60er und 70er Jahren hat die natürlichen Ressourcen ausgebeutet, die Böden verseucht, die Flüsse verdreckt, die Luft verschmutzt, ohne Rücksicht auf das Gleichgewicht der Umwelt. In dieser „Wegwerfgesellschaft" par excellence waren Ausdrücke wie Umweltbewusstsein, Waldsterben oder Mülltrennung noch unbekannt. Der Stockholmer Umweltgipfel (1972), die Anti-Nachrüstungsdemos, eine allgemein zunehmend kritische Hinterfragung des Lebensstils ihrer Eltern führte bei vielen, meist jungen Bürgern zu einem Bedürfnis nach Neuorientierung. Die 1980 gegründete Partei der Grünen war eine Antwort auf die Forderung nach einer Alternative zum Bonner Polit-Establishment und wurde zunächst zum Sammelplatz für Umweltbewusste, Friedensbewegte, Atomkraftgegner, Bunte Listen, usw. Heute sind die Grünen im deutschen Parteiensystem fest etabliert. Sie sind ihrer stark umweltpolitischen Orientierung treu geblieben und an oberster Stelle ihrer Prioritätenliste stehen eine nachhaltige

Dans les autres catégories, les deux pays se trouvent au même niveau, avec de gros problèmes de pollution atmosphérique. En Allemagne, elle est surtout liée aux émissions de CO_2 industrielles et à celles liées à la production de l'énergie, tandis qu'en France c'est la densité de la circulation dans les métropoles qui nuit à la qualité de l'air.

Les Verts

Vers la fin des années 1970, un mouvement nouveau est apparu en Allemagne, qui força les Allemands à prendre conscience du fait qu'ils étaient devenus une société de consommation et de gaspillage par excellence : on consommait, puis on jetait sans se soucier des conséquences pour l'environnement. Le miracle économique des années 1960 avait permis à l'Allemagne de relever la tête au sein de la communauté européenne, de retrouver un niveau de vie agréable et un certain goût du luxe et de la consommation. Mais ce redressement économique s'était fait au prix d'un épuisement progressif des ressources naturelles et de la destruction de paysages entiers. La pollution industrielle et domestique, les montagnes de déchets non traités, les pluies acides et le *Waldsterben,* les forêts qui se dégradent, devinrent les mots clés d'une génération de jeunes pacifistes et écologistes, qui furent à l'origine du parti écologique allemand, les Verts. Rapidement, et bien avant la catastrophe de Tchernobyl, la politique de l'énergie nucléaire qui, à l'époque, semblait être pour le gouvernement allemand la panacée à toutes les préoccupations de réserves énergétiques pour l'avenir, se trouva dans le collimateur des Verts. Et ni la France, qui prône toujours l'énergie atomique, ni l'Allemagne qui s'en détourne

Entwicklung und die Förderung erneuerbarer Energien. Im grünen deutsch-französischen Umfeld stößt man auf einen besonderen Politiker, den in Frankreich geborenen Deutschen Daniel Cohn-Bendit.

In Frankreich gab es noch vor der deutschen Bewegung eine große Mobilisierung für Umweltschutz und gegen Atomkraft: Die Proteste gegen das Kraftwerk Fessenheim (1971) und das Treffen im Larzac (1971) waren für die deutschen Grünen Vorbilder. Allerdings konnten sich die Grünen in Frankreich nicht dauerhaft etablieren wie in Deutschland. Sie wirken zersplittert und vermitteln nur schwer den Eindruck einer geeinten Partei auf nationaler Ebene. Dies schließt eine grüne Einflussnahme auf lokaler Ebene allerdings nicht aus. Es sind vor allem einzelne Persönlichkeiten bzw. Organisationen wie Greenpeace oder WWF, die die Umweltproblematik erfolgreich gesellschaftsfähig gemacht haben und voranbringen. Weniger institutionalisiert als in Deutschland nimmt der Einsatz für eine bewusste Umweltpolitik in Frankreich oftmals Züge der Rebellion, der Auflehnung gegen die französische Zentralregierung an.

Beispiel dafür ist ein Mann wie José Bové, ein Globalisierungsgegner und Mitbegründer von Attac. Er engagierte sich an der Seite von Greenpeace gegen die 1995 wieder aufgenommenen Atomversuche in Französisch-Polynesien, und hat in den letzten Jahren durch seine Aktionen gegen gentechnische Versuche in der Landwirtschaft von sich reden gemacht.

Seit einigen Jahren hat die politische Bedeutung des Umweltthemas in Frankreich

progressivement, n'ont trouvé de vraies solutions à ce qui est considéré comme un des plus grands défis du futur : concilier nos besoins en énergie tout en protégeant et conservant notre environnement, déjà très fragilisé.

Depuis les années 1970, les Verts allemands ont parcouru un long chemin, s'établissant dans le paysage politique comme un parti à part entière. De 1998 à 2005, ils ont formé le gouvernement avec le parti social-démocrate (SPD). Gerhard Schröder (SPD) dut son deuxième mandat à la Chancellerie en grande partie au succès du parti des Verts et au charisme de leur leader, Joschka Fischer. Ce dernier est par ailleurs un ami de longue date du ‹ franco-allemand › Daniel Cohn-Bendit, figure emblématique du mouvement écologique.

Les premiers mouvements écologiques et antinucléaires en France ont même précédé les activités en Allemagne : les protestations contre la centrale de Fessenheim (1971) et le rassemblement au Larzac (1971) ont été des révélations pour le futur mouvement écologique allemand. En France, par contre, les mouvements écologiques n'ont pas acquis une visibilité stable sur la scène politique. Ce sont plutôt quelques individus, ou des organisations non-gouvernementales comme WWF, Greenpeace, les Amis de la Terre qui font parler d'eux à travers leurs actions.

Ainsi, José Bové, cofondateur d'Attac, mouvement altermondialiste, avait participé en 1995 à l'opération menée par Greenpeace contre les essais nucléaires en Polynésie française. Plus récemment, il a fait parler de lui dans le cadre de la lutte contre les cultu-

Als Sohn eines deutschen Vaters und einer französischen Mutter 1945 in Montauban geboren, wurde Daniel Cohn-Bendit als Sprecher und Anführer der Revolte im Mai 1968 berühmt. Nach den Unruhen wurde er aus Frankreich ausgewiesen, kehrte nach Deutschland zurück und wurde Journalist. 1984 trat er der deutschen Umweltpartei „Die Grünen" bei und kam 1989 in den Gemeinderat der Stadt Frankfurt. 1994 wurde er als Kandidat der deutschen Grünen in das Europäische Parlament gewählt. 1999 wurde er als Erstplatzierter auf der Liste der französischen Grünen gewählt, bevor er 2004 erneut als deutscher Grüner ins EU-Parlament einzog. Im gleichen Jahr begründete er mit Anderen die Europäische Grünenpartei und wurde ihr Sprecher.

Né à Montauban en 1945 d'un père allemand et d'une mère française, Daniel Cohn-Bendit s'est rendu célèbre en tant que porte-parole et leader de la révolte de Mai 1968. Interdit de séjour en France à la suite de ces émeutes, il retourne vivre en Allemagne où il devient journaliste. Il adhère en 1984 au parti écologiste allemand « Die Grünen » et entre en 1989 au conseil municipal de la ville de Francfort. Candidat des Verts allemands en juin 1994, il obtient un siège de député au Parlement européen. Cinq ans plus tard, en 1999, il est élu à la même fonction en tant que tête de liste du parti français des Verts avant d'obtenir de nouveau un siège européen pour les Verts allemands en 2004. La même année, il participe à la création du Parti Vert Européen dont il devient le porte-parole.

jedoch stark zugenommen. Bertrand Delanoë, Sozialist (PS) und seit 2001 Bürgermeister von Paris, gehört zu den wenigen französischen Politikern, die aus einer offiziellen Stellung heraus eine ökologische Politik verfolgen. Den Grünen politisch verpflichtet, die ihm zu seiner Stellung verhalfen, setzt sich Delanoë in Paris für umweltschützende Maßnahmen ein, die vor allem dem Rückgang des Verkehrs und der Verbesserung der Luftqualität dienen sollen. Fahrradwege werden angelegt, der öffentliche Verkehr gefördert, die gute alte Trambahn zu neuem Leben erweckt. Auch Bordeaux hat schon seit 1995 einen tief greifenden ökologischen Stadtumbau begonnen, in dessen Zentrum das sehr weite Tram-Netz steht.

Klimaveränderungen

Ein immer wiederkehrendes Schlagwort in der Umweltdebatte und in den Studi-

res d'OGM en plein champ, où il faisait partie des « faucheurs volontaires ».

Depuis quelques années pourtant, l'importance politique du dossier « environnement » a fortement augmenté. Bertrand Delanoë, bien que membre du parti socialiste, a accédé à son poste actuel de maire de Paris grâce au soutien des Verts lors du second tour, en mars 2001. Il prône une politique résolument écologique pour la ville de Paris, créant des pistes cyclables et améliorant les couloirs de bus, et a réintroduit le tram, moyen de transport peu polluant. Delanoë vise à fluidifier la circulation en obligeant les Parisiens à ne plus prendre la voiture, mais à avoir le réflexe « vélo » ou « transport en commun ». Des mesures pas toujours très populaires, mais qui contribueraient à améliorer la qualité de l'air. La ville de Bordeaux souhaite devenir la « capitale écologique de la France » grâce au réseau de tram et aux vastes zones piétonnes dans le centre ville.

en zum Thema Klimaveränderung ist der menschlich verursachte Treibhauseffekt. Ausgelöst durch den rapiden Anstieg der Emissionen von Kohlendioxid und anderen synthetischen Gasen führt er zu einer weltweiten Erwärmung, die wiederum einen direkten Einfluss auf Ökosysteme und Menschen hat. Die wissenschaftlichen Prognosen sind düster, die Konsequenzen gesundheitlicher, aber auch wirtschaftlicher Art sind im Moment noch schwer vorstellbar und bezifferbar. In Frankreich erinnert man sich noch lebhaft an die zahlreichen Hitzetoten im Sommer 2003, vor allem bei der älteren Bevölkerung.

Ein anderes Schlagwort im Umweltjargon, das im Übrigen unübersetzt vom Deutschen ins Französische übernommen wurde: das Waldsterben, und genereller gesprochen die Bedrohung der Artenvielfalt, und die Veränderung der Vegetation in eine mehr und mehr mediterran anmutende Flora. Sterbende Eichen, versäuerte Gewässer, Zunahme von Pflanzenkrankheiten und Pflanzenschädlingen … die Liste der durch die Klimaveränderungen langfristig zu erwartenden Konsequenzen für Mensch, Tier und Pflanzenwelt ist lang.

Umweltschutz

Der bedrohliche Zustand der Umwelt ist allgemein erkannt und der Ernst der Lage wird nicht bestritten. Für die Regierungen gilt es jetzt den Teufelskreis aus Konsum = Umweltverschmutzung = bedrohte Zukunft zu durchbrechen. Da Entscheidungen einzelner Nationalstaaten nicht ausreichen würden, um das Problem län-

Les changements climatiques

Mot clé dans le débat sur les menaces pesant sur l'environnement : l'effet de serre. Des études sérieuses et fiables existent actuellement sur le réchauffement climatique qu'entraînera l'effet de serre dans les 50 prochaines années. Elles en décrivent les conséquences directes et indirectes sur l'environnement. L'impact direct sur le domaine de la santé est indéniable. La société française n'a pas oublié les ravages lors de la canicule de l'été 2003, surtout chez les seniors. L'enjeu économique qui découlera de cette évolution n'est pas chiffrable.

En Allemagne, on déplore l'état catastrophique des forêts et la disparition d'espèces végétales. Exemple : le chêne, un arbre pourtant très commun dans le paysage forestier, risque de disparaître en raison de la prolifération incontrôlée d'insectes nuisibles, mais aussi de la pollution de l'air d'après le rapport annuel sur l'état des forêts allemandes 2005. La liste des menaces qui pèsent sur les humains, sur la faune et la flore est longue.

La protection de l'environnement

Après avoir constaté l'état préoccupant de l'environnement au niveau mondial, il s'agit pour les gouvernements de trouver le moyen de sortir de ce cercle vicieux : consommer = polluer = hypothéquer l'avenir.

Il ne s'agit plus d'un enjeu national, qui se limiterait à remettre en état le patrimoine naturel et paysager, mais bien d'un défi international, d'autant plus compliqué et délicat que les intérêts financiers et économiques de certains pays viennent contrecarrer les efforts des autres.

gerfristig sinnvoll zu lösen, ist die internationale Gemeinschaft gefragt. Dies erweist sich als naturgemäß sehr kompliziert, da es ja um konkrete Maßnahmen geht, die auch ein finanzielles und wirtschaftliches Engagement erfordern, zu dem einzelne Staaten nicht immer bereit sind.

Festzustellen ist eine generelle Bewusstseinsveränderung seit den frühen 70er Jahren, seit dem ersten Umweltprogramm (UNEP) der Vereinten Nationen 1972, seit der Festlegung des Weltumwelttages auf den 5. Juni. In Europa stimmt die Entwicklung der „grünen" Politik auch gerade auf europäischer Ebene optimistisch, weil sie eine Bestätigung dieses geschärften Bewusstseins ist.
Die Umfragen in Deutschland und in Frankreich bestätigen diesen Eindruck. In beiden Ländern steht die Umweltfrage neben der Frage nach dem Arbeitsplatz und der Altersvorsorge weit oben auf der Liste der gesellschaftlichen Sorgen. Deutsche und Franzosen sind sich einig in der Forderung an ihre Politiker: Umweltschutz im Interesse des Menschen!

Kyoto-Protokoll

Frankreich und Deutschland haben das Kyoto-Protokoll ratifiziert und sich somit dazu verpflichtet, die Treibhausgasemissionen zu verringern, allerdings zu unterschiedlichen Anteilen. Deutschland nimmt dabei eine Vorreiterrolle ein, indem es sich offiziell verpflichtet hat, bis 2012 auf 21% der Emissionen zu verzichten, Frankreich strebt zunächst eine Stabilisierung bis 2012 an. Viele Stimmen in Frankreich fordern eine schnellere Umsetzung des Protokolls

Depuis le début de l'écologisme, la première conférence du programme de l'ONU pour l'environnement (PNUE) en 1972 et l'instauration d'une « journée mondiale de l'environnement » célébrée chaque année le 5 juin, des progrès évidents ont été faits pour sensibiliser l'opinion publique. Le succès relatif de la politique « verte » au niveau européen confirme une prise de conscience dans la société européenne.
En effet, l'environnement fait partie des principales préoccupations de l'opinion publique en Allemagne et en France, avec le chômage, la santé et les retraites. Le message aux politiques est clair : sauvegarder l'environnement, dans l'intérêt de l'homme !

Protocole de Kyoto

La France et l'Allemagne ont ratifié le protocole de Kyoto (entré en vigueur en février 2005) visant la réduction des gaz à effets de serre. L'Allemagne a pris les devants en s'engageant officiellement à réduire sa production de gaz nocifs de 21% d'ici 2012. La France visait moins haut et prévoyait une stabilisation de ses émissions de gaz à effet de serre. Mais en France aussi, certaines voix réclament une accélération de la mise en application de Kyoto, exigeant une réduction de 25% des émissions de dioxyde de carbone (CO_2) avant 2020.
Il faut préciser que l'Allemagne fait partie des principaux émetteurs de gaz à effet de serre dans le monde, au sixième rang derrière les Etats-Unis, la Chine, la Russie, l'Inde et le Japon. Cela est dû en grande partie à l'utilisation intensive du charbon dans l'industrie sidérurgique et les centrales thermiques. Malgré la hausse des prix du pétrole et du gaz, un retour au charbon serait une catas-

Quelle der CO_2-Emissionen in Frankreich nach Verursacher Source des émissions de CO_2 en France par catégorie de consommation	1990	2004
Gesamtausstoß (in Millionen Tonnen) Montant total des émissions (En millions de tonnes de CO_2)	528 MtCO^2	534 MtCO^2
Transport Transports	26 %	22 %
Haushalte Résidentiel et tertiaire	22 %	23 %
Industrie und Landwirtschaft Industrie et agriculture	39 %	35 %
Energieerzeugung Production d'énergie	13 %	13 %

und wollen bis 2020 eine Verringerung um 25% der CO_2 -Emissionen erreichen.

Allerdings muss man betonen, dass Deutschland zu den größten Treibhausgasproduzenten weltweit gehört und auf Platz 6 hinter den USA, China, Russland, Indien und Japan steht. Die deutsche Wirtschaft und die deutsche Energiepolitik sind immer noch sehr stark an den Kohleabbau geknüpft, und die Kohlewirtschaft ist einer der Hauptverursacher von CO_2-Emissionen. Trotz dieser traditionellen Verzahnung und der steigenden Preise auf dem Rohöl- und Gasmarkt seit 2000 darf Deutschland nicht auf eine verstärkte Kohleförderung zurückgreifen, will es seinem Klimaschutzanspruch treu bleiben. Jüngste Entscheidungen zum schrittweisen Ausstieg aus der Kohle folgen diesen Überlegungen. Deutschland muss zusätzliche Alternativen suchen, weil nur so eine größere Unab-

trophe pour le réchauffement planétaire et n'est donc pas envisageable pour un pays qui prône une politique de protection de l'environnement. Les décisions prises récemment, qui vont vers une suppression des subventions accordées au charbon, témoignent de cette prise de conscience. L'Allemagne doit trouver des alternatives qui lui donneraient aussi une indépendance progressive vis-à-vis du prix mondial du pétrole et des fournitures russes en pétrole et en gaz.

Les énergies renouvelables

« Développement durable » et « énergie renouvelable » : ces deux concepts caractérisent les approches qui laissent espérer pour la protection de l'environnement dans le futur. Il faudra faire des progrès en matière de recherche et de rentabilité, mais aussi créer des avantages fiscaux et augmenter la disponibilité des citoyens à faire usage

Quelle der CO_2-Emissionen in Deutschland nach Verursacher Source des émissions de CO_2 en Allemagne par catégorie de consommation	1990	2005
Montant total des émissions (en millions de tonnes de CO_2) **Gesamtausstoß (in Millionen Tonnen)**	1015 $MtCO^2$	865 $MtCO^2$
Transports **Transport**	16%	19,7%
Résidentiel et tertiaire **Haushalte**	21,3%	20,8%
Industrie et agriculture **Industrie und Landwirtschaft**	19,3%	14,9%
Production d'énergie **Energieerzeugung**	40,8%	41,9%

hängigkeit von den Rohölpreisen und den russischen Öl- und Gaslieferungen erreicht werden kann.

Erneuerbare Energien

„Nachhaltige Entwicklung" und „erneuerbare Energie" sind zwei Stichworte, auf die der Umweltschutz große Hoffnungen für die Zukunft setzt. Gefordert sind Innovationen im Bereich der Forschung und der Wirtschaftlichkeit, aber auch Maßnahmen steuerlicher Art und die Bereitschaft der Bevölkerung, auf alternative Energiequellen zurückzugreifen und diese somit wirtschaftlich interessanter zu machen.

Vorteil der erneuerbaren Energien: Sie entsprechen den Klimaschutzforderungen nach weniger bzw. keinem Treibhauseffekt. Das Problem ist: Derzeit deckt die Produktion dieser alternativen Energiequellen, sei es windtechnischer, hydraulischer,

des énergies alternatives et rendre ainsi leur production plus intéressante. Avantages immédiats communs à toutes ces énergies : elles ne contribuent pas ou seulement très peu à l'émission de gaz à effet de serre. Le problème : les énergies renouvelables ne sont pas encore produites en quantité suffisante pour constituer une alternative réaliste et rentable, qu'il s'agisse de l'énergie solaire ou hydraulique, des parcs d'éoliennes ou de bio-énergie. Et les investissements de base sont énormes, puisqu'on ne peut pas recourir aux anciennes centrales ou infrastructures déjà en place. L'Etat allemand a donc décidé de promouvoir la production d'énergies renouvelables en décrétant en 2000 une loi (EEG, Loi sur les énergies renouvelables, modifiée en 2004) qui aide financièrement les producteurs d'énergies renouvelables en leur garantissant un prix fixe, payé par les grandes compagnies allemandes du sec-

biologischer oder solartechnischer Art, nur einen Bruchteil des eigentlichen Bedarfs. Das in Deutschland 2000 in Kraft getretene Erneuerbare Energie Gesetz (EEG, erweitert 2004) ist ein wichtiger Schritt, um den grundsätzlichen Willen der Regierung in Sachen Umweltschutz zu bekunden, hat in der Sache aber noch keine großen Veränderungen bewirkt. Zu hoch sind die Kosten der neuen Infrastrukturen, die jede erneuerbare Energiequelle benötigt, um effektiv und wirtschaftlich sinnvoll zu funktionieren. Der Marktanteil der erneuerbaren Energien beträgt erst 5%.

Auch in Frankreich spricht man angesichts der steigenden Benzin- und Gaspreise mehr und mehr von den erneuerbaren Energien. Die staatliche Förderung steckt allerdings noch in den Kinderschuhen, obwohl die klimatischen und geographischen Bedingungen durchaus vorhanden sind. Vor allem im Bereich Biomasse, aber auch bei der Wasserkraft und im Solarbereich hat Frankreich ein großes Potenzial, allerdings machte Frankreichs zivile Atompolitik einen Ausbau dieser Ressourcen bisher überflüssig.

Die Kernenergie

Mittelfristig scheint Frankreich die Einhaltung des Kyoto-Protokolls durch die Konzentration auf Kernenergie gewährleisten zu können. Die neuen Reaktorgenerationen 3 und 4 werden entwickelt und das Risiko nuklearer Katastrophen soll durch die Investition in neue Technologien weiter reduziert werden. Der große Vorteil der Atomenergie ist, dass keine Treibhausgase freigesetzt werden. Angesichts des steigenden Energiebedarfs und auch der gestiegenen Gas-

teur de l'énergie. Mais la part de marché des énergies dites renouvelables reste dérisoire (5%) par rapport à l'immense demande sur le marché de l'énergie.

En France également, le sujet des énergies renouvelables est d'actualité depuis quelques années, surtout depuis l'augmentation considérable des prix du carburant et du gaz. Bien que les conditions géographiques et climatiques en France soient favorables, les politiques d'aide aux énergies renouvelables n'en sont qu'à leurs débuts. Le potentiel français est particulièrement grand en bioénergie, hydraulique et solaire. La France favorisant l'énergie nucléaire, on y considère toutefois qu'il n'y est pas aussi urgent de développer l'exploitation des ressources renouvelables.

Le nucléaire

A moyen terme, les Français semblent avoir résolu le problème du protocole de Kyoto en se concentrant sur l'énergie nucléaire, en développant de nouvelles centrales (génération 3 et 4) et en investissant dans des technologies innovatrices visant à amoindrir le risque de catastrophes nucléaires. Le nucléaire a l'avantage de ne pas émettre de gaz à effet de serre. Et, face à une demande accrue d'énergie, face aussi à la hausse des prix du gaz et du pétrole, l'atome revient sur le devant de la scène, même dans certains milieux politiques allemands.

Les chiffres sont clairs : certains pensent que la consommation mondiale d'énergie devrait doubler d'ici à 2050. En parallèle, une politique plus écologique exigerait la division de l'effet de serre par quatre d'ici 2050, objectif officiel du gouvernement français. Et, finalement, les pronostics avancés par le lobby

und Ölpreise ist die Atomenergie wieder im Aufwind, sogar in manchen politischen Kreisen in Deutschland.

Die Zahlen sprechen eine klare Sprache: man geht von einer Verdoppelung des weltweiten Energiebedarfs bis 2050 aus. Gleichzeitig müsste für eine ökologische Politik bis 2050 der Ausstoß von Treibhausgasen um 75% reduziert werden – das ist auch das offizielle Ziel der französischen Regierung. Und schließlich sagen die Prognosen der Atomlobby, dass die weltweite nukleare Stromproduktion mit etwa 450 Reaktoren in 30 Ländern bis 2050 vervierfacht wird. Angesichts dieser Zahlen möchte Frankreich nicht auf die Atomkraft verzichten, wie es Deutschland in der Regierungserklärung aus dem Jahr 2000 und erneut unter Angela Merkel Ende 2005 angekündigt hat. Die offizielle Position der Regierung sieht den Ausstieg aus der zivilen Nutzung der Kernenergie bis 2020 vor. Es handelt sich nicht um eine erneuerbare Energie, denn die Kraftwerke hängen von der Versorgung mit dem endlichen Rohstoff Uran ab. Zudem bleibt die große Problematik der nuklearen Abfälle und ihrer Lagerung, das Problem der Alterung der Reaktoren (1. und 2. Generation) und die Sicherheit des Schutzes vor schweren Unfällen. Die Wiederaufbereitung der verstrahlten Brennstäbe aus Deutschland erfolgt übrigens in Frankreich und Großbritannien, und die Suche nach einer Endlagerungsstätte dauert seit Jahrzehnten an.

Die Atomenergie ist ein Paradebeispiel für die Probleme, die Deutschland und Frankreich, aber auch die Europäische Union insgesamt, bei der Formulierung einer gemeinsamen Energiepolitik haben.

nucléaire prédisent que la capacité électronucléaire mondiale pourrait quadrupler d'ici 2050, assurée par quelque 450 réacteurs répartis dans une trentaine de pays. Face à ces chiffres, la France ne souhaite pas renoncer au nucléaire comme l'a fait l'Allemagne dans sa déclaration gouvernementale de 2000, confirmée par celle de Merkel fin 2005, et qui prévoit la sortie du nucléaire civil d'ici 2020. Influencée par les Verts, la politique allemande met en avant les dangers du nucléaire. Ce n'est pas une énergie de type « renouvelable » puisqu'une centrale atomique dépend des livraisons d'uranium, dont les réserves sont limitées dans le temps. Et puis, il reste le gros problème des déchets nucléaires et de leur stockage, le vieillissement des réacteurs de génération 1 et 2, la sécurité des mesures de protection pour éviter tout accident fatal. Le retraitement des combustibles irradiés allemands se fait d'ailleurs en France et en Grande-Bretagne, et la recherche d'un site de stockage des déchets dure depuis des décennies.

Le nucléaire est l'exemple type du genre de difficultés que rencontrent la France et l'Allemagne, et l'Europe en général, dans la définition d'une politique commune de l'énergie.

Tri et recyclage

Le tri des déchets, voilà une mesure à l'échelle locale qui touche directement les ménages. C'est la seule possibilité pour l'industrie d'en recycler une partie, ce qui permet de ralentir une tendance alarmante : en effet, l'OCDE a constaté une augmentation de 40% de la production des déchets municipaux dans les pays membres entre 1980 et 1997. Résultat : les sites de stockage de déchets arrivent à saturation, ce qui entraînera

Mülltrennung und Recycling

Jeder Haushalt bekommt sie in seiner Gemeinde zu spüren: die Mülltrennung. Es ist die einzige Möglichkeit für die Industrie, einen Teil des Hausmülls wieder aufzubereiten und damit eine beunruhigende Tendenz zu stoppen. Die OECD hat in den Mitgliedstaaten zwischen 1980 und 1997 eine Zunahme der kommunalen Abfälle um 40% festgestellt. Die Konsequenz: Die Mülldeponien laufen über, neue Deponien müssen eröffnet werden, manchmal sogar im Ausland. Die Kosten pro Tonne Müll werden steigen, ganz abgesehen von den Unannehmlichkeiten des Mülltransports. All dies geht zu Lasten des Konsumenten, und das grundlegende Problem wird dabei auch nicht gelöst.

Erste Voraussetzung für die Verringerung des Müllaufkommens ist die individuelle Bewusstseinsbildung. In Deutschland ist die Bevölkerung seit Anfang der 90er Jahre für das Thema sensibilisiert. In jedem Haushalt werden Glas, Papier und Pappe, Plastik- oder Metallverpackungen sowie Bioabfälle getrennt gesammelt. Das wird vor allem dann zu einem logistischen Problem, wenn man in einer kleinen Wohnung lebt und für 3 oder 4 Mülleimer kein Platz ist. Die blauen, gelben, grünen und schwarzen Mülltonnen gehören zum Stadtbild dazu. Die Menschen haben sich an die Mülltrennung gewöhnt und auch daran, dass es in den Geschäften kaum noch Plastiktüten gibt.

In Frankreich werden biologisch nicht abbaubare Plastiktüten erst 2010 aus den Supermärkten verschwinden. Deutschland produziert zwar mehr Hausmüll als Frankreich, kann davon aber 40% wiederver-

une délocalisation vers d'autres sites, parfois même à l'étranger. Cela augmentera fortement le coût de la tonne de déchets en décharge, sans parler des nuisances liées à leur transport. Tout cela bien entendu aux dépens du consommateur. D'autant plus que cela ne résoudra pas le problème.

Il faut en premier lieu une prise de conscience individuelle afin de diminuer la production de déchets. En Allemagne, la société y est sensibilisée depuis le début des années 90. Le tri sélectif est obligatoire. Chaque ménage sépare le verre, les papiers et cartons, les emballages en plastique ou métalliques, les déchets biologiques. Cela peut devenir un vrai casse-tête lorsqu'on habite en appartement, le manque d'espace ne facilitant pas l'utilisation de trois ou quatre poubelles différentes. On s'est habitué aux poubelles vertes, jaunes, bleues et noirs a lignées le long des trottoirs à des rythmes réguliers. Le tri est entré dans les mœurs, ainsi que l'absence de sacs en plastiques dans les magasins. Par ailleurs, une partie des emballages reste dans les magasins pour être reprise directement par le producteur du produit acheté.

En France aussi le réflexe du tri sélectif est de plus en plus répandu. Et les derniers sacs en plastique non biodégradable seront interdits dans la grande distribution au plus tard en 2010. L'Allemagne produit plus d'ordures ménagères que la France, mais réussit à en recycler 40%. La France, qui en recycle 18% aujourd'hui, espère atteindre ce pourcentage dans une dizaine d'années.

wenden. In Frankreich, wo heute 18% ins Recycling kommen, soll die Quote von 40% in etwa 10 Jahren erreicht werden.

In der Zwischenzeit …

In der Erwartung ernsthafter und realistischer Vorschläge von Wissenschaftlern und Politikern kann man sich durch alltägliche Gewohnheiten am Umweltschutz beteiligen. Es reicht eben nicht, den Planeten retten zu wollen, man muss sich um seinen eigenen Müll kümmern!
Weder in Deutschland noch in Frankreich kann man so tun, als gäbe es kein Problem. Auch wenn durch die kleinen konkreten Maßnahmen das globale Umweltproblem nicht gelöst werden kann, so tragen sie doch zur Verbesserung unserer unmittelbaren Umwelt bei. So wird auf beiden Seiten des Rheins immer wieder an die Bürger appelliert. Diese Appelle kommen sowohl von staatlichen Institutionen, den zuständigen Ministerien oder den Gemeinden, als auch von privaten Initiativen, die von Prominenten und den Medien getragen werden: sie alle setzen ihre Bekanntheit für die gute Sache, den Erhalt der Umwelt ein. In Frankreich gibt es eine beispielhafte Initiative, die eine große Stadt (Paris), eine Regierungseinrichtung (ADEME) und eine Handelskette *(Nature&Découverte)* zusammenbringt. Es handelt sich um die vom Reporter und Umweltaktivisten Nicolas Hulot angestoßene Aktion „Herausforderung für die Erde". Er wendet sich mit seinem Aufruf an den gesunden Menschenverstand der Bürger: Sie sollen Strom sparen, duschen statt zu baden, keine Allradfahrzeuge

En attendant…

En attendant, et en espérant des propositions sérieuses et réalistes de la part des scientifiques et des politiques, il reste toute une série d'habitudes et de réflexes à adopter au quotidien. Il ne suffit pas de vouloir sauver la planète, encore faut-il descendre ses poubelles !
Ni en France, ni en Allemagne, on ne peut plus faire comme si de rien n'était. Si elles ne règlent pas l'ensemble du problème, ces mesures auront au moins le mérite d'améliorer la qualité environnementale de notre entourage immédiat. C'est ainsi que des appels sont lancés aux citoyens de part et d'autre du Rhin. Ils émanent d'institutions officielles comme les ministères concernés ou les mairies, mais aussi d'initiatives privées soutenues par des personnalités et par des médias qui mettent leur renommée au profit de la cause : la sauvegarde de l'environnement. On peut citer par exemple en France une initiative qui rassemble à la fois le soutien d'une grande ville (Paris), d'une institution gouvernementale (l'ADEME, Agence de l'Environnement et de la Maîtrise de l'Energie) et d'une chaîne de magasins (Nature et Découvertes), c'est l'action du reporter et écologiste Nicolas Hulot, qui a lancé son Défi pour la Terre. Il y fait appel au bon sens des citadins, les incitant à faire des économies d'électricité, à prendre des douches et non des bains, à bouder les "4x4", gros émetteurs de CO_2, à déposer les déchets toxiques (exemple : les piles) dans les déchetteries spécialisées, à couper les moteurs des voitures lorsqu'elles sont à l'arrêt. Le credo du Défi pour la Terre est que « chaque geste compte ». L'effort de sensibilisation de la population est donc ap-

kaufen, die bekanntlich viel CO_2 ausstoßen, Giftmüll (z.B. Batterien) gesondert entsorgen, die Automotoren bei Stillstand abschalten. Die Grundüberzeugung von „Herausforderung für die Erde" ist: Jede Handlung zählt.

Es wird also viel unternommen, um die Bürger für die Problematik zu sensibilisieren. Bleibt abzuwarten, ob das ausreicht, um den Lebenswandel wirklich zu verändern. Die deutsche Erfahrung zeigt, dass man nicht nur guten Willens sein, sondern auch wirtschaftliche Hebel ansetzen muss. Durch fiskalische Maßnahmen wie die Ökosteuer ist das Bewusstsein in der Bevölkerung verstärkt worden. Und eines Tages wird es vielleicht auch eine Geschwindigkeitsbegrenzung auf deutschen Autobahnen geben …

préciable, reste à savoir si cela suffira pour provoquer un réel changement dans les modes de vie.

L'exemple de l'Allemagne a montré qu'il ne suffisait pas de faire preuve de bonne volonté, mais qu'une incitation financière pouvait être un argument complémentaire dans le processus de prise de conscience et de changement des valeurs. Aujourd'hui, si l'efficacité des taxes écologiques et leurs conséquences pratiques sur le développement durable sont parfois contestées par certains, il n'en reste pas moins que la population allemande en a accepté le principe. Et un beau jour on finira peut-être aussi par accepter une limitation de vitesse sur les autoroutes allemandes …

En France, à côté des taxes et de l'écofiscalité existantes, on évoque l'idée d'une « TVA éco-

Umweltschutzorganisationen in Deutschland und Frankreich
Organisations de protection de l'environnement en France et en Allemagne
· **Der Naturschutzbund Deutschland (Nabu): www.nabu.de**
· **Der Bund für Umwelt und Naturschutz Deutschland: www.bund.net**
· **Deutsche Bundesstiftung Umwelt: www.dbu.de**
· **www.greenpeace.org**
· Réseau Action Climat France (RAC-F): www.rac-f.org
· France Nature Environnement: www.fne.asso.fr
· Fondation Nicolas Hulot: www.fondation-nicolas-hulot.org
· Agir pour l'Environnement: www.agirpourlenvironnement.org

In Frankreich scheint sich allmählich die Idee einer ökologisch ausgerichteten Mehrwertsteuer und damit eine neue Werteordnung durchzusetzen. Das geht zumindest aus dem Parlamentsbericht

logique » qui contribuerait également à faire évoluer les mentalités. C'est du moins un des messages d'un rapport parlementaire (n° 3021) présenté à l'Assemblée nationale en avril 2006. Nathalie Kosciusko-Morizet, rap-

3021 hervor, der in Paris zu diesem Thema 2006 vorgestellt wurde. Nathalie Kosciusko-Morizet, eine der Berichterstatterinnen, kommt zu dem Schluss: „Steuern sind gut geeignet, um Signale auszusenden, wenn es ans Portemonnaie geht ist man immer aufmerksam." Deutschland hat in diesem Punkt etwas Vorsprung, aber Frankreich scheint sich in dieselbe Richtung zu bewegen. Ganz Europa steht vor der gleichen Herausforderung.

porteure, remarque à ce propos : « La fiscalité est utile pour envoyer des signaux, on est toujours sensible au portefeuille. » L'Allemagne pense avoir une longueur d'avance à ce sujet, mais la France va bien dans la même direction, et, ce n'est pas un secret, c'est l'Europe entière qui est sollicitée.

*Dosenpfand/*Le système de consigne: Depuis 2003, l'Allemagne dispose d'un important système de consigne des emballages de boisson non réutilisables. Se limitant à l'origine aux différentes bouteilles et canettes d'eau minérale, de bière et de boissons rafraîchissantes gazeuses, il s'applique depuis mai 2006 à toutes les boissons rafraîchissantes (excepté les jus de fruits).

*Ökosteuer/*L'impôt écologique: En 1999, le gouvernement fédéral allemand a lancé un processus de réforme fiscale en faveur de la protection de l'environnement et a, depuis lors, mis en place la levée d'un impôt écologique sur tous les carburants, le fioul et le charbon destinés au chauffage ménager, ainsi que sur le gaz et l'électricité. L'objectif de cet impôt à la consommation est à la fois d'inciter les consommateurs à économiser de l'énergie et d'encourager le développement et l'utilisation des énergies renouvelables. Les recettes de cet impôt sont allouées en grande partie aux caisses de retraite publiques et, dans une moindre mesure, au financement de projets innovants dans le domaine des énergies renouvelables. Selon une étude de l'Institut allemand de recherche économique (DIW) publiée en 2003, l'instauration de cet impôt aurait permis une réduction du rejet de dioxyde de carbone d'environ 2,4%, soit 20 millions de tonnes, pour la seule année 2003.

08

Die Schule

L'école

Der Aufstieg Europas seit der Renaissance hängt eng mit dem zivilisatorischen Fortschritt zusammen, für den breite Bildung die Grundlage ist. Unser modernes demokratisches System mit dem fest verankerten Gleichheitsprinzip (ein Mensch – eine Stimme) geht davon aus, dass prinzipiell jeder Bürger ein entscheidungsfähiges und mündiges Mitglied der Gesellschaft ist. Historisch gesehen ging die Entwicklung unserer westlichen Demokratien mit der Alphabetisierung der Bürger und mit der Teilhabe an öffentlicher Meinung einher.

La réussite du continent européen est intimement liée, depuis la Renaissance, au progrès de notre civilisation qui repose sur le bon niveau d'éducation d'un nombre croissant de citoyens. Notre démocratie moderne, fondée sur le principe de l'égalité des droits, suppose que tout citoyen est en mesure d'exercer de manière compétente et autonome ses droits démocratiques. Dans une perspective historique, le développement de nos démocraties occidentales et l'alphabétisation des citoyens ainsi que la création d'une opinion publique vont de pair. La création du systè-

Internetseiten zur Bildung / Sites internet sur l'éducation
www.eduserver.de – Deutscher Bildungsserver mit umfangreichen Informationen über das deutsche Bildungssystem
www.bildungsministerium.de – Internetseiten des Bundesministeriums für Bildung und Forschung
www.education.gouv.fr – Site internet du Ministère de l'Éducation nationale, de l'enseignement supérieur et de la recherche
www.education.fr – Portail du Centre national de documentation pédagogique, des 31 centres régionaux de documentation pédagogique et de leurs centres départementaux et locaux.

Die Entwicklung eines öffentlichen Schulwesens und die Einführung der allgemeinen Schulpflicht im 19. und 20. Jahrhundert sind große Errungenschaften der Zivilisation, die zu den Grundpfeilern von Wohlstand und Frieden in Europa gehören.
Die Schule war aber auch der Ort, an dem die Nationen ihr jeweiliges nationales Selbstverständnis, bis hin zum aggressiven Nati-

me scolaire public et l'introduction de l'école obligatoire au 19e ou au début du 20e siècle sont des événements d'une importance capitale pour l'avenir d'une Europe basée sur la paix et le bien-être.

S'il est vrai que l'école a été un lieu d'émancipation, elle a parfois aussi pu être en Europe à l'origine de certaines perceptions chauvi-

onalismus, in den Köpfen der Bürger verankert haben. Daher ist es im geeinten Europa besonders wichtig, die Zeit der Schulpflicht zu nutzen, um allen jungen Menschen breite Kenntnisse über die Mitgliedstaaten und einen toleranten Blick auf die kulturelle Vielfalt in Europa zu vermitteln.

Die Organisation der Schulen, die Inhalte und die pädagogischen Formen müssen sich immer wieder neu an die Bedingungen der Gesellschaften anpassen. Für Europa geht es heute darum, durch eine

nes, responsables même de l'apparition d'un nationalisme agressif dans la tête de certains citoyens. Il est donc particulièrement important, dans une Europe unifiée, de mettre à profit la scolarité pour transmettre aux jeunes de solides connaissances sur les pays de l'Union et les amener à un regard tolérant sur la diversité culturelle européenne.

L'organisation de l'école, ses contenus aussi bien que ses méthodes pédagogiques sont constamment appelés à s'adapter aux besoins changeants de la société. Si nous voulons assurer notre niveau de vie de demain,

Einführung der allgemeinen Schulpflicht in Europa
Introduction de la scolarité obligatoire en Europe

Schweden / Suède	1842
Spanien / Espagne	1857
Italien / Italie	1877
England / Angleterre	1880
Frankreich / France	1882
Deutschland / Allemagne	1919*

* In Deutschland wurde der Grundsatz der allgemeinen Schulpflicht bereits im 18. Jh. in allen Territorien gesetzlich ausformuliert. Bis 1919 wurde die Schulpflicht aber eher als Unterrichtspflicht praktiziert. Die Eltern sind zwar dazu verpflichtet, ihren Kindern z. B. durch Privatunterricht Mindestkenntnisse zu vermitteln, ein Zwang zum Besuch öffentlicher Schulen besteht jedoch nicht.. Endgültig gesichert und verfassungsrechtlich garantiert wurde die allgemeine Schulpflicht dann in Art.145 der Weimarer Verfassung von 1919.

* Dans les territoires allemands, il existe depuis le 18e siècle une obligation d'enseignement, qui peut être dispensé à la maison ou dans des établissements publics ou privés. Ce n'est qu'en 1919 que la scolarité générale obligatoire est inscrite dans la constitution de la République de Weimar.

breite Bildungsinitiative den einzigen nennenswerten „Rohstoff", den wir besitzen, nämlich gut ausgebildete Menschen, zu erhalten, weiter zu entwickeln und für die Zukunft vorzubereiten. Einerseits muss jedes Land auf diese Herausforderung vor dem eigenen historischen Hintergrund reagieren, andererseits ist die Kooperation im schulischen Bereich besonders wichtig,

il est nécessaire aujourd'hui de mettre en valeur la seule matière première digne de ce nom dont nous disposons, à savoir des êtres humains ayant reçu une formation exemplaire. Comme chaque pays doit relever ce défi dans le respect de ses propres traditions, il faut renforcer la coopération entre les écoles des différents pays européens afin de maintenir le cap vers une Europe unifiée.

wenn man an der Idee des geeinten Europa festhalten will.

Das deutsche und französische Schulsystem sind radikal verschieden und kommen von gegensätzlichen Traditionen her. Wenn die französische und die deutsche Gesellschaft trotz aller Ähnlichkeiten immer noch so verschieden sind, wenn man immer wieder frappierende Unterschiede in der gesellschaftlichen Organisation, im

Les systèmes scolaires allemand et français sont fondamentalement différents et résultent de traditions opposées. Si nos deux sociétés sont si différentes malgré toutes les convergences et les similitudes, si l'on en revient toujours à ce constat surprenant que les formes d'organisation de la société, les styles de travail et les approches intellectuelles sont fondamentalement autres, cela tient principalement à la formation scolaire

Eine Umfrage hat in Deutschland im Jahre 2004 ergeben, dass 4 Millionen Deutsche nicht richtig schreiben und lesen können. In der Tat stellt man in Deutschland einen schleichenden Analphabetismus fest. Viele davon betroffene Jugendliche werden als „nicht ausbildungsfähig" eingestuft und können daher keine Lehrstellen annehmen, selbst wenn es Angebote gibt.

Une enquête de l'INSEE de 2002 permet d'analyser les questions liées à l'illettrisme en France. Actuellement, on estime que 10 à 14% de la population vivant en France est en difficulté de lecture. Si l'on s'en tient aux personnes ayant appris à lire en français, ce taux est compris entre 7 et 10%.

Sprachgebrauch, in der Arbeitsweise und im intellektuellen Zugang zu denselben Themen feststellen kann, so liegt dies vor allem an der stark prägenden Schulzeit. Daher ist es besonders wichtig, über diese Unterschiede Bescheid zu wissen, denn nur bei gegenseitiger Kenntnis werden die Bemühungen um schulischen Austausch zum dauerhaften Erfolg führen.

qui marque profondément les jeunes Français et les jeunes Allemands. Il est donc essentiel de bien connaître et de comprendre ces différences. Les programmes d'échanges scolaires ne porterons leurs fruits au niveau pédagogique et humain que si les partenaires arrivent à se connaître et à se respecter dans leur diversité.

Die Organisation des Bildungssystems

Zentralismus – Föderalismus

Wenn der französische Bildungsminister sich mit seinem deutschen Kollegen treffen und über gemeinsame Projekte spre-

L'organisation du système scolaire

Centralisme – fédéralisme

Quand le ministre français de l'Éducation nationale veut rencontrer son homologue allemand pour discuter de projets communs, il se trouve dans l'embarras le plus complet. En

Ergebnisse der PISA-Studie 2000/ Résultats de l'étude PISA 2000

Länder	Mittel-werte	Spann-breite *	pays	moy-ennes	écarts *
Finnland	546	291	Finlande	546	291
Vereinigtes Königreich	523	330	Royaume Uni	523	330
Schweden	516	304	Suède	516	304
Österreich	507	307	Autriche	507	307
Belgien	507	351	Belgique	507	351
Island	507	302	Islande	507	302
Norwegen	505	340	Norvège	505	340
Frankreich	505	301	France	505	301
USA	504	349	USA	504	349
OECD-Durchschnitt	500	328	Moyenne OCDE	500	328
Italien	487	296	Italie	487	296
Deutschland	484	366	Allemagne	484	366

* Abstand zwischen den Leistungen der 5% leistungsschwächsten und 5% leistungsstärksten Schülerinnen und Schülern
* Ecarts de performance entre les 5% les meilleurs et les 5% les moins bons des élèves.

OECD Mittelwert, Ergebnisse der PISA-Studie 2000 für den Untersuchungsbereich „Lesen"
Moyenne des pays OCDE d'après l'étude PISA pour le domaine de la lecture

Quelle: PISA 2000: Die Studie im Überblick. Max-Planck-Institut für Bildungsforschung, Berlin.(2002)

chen möchte, wird es kompliziert. Denn in Deutschland ist Bildung Ländersache. 16 Bildungsminister (oft heißen sie „Kultusminister") kümmern sich um die Schulen im Land. Lehrpläne, Schulbücher, Lehrerausbildung, sogar die Anzahl der Schuljahre: alles kann von Land zu Land verschieden sein. Damit es dennoch eine gewisse Durchlässigkeit gibt und z.B. der Schulwechsel von einem Bundesland ins andere möglich ist, gibt es die Kultusministerkonferenz (KMK). Die KMK soll ein gewisses Maß an Einheit garantieren. Die Rolle der KMK ist in den letzten Jahren oft kritisiert worden, weil die Struktur sehr bürokratisch und schwerfällig ist. Die Ministerpräsidenten der Länder wollen eine Reform durchsetzen, um schneller

Allemagne, en effet, l'éducation relève de la compétence des Länder, donc des Régions-États qui forment la République fédérale. 16 ministres s'occupent des écoles allemandes. Tout peut varier d'un Land à l'autre : les programmes, les manuels, la formation des professeurs, même la durée de la scolarité jusqu'au baccalauréat. Pour assurer un minimum d'homogénéité et pour permettre, pour citer un exemple concret, le passage d'une école d'un Land à un autre, on a créé la Conférence fédérale des Ministres de l'Éducation. Elle a pour fonction de garantir un certain degré d'égalité. Cette institution a été fortement critiquée dernièrement car il s'agit d'une structure lourde et fort bureaucratique. Les Ministres-Présidents des Länder veulent

und besser auf die neuen Anforderungen der Schule eingehen zu können.

Die Suche nach bundesweiten „Standards" ist verstärkt worden, nachdem die so genannte PISA-Studie für die deutschen Schulen mittelmäßige bis schlechte Noten ergeben hat.
In Frankreich hat man nicht so nervös auf diese Studie der OECD reagiert. Das zentrale Bildungsministerium *Éducation Nationale* hat seit langer Zeit eigene Kontrollmechanismen für die französischen Schulen.

réformer cette structure afin de pouvoir réagir plus rapidement aux exigences de l'école.

Ces dernières années, on est revenu en Allemagne vers l'idée d'un « tronc commun », surtout après les résultats de la première enquête internationale de l'OCDE connue sous le nom de « PISA 2000 », qui a fait apparaître des résultats médiocres pour les écoles allemandes.
En France, les réactions face à l'étude PISA ont été moins vives. L'immense Ministère de l'Éducation nationale a mis en place depuis

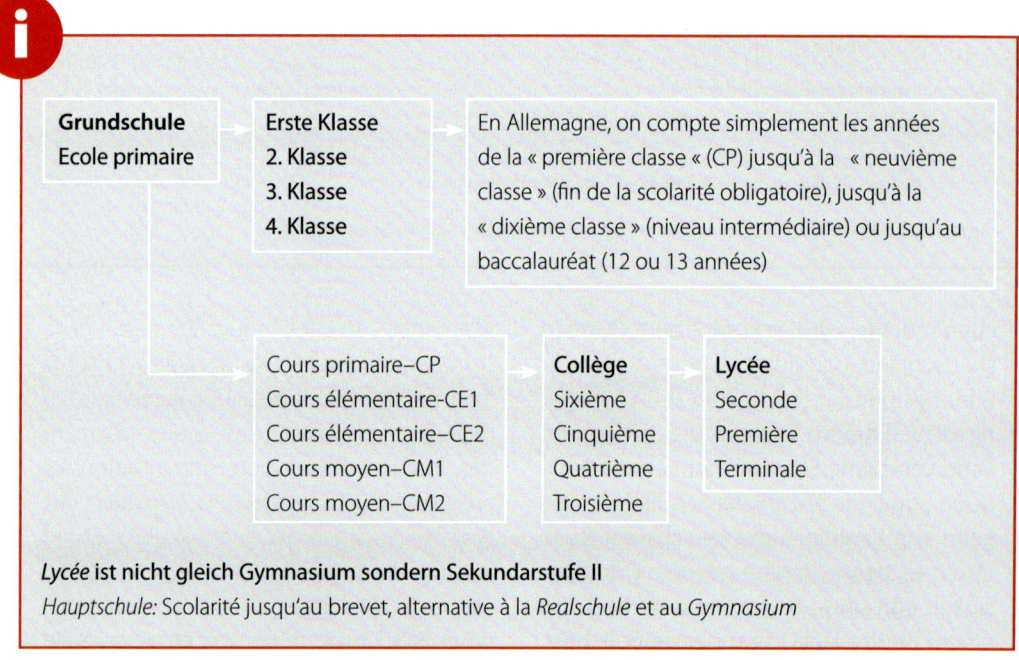

Grundschule	Erste Klasse	En Allemagne, on compte simplement les années
Ecole primaire	2. Klasse	de la « première classe « (CP) jusqu'à la « neuvième
	3. Klasse	classe » (fin de la scolarité obligatoire), jusqu'à la
	4. Klasse	« dixième classe » (niveau intermédiaire) ou jusqu'au
		baccalauréat (12 ou 13 années)

Cours primaire–CP	Collège	Lycée
Cours élémentaire–CE1	Sixième	Seconde
Cours élémentaire–CE2	Cinquième	Première
Cours moyen–CM1	Quatrième	Terminale
Cours moyen–CM2	Troisième	

Lycée ist nicht gleich Gymnasium sondern Sekundarstufe II
Hauptschule: Scolarité jusqu'au brevet, alternative à la *Realschule* et au *Gymnasium*

Allerdings ist auch in Frankreich das Thema „Schule" wieder auf der politischen Tagesordnung. Organisatorisch ist die nationale Zuständigkeit in insgesamt 35 *académies* aufgeteilt, die für die jährliche Planung und Aufsicht über die Schulen zuständig sind.

de longues années des instruments d'évaluation des écoles françaises et a donc su mettre à profit avec plus de nuances les résultats de PISA. Mais en France également, le sujet de l'école a une place de choix sur l'agenda politique.

Im Rahmen der Dezentralisierung sind einige Zuständigkeiten auf die *départements* (Bau und Unterhalt der *Collèges*) und die Regionen (Bau und Unterhalt der *Lycées*) übergegangen. Seit 2004 wird zudem das gesamte technische Personal nicht mehr vom Staat, sondern von den Regionen/*départements* verwaltet. Die Regionen können Zuschüsse zum Erwerb der Schulbücher gewähren und somit auch einen Teil „Familienpolitik" betreiben. Diese Form der regionalen Zuständigkeit ist für jeden Bürger spürbar. Fast ein Viertel der gesamten Bildungsausgaben Frankreichs werden in der Regie von Gemeinden, *départements* und Regionen ausgegeben. Alle Angelegenheiten des Unterrichts, des schulischen Programms und der Lehrerausbildung bleiben allerdings auch in Zukunft völlig zentral, und niemand kann sich das in Frankreich anders vorstellen.

Die Phasen der schulischen Ausbildung

Deutsche und französische Schüler werden etwa im gleichen Alter eingeschult, nämlich mit 6 Jahren. Damit hören die Parallelen aber auch schon auf. Die Grundschule dauert in Deutschland 4 Jahre, in Frankreich 5. In Frankreich gehen alle Schüler anschließend 4 Jahre lang auf das *collège* und erhalten nach 9 Schuljahren das *brevet d'études*, das Zeugnis über die absolvierte Schulpflicht. Die meisten (ca. 70%) gehen dann noch 3 Jahre weiter zur Schule und machen nach insgesamt 12 Schuljahren das Abitur (*baccalauréat général* oder *bac professionnel*). In Deutschland gibt es bei den „weiterführenden Schulen" ab der 5. Klasse eine Dreiteilung. Nach der Grundschulzeit (in manchen Bundeslän-

En France, 35 académies assurent l'organisation de l'année scolaire et veillent sur la bonne marche des établissements. Avec la décentralisation en cours, des domaines de compétences ont été transférés aux régions (les lycées) et aux départements (les collèges). Depuis 2004, au lieu de relever de l'autorité de l'État, le personnel technique est passé sous la tutelle des régions/départements. Les régions peuvent accorder des soutiens aux familles pour l'achat de manuels scolaires et donc pratiquer une vraie politique familiale. Presque un quart du budget français lié à l'éducation est géré par les communes, départements et régions. Tout ce qui relève des programmes et de la formation des enseignants reste par contre sous le contrôle de l'État national, et personne en France ne peut imaginer qu'il en aille autrement.

Les différentes étapes de la scolarité

L'école primaire commence à l'âge de six ans pour les petits Français comme pour leurs camarades allemands, mais c'est bien là le seul point commun. En Allemagne, l'école primaire ne dure que 4 ans contre 5 ans en France. Ensuite, les élèves français fréquentent tous pendant 4 ans le collège et passent leur brevet d'études après 9 ans de scolarité. La plupart d'entre eux (70% environ) continuent leur parcours scolaire encore trois ans et quittent l'école au bout de 12 ans avec un baccalauréat général ou professionnel. En Allemagne, après l'école primaire (donc au bout de 4 ans en général, 6 ans dans certains Länder), les élèves sont répartis dans trois types d'établissements secondaires. Ils peuvent fréquenter une *Hauptschule*, une *Realschule* ou bien le *Gymnasium*. Il n'y a donc pas de collège unique. Le choix du type d'études

dern auch erst nach 6 Schuljahren) gehen die Schüler auf die Hauptschule, die Realschule oder das Gymnasium. Die Entscheidung, welche weiterführende Schule ein Kind besucht, fällt in manchen Bundesländern aufgrund der Schulnoten, in anderen entscheiden die Eltern. Etwa 26% eines Jahrgangs schließen die Hauptschule ab, 40% die Realschule und ca. 25% schließen die Schulausbildung mit dem Abitur ab. Rechnet man die Schüler mit einer Fachhochschulreife (das könnte man als Entsprechung des *bac professionnel*

secondaires est fait, dans certains Länder, en fonction des notes obtenues dans le primaire, dans d'autres *Länder* ce sont les parents qui peuvent décider de l'orientation de leurs enfants. Environ 26% d'une tranche d'âge obtiennent le brevet après avoir fréquenté une *Hauptschule*, 40% terminent la *Realschule* et 25% seulement vont jusqu'au baccalauréat général. Si l'on considère qu'une partie des élèves de la *Realschule* aura accès à certaines formes d'enseignement universitaires (par la *Fachochschulreife*, comparable à un bac professionnel), le nombre d'élèves qui

Ferdinand Buisson (1841 -1932), ein enger Vertrauter von Jules Ferry, hat das Substantiv „Laizität" geprägt. Von 1879 bis 1896 war er Direktor für Grundschulangelegenheiten und überwachte die Ausformulierung der Gesetze zur Laizität der Schule. Später gehörte er zu den Begründern der Liga für Menschenrechte. 1927 erhält er den Friedensnobelpreis.

Ferdinand Buisson (1841-1932), grand commis de l'État et proche de Jules Ferry, a imposé l'usage du mot « laïcité ». Agrégé de philosophie, il a été de 1879 à 1896 directeur de l'Enseignement Primaire. Il a supervisé le travail d'écriture et de conception des lois sur la laïcité. Cofondateur de la Ligue des Droits de l'Homme, il a reçu le Prix Nobel de la Paix en 1927.

bezeichnen) hinzu, so ergibt sich eine Zugangsquote zu allen Hochschultypen von 38%. 9% eines Jahrgangs haben überhaupt keinen Schulabschluss. In den meisten Bundesländern dauert es bis zum Abitur insgesamt 13 Schuljahre, in einigen 12, und momentan möchte man die Schulzeit bis zum Abitur eher überall auf 12 Jahre beschränken.

Im Vergleich haben also viel mehr französische Schüler ein *baccalauréat* als deut-

peut accéder à l'enseignement supérieur est de 38%. 9% n'ont même pas le brevet. Dans la plupart des *Länder*, il faut 13 ans pour arriver au baccalauréat, 12 ans suffisent dans les autres, la tendance actuelle allant vers les 12 ans.

Les élèves français arrivent donc au bac en bien plus grand nombre que leurs camarades allemands, mais il faut dire que les modes de sélection diffèrent considérablement dans les deux pays. En France, il y a une forte

sche Schüler ein Abitur. In Frankreich findet nach dem *baccalauréat* noch einmal eine harte Auswahl statt, bevor die leistungsstarken Schüler dann die besten Hochschulen mit optimalen Karrierechancen besuchen dürfen, in Deutschland findet die Selektion stärker schon während der Schulzeit selbst statt. Die negativen Folgen der frühen Selektion werden vor allem in den Hauptschulen sichtbar. Daher haben einige Bundesländer beschlossen, diese Schulform abzuschaffen und nur noch zwei weiterführende Schulformen zu belassen.

sélection après le bac. C'est là que se décident les carrières professionnelles, car l'accès aux « grandes écoles » hautement réputées est réglé par ces fameuses classes préparatoires. En Allemagne, la sélection se fait en premier lieu tout au long de l'enseignement secondaire et non pas après le baccalauréat. Les conséquences négatives de cette sélection précoce deviennent évidentes au niveau de la *Hauptschule*, l'échelon le plus faible du système. Quelques *Länder* ont donc décidé de supprimer cette forme de collège et de ne plus proposer que deux formes d'écoles secondaires.

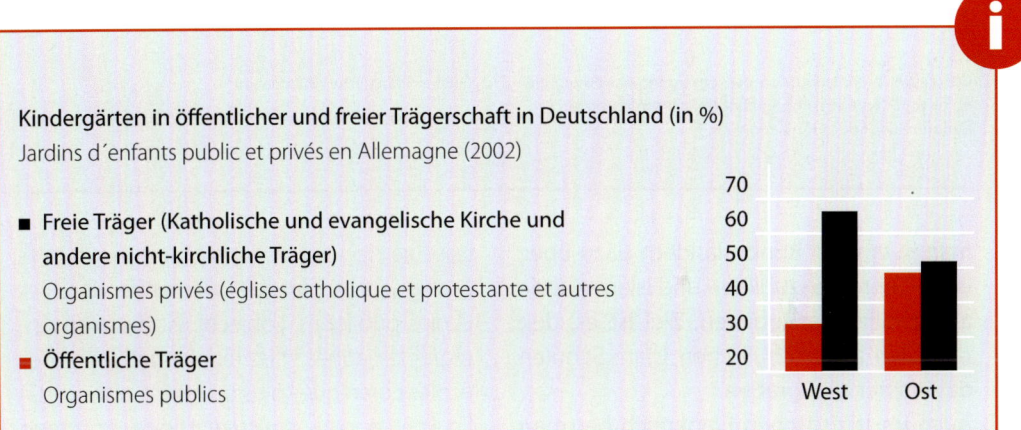

Kindergärten in öffentlicher und freier Trägerschaft in Deutschland (in %)
Jardins d'enfants public et privés en Allemagne (2002)

■ Freie Träger (Katholische und evangelische Kirche und andere nicht-kirchliche Träger)
Organismes privés (églises catholique et protestante et autres organismes)

■ Öffentliche Träger
Organismes publics

Kirche und Schule

Ein weiterer grundsätzlicher Unterschied, der sofort auffällt, ist die Rolle der Kirchen in der Schule. Frankreich ist ein laizistischer Staat (Gesetz von 1905) und betrachtet Religionsausübung als reine Privatsache – womit die Tatsache, dass der französische Staat und die französische Gesellschaft historisch sehr stark durch die katholische Kirche geprägt worden sind, nicht geleugnet werden soll. In Deutschland sind die beiden großen

Église et État

Le rôle de l'Église dans les écoles ne pourrait être plus différent dans nos deux pays. La France, État laïque par définition (loi de 1905), considère que la religion est uniquement une affaire d'ordre privé – ce qui ne signifie pas que l'on nie l'impact historique qu'a eu l'Église catholique sur le développement de la société française. En Allemagne, les deux grandes religions chrétiennes font partie dans la plupartdes *Länder,* dès le primaire,

christlichen Konfessionen in den meisten Bundesländern schon in der Grundschule ein richtiges Schulfach mit Benotung, während sich französische Schüler in ihrer Freizeit in Katechismus üben können. Weil es in den deutschen Schulen heute sehr viele Schüler muslimischen Glaubens gibt, geht

du programme des cours dans les écoles publiques. Les élèves allemands sont notés sur leurs connaissances en la matière, tandis que leurs camarades français vont au catéchisme après l'école. Comme il y a en Allemagne de nombreux élèves musulmans, on a commencé à former, dans quelques Länder, des pro-

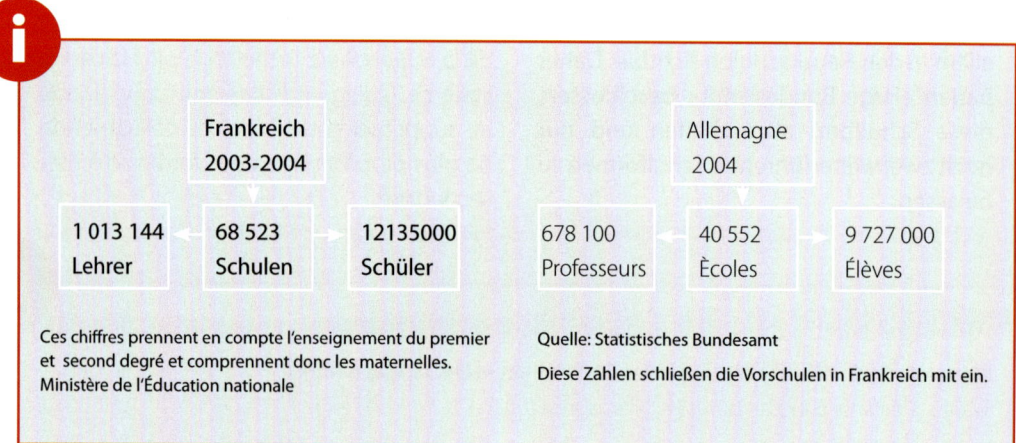

Frankreich 2003-2004			Allemagne 2004		
1 013 144 Lehrer	68 523 Schulen	12 135 000 Schüler	678 100 Professeurs	40 552 Ècoles	9 727 000 Élèves

Ces chiffres prennent en compte l'enseignement du premier et second degré et comprennent donc les maternelles.
Ministère de l'Éducation nationale

Quelle: Statistisches Bundesamt
Diese Zahlen schließen die Vorschulen in Frankreich mit ein.

man in einigen Bundesländern dazu über, Islam-Lehrer auszubilden und Islam-Kunde als Schulfach anzubieten. Ziel ist es, den radikalen außerschulischen Islam-Schulen das Wasser abzugraben.

Auch im laizistischen Frankreich hat man das Problem erkannt, dass viele muslimische Schüler durch den Besuch von (mehr oder minder radikalen) Islam-Schulen dem Einfluss der republikanischen Schule immer mehr entzogen werden. Religionsunterricht rückt somit in ein neues Licht und wird als ein Teil von Zivilisationsunterricht erkannt.

Der Kopftuchstreit ist sowohl in Deutschland als auch in Frankreich geführt worden. Allerdings in sehr unterschiedlicher Weise: in Frankreich ist am 1.9.2004 ein neues Ge-

fesseurs de religion musulmane pour qu'ils enseignent en langue allemande dans les écoles publiques. L'objectif est de mieux intégrer les jeunes et de réduire l'influence des écoles coraniques plus ou moins islamistes.

En France, pays pourtant laïque, on prend désormais en considération le fait que beaucoup d'élèves musulmans échappent en partie à l'influence de l'enseignement républicain en fréquentant des écoles coraniques à côté de l'école française. L'enseignement des religions est considéré comme faisant partie de l'enseignement de la civilisation.

Le foulard : ce débat a été mené en France comme en Allemagne, bien que les formes et les discours aient été bien différents. En France, la nouvelle loi entrée en vigueur le 1.9.2004 redéfinit le principe de la laï-

setz in Kraft getreten, dass die Laizität der staatlichen Schulen erneut bekräftigt und das Tragen von auffälligen religiösen Symbolen den Schülern (den Lehrern sowieso) verbietet, und zwar gilt dies für das muslimische Kopftuch, für die jüdische Kippa oder große christliche Kreuze gleichermaßen. In Deutschland müssen in jedem Bundesland gesetzliche Regelungen getroffen werden. So hat z.B. Baden-Württemberg beschlossen, den Lehrern muslimischen Glaubens das Tragen von Kopftüchern zu untersagen. Dieses Gesetz bezieht sich aber nicht auf das Tragen christlicher Symbole.

cité dans les écoles publiques et interdit le port de symboles religieux ostensibles. Elle concerne les élèves (et les professeurs), et s'applique aussi bien aux symboles musulmans qu'à la croix chrétienne ou à la kippa juive. En Allemagne, chaque Land doit voter une loi définissant la conduite à tenir vis-à-vis du port des symboles religieux dans les écoles. Le Bade-Wurtemberg a été le premier *Land* à voter une loi interdisant aux professeurs de religion musulmane (et non aux élèves) le port du foulard dans les établissements. Cette loi ne concerne pas le port de symboles religieux chrétiens.

ⓘ

In Frankreich findet die Elternvertretung über die associations de parents d'élèves statt. Diese haben in der Regel eine politische Färbung. Die wichtigsten Vereinigungen sind in Fédérations organisiert. Darüber hinaus gibt es unabhängige Listen.

FCPE: Fédération des conseils des parents d'élèves de l'enseignement public

PEEP: Fédération des parents d'élèves de l'enseignement public

UNAAPE: Union nationale des associations autonomes de parents d'élèves

FNAPE: Fédération nationale des parents d'élèves de l'enseignement public

En Allemagne, les convictions politiques ne jouent pas un rôle important dans les associations de parents d'élèves. Les associations s'organisent autour des formes d'écoles et au niveau des échelons administratifs publics.

Conseil des parents *(Elternbeirat)* : La représentation des parents d'élèves d'une école.

Conseil général des parents *(Gesamtelternbeirat)* : La représentation globale des parents d'élèves quand il y a plusieurs écoles dans une commune. Ce conseil général est constitué par les conseils de toutes les écoles.

Il existe aussi des conseils de parents d'élèves au niveau des *Länder* et de la fédération.

Die Eltern in der Schule?

Die Eltern sind im deutschen Schulsystem viel stärker eingebunden. Dies ist durchaus eine zweischneidige Sache: Natürlich können die Eltern auf die Gestaltung des

Les parents à l'école ?

En Allemagne, les parents d'élèves jouent un rôle bien plus important dans l'organisation de l'école qu'en France. Ce rôle n'est pas sans ambiguïtés. Les parents peuvent exercer

Unterrichts stärker Einfluss nehmen, weil sie bei den regelmäßigen Elternabenden insgesamt informiert werden. Die Bildung und Erziehung der Kinder wird dabei als gemeinsame Aufgabe von Familie/Eltern und Staat/Schule verstanden. Auf den Elternabenden herrscht in deutschen Schulen großer pädagogischer Eifer, manchmal meinen auch die Eltern, die Lehrer bei ihrer Arbeit ganz erheblich beeinflussen zu müssen. Dieses Ritual gibt es in Frankreich nicht. Bei den Treffen *parents-profs* handelt es sich um Lehrersprechstunden, in denen die Eltern die Leistungen der Kinder abfragen und um eine individuelle Einschätzung bitten. Diese Einrichtung gibt es in Deutschland ebenfalls, aber sie ist nicht mit dem kollektiven Erlebnis des Elternabends zu vergleichen. In Frankreich organisieren sich die Eltern in *associations de parents d'élèves*, die aber ohne Beteiligung der Lehrer funktionieren.

Die Ferien sind zu Ende

Deutsche Touristen findet man in den Urlaubsländern fast das ganze Jahr über. Das liegt u.a. an der Organisation der Sommerferien, die sich zeitversetzt je nach Bundesland von Juni bis September erstrecken. Die Staus auf den Autobahnen gehören zur Sommerzeit genauso dazu wie der Schulbeginn. Allerdings wird um den Schulbeginn in Deutschland kein großes Aufheben

une influence sur les activités scolaires puisqu'ils sont informés régulièrement des programmes en cours, des choix pédagogiques et des initiatives en tout genre qui complètent le programme habituel. L'institution qui établit le contact étroit entre enseignants et parents d'élèves s'appelle « Soirée des parents » (*Elternabend*). Il s'agit d'une réunion où tous les parents d'élèves passent une (longue) soirée dans l'école avec plusieurs enseignants de la classe en question. L'éducation des enfants est considérée comme une tâche collective qui implique aussi bien les familles que les autorités de l'État, l'inconvénient de cette structure étant que certains parents, trop bien intentionnés, font parfois du zèle et se mêlent un peu trop du travail des professeurs.

En France, les « rencontres parents-professeurs » sont l'équivalent des Lehrersprechstunden, durant lesquelles les parents rencontrent individuellement les professeurs pour s'entretenir sur le parcours de leurs enfants. Cette forme de concertation enseignants-parents n'a rien de commun avec la mise en scène d'une soirée des parents au caractère collectif.

La rentrée des classes

Dans les régions touristiques européennes, on trouve des vacanciers allemands pendant presque toute l'année. Cela est dû entre autre au fait que les vacances scolaires - et notam-

Die ARS *(Allocation de Rentrée Scolaire* – Zuwendung zu Beginn eines Schuljahres)
Diese jährliche Zuwendung bekommen Eltern von schulpflichtigen Kindern. Ende August erhalten die Familien, die unterhalb eines gewissen Jahreseinkommens liegen, eine feste Summe pro Kind ausbezahlt (2004 waren es 257,61 Euro pro Kind).

gemacht – die Bundesländer organisieren das selbst, es gibt keine nationale „Wiedergeburt" nach dem unendlich langen Sommer. Das ist in Frankreich anders.

Die *rentrée des classes* war bis vor kurzem eine gesamtnationale Einrichtung: Alle Schüler waren aufgerufen, zum gleichen Datum den Weg zur Schulbank zurück zu finden, die Eltern waren mit den entsprechenden Einkäufen von schulischem Material beschäftigt und von den Supermärkten und Fachgeschäften mit der entsprechenden Werbung angelockt worden. Seit einigen Jahren ist den Eltern mehr Entscheidungsfreiheit gegeben worden: Die Schulwoche kann auf Wunsch der Elternschaft auf 4 Schultage verkürzt werden, d.h. der Mittwoch ist dann ebenso unterrichtsfrei wie der Samstag – vielen Familien kommt das entgegen. Als Ausgleich wird die Zeit der Sommerferien radikal verkürzt, die Ferien beginnen erst im Juli und die Schule beginnt bereits wieder in der letzten Augustwoche. Zudem wird die *rentrée* nach Regionen zeitlich leicht gestaffelt, sodass das Ereignis *rentrée* nicht mehr ganz kollektiv verläuft. Trotzdem bleibt der Begriff der *rentrée* als offizielles Ende der Sommerzeit im Bewusstsein fest verankert, dies gilt für die politische Welt, für die Kunstszene und für die Schule gleichermaßen. Eine Entsprechung im Deutschen gibt es für den

ment les grandes vacances - varient de *Land* à *Land* et sont échelonnées sur quatre mois, de juin à septembre. Les embouteillages sur les autoroutes ne se limitent pas à quelques journées noires comme en France, elles font malheureusement parti du quotidien. La date de la rentrée des classes varie de Land à Land (rentrée entre le 3 août et le 8 septembre en 2007, par exemple). Il n'existe d'ailleurs pas de phénomène collectif de « rentrée » tel que le connaît la société française. Chaque *Land* reprend ses activités après les vacances, le premier jour de classe passant presque inaperçu. Il n'existe d'ailleurs aucun mot allemand pour traduire « la rentrée », on appelle ce moment tout simplement la fin des vacances.

En France, on a commencé a décaler les dates des petites vacances de quelques jours de zone à zone pour décongestionner le trafic et les stations de vacances. Mais la rentrée qui suit les grandes vacances reste un événement national. Les jeunes sont appelés à reprendre le chemin de l'école, les parents sont stressés par les achats de livres et de fournitures scolaires, les grandes surfaces lancent de grandes campagnes publicitaires ciblées sur cet événement. Mais si l'exercice périlleux de la rentrée des classes était encore le même pour tous les Français il y a quelques années, les parents ont aujourd'hui davantage de choix dans l'organisation de la vie scolaire. Chaque établissement peut choisir la semaine de 4 jours, le mercredi étant libre comme

---

Depuis le 19ᵉ siècle, il existe une tradition allemande, originaire de Thuringe et de Saxe, qui veut que l'on offre aux enfants, pour fêter leur entrée à l'école primaire, une sorte d'énorme pochette-surprise en forme de cornet géant *(Schultüte)*. On leur racontait qu'il y avait dans la maison du maître un arbre sur lequel poussaient ces drôles de cornets. Dès que le cornet était mûr, l'enfant était assez grand pour aller à l'école. Ces cornets sont traditionnellement remplis de sucreries, mais aussi de crayons, de petits livres ou de cassettes.

La pochette-surprise

Begriff *rentrée* nicht, man würde eher vom „Ende der Sommerpause" sprechen.
Französische Schüler sind trotz aller Tendenzen zur Dezentralisierung mindestens zwischen dem 14. Juli (dem Nationalfeiertag) und Ende August in den Ferien. Am Tag der *rentrée des classes* sind dann alle Radio- und Fernsehsender voll mit Informationen, Reportagen, Erlebnisberichten, als ginge es um eine noch nie gemachte Erfahrung. Dies betrifft Lehrer, Eltern und Schüler gleichermaßen.

Ein typischer Schultag

Montags ist es für alle Schüler gleich schwierig. Nur die deutschen Kindergartenkinder haben es etwas besser, denn da gibt es meistens flexible Anfangszeiten. Die kleinen Franzosen gehen hingegen zu festen Uhrzeiten in die *école maternelle*, die eben eine richtige Schule und kein Kindergarten ist. Die meisten deutschen Schüler fahren mit öffentlichen Verkehrsmitteln zur Schule, in Frankreich gibt es wegen der geringeren Bevölkerungsdichte und we-

samedi. Dans ces cas-là, la durée des grandes vacances est sensiblement réduite. Malgré tout, l'idée de rentrée en tant que « résurrection nationale » après la longue pause de l'été reste profondément ancrée dans la mentalité française, et les élèves français, malgré la décentralisation, sont pratiquement tous en vacances entre les premiers jours de juillet et les premiers jours de septembre.

Une journée à l'école

Le lundi est une journée difficile pour tous les écoliers. Les enfants allemands qui fréquentent l'école maternelle, le Kindergarten, échappent cependant à cette règle, car leurs horaires sont très flexibles. Les parents peuvent en effet les amener et aller les reprendre quand bon leur semble. Les petits Français, eux, sont assujettis à des horaires stricts et se rendent tôt à l'école maternelle qui est une véritable école et non pas un « jardin d'enfants ». La plupart des élèves allemands utilisent les transports publics, alors qu'en France, on trouve beaucoup de cars de ramassage, résultat d'une densité de po-

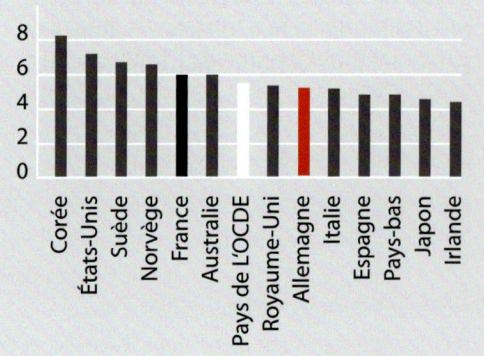

Bildungsausgaben im Verhältnis zum BIP (2001) (Erstausbildung)
Dépenses d'éducation par rapport au PIB (2001) (formation initiale)
Source/Quelle: OCDE-CERI / OECD

gen der weiträumigen ländlichen Gebiete mehr Schulbusse (*car de ramassage*). Und sehr oft werden die Schüler von den Eltern, meist der Mutter, auf deren Weg in die Arbeit bis vor das Schultor gebracht. Das Schultor ist in französischen Schulen eine größere Hürde als für die deutschen Schüler: Es gibt zwar nicht überall regelrechte Einlasskontrollen wie in einigen Schulen in den Großstädten, aber es ist nicht leicht, in einer Freistunde einfach das Schulgelände zu verlassen. Dafür bedarf es zumindest einer Genehmigung der Eltern. Für deutsche Schüler ist es ab der 5. Klasse und dann vor allem in den höheren Altersstufen relativ normal, das Gelände der Schule zu verlassen und dann zur nächsten Unterrichtsstunde wiederzukommen. In unterrichtsfreien Stunden gehen deutsche Schüler oft in der Stadt spazieren, sitzen in einem Park oder machen auf einem nahe gelegenen Platz Sport. Dies führt natürlich zu einer größeren praktischen Selbstständigkeit deutscher Schüler. Die französischen Kinder und Jugendlichen sind dies nicht in demselben Maße gewöhnt.

Die Schüler in der Schule

Der Schulbeginn ist in beiden Ländern in der Regel gegen 8 Uhr, in den französischen Grundschulen wird erst um 8.30 Uhr begonnen. Die französischen *collégiens* (Klasse 6-9) werden um 17.00 Uhr entlassen, während ihre deutschen Kollegen meist um 13 Uhr den Schultag beenden, wobei allerdings an einigen Nachmittagen zusätzlich Unterricht sein kann. Die *lycéens* bleiben dann noch eine Stunde länger in der Schule. Der entscheidende Unterschied zwischen beiden Systemen ist, dass

pulation inférieure à celle de l'Allemagne et d'un monde rural beaucoup plus important. En France, on accompagne souvent les enfants en voiture jusqu'au portail de l'école en partant au travail. Ce portail, appelé aussi « la grille », est inconnu en Allemagne et représente un véritable obstacle physique pour les élèves. Dans certains établissements, en effet, on assiste à un contrôle systématique des entrées et des sorties des élèves, et en règle générale, il est assez difficile de quitter le terrain de l'école, à moins de posséder dans son carnet de correspondance une autorisation des parents. Pendant les heures creuses, on voit donc nettement moins d'élèves se promener en dehors de l'enceinte du collège ou du lycée en France qu'en Allemagne. Pour les jeunes Allemands, surtout dans les grandes classes, il est relativement normal de sortir de l'école pendant les heures libres et d'y revenir quand les cours reprennent. Le fait d'être libre de sortir pendant les heures creuses amène les élèves allemands, à qui l'on fait d'emblée confiance, à acquérir davantage d'autonomie. Les élèves français sont plus encadrés et ils ont moins l'habitude d'être responsables de l'organisation de leurs journées.

Les élèves à l'école

L'école commence vers 8 heures dans les deux pays et même plus tôt dans certaines écoles allemandes (entre 7 heures 20 et 8 heures). Dans les écoles primaires françaises, en revanche, on ne commence qu'à 8 heures et demi. Les collégiens français (de la 5e à la 9e classe selon le système allemand) rentrent chez eux vers 17 heures, tandis que la plupart de leurs camarades allemands sortent de l'école vers 13 heures. Ils ont cepen-

ein französischer Schüler den ganzen Tag in der Schule „versorgt" wird – Unterricht, Aufsicht, Essen, Sport – und der deutsche Schüler ab 13 Uhr in die Obhut der Familie zurückgeschickt wird. Es gibt zwar auch in Deutschland Ganztagsschulen und es soll davon bald mehr geben, aber die Regel ist es nicht.

dant quelques heures de cours l'après-midi un ou deux jours par semaine. La différence fondamentale est que l'élève français passe sa journée à l'école – cours, repas, salle d'études, sport – alors que l'écolier allemand est de retour dans sa famille après 13h. Il y a bien en Allemagne quelques écoles « à plein temps », dont le nombre a tendance à aug-

Qui fait quoi à l'école en Allemagne?
Dans le système scolaire allemand, il est plus difficile qu'en France de bien délimiter les tâches des uns et des autres. Cela est dû au fait que les professeurs, qui par ailleurs enseignent au moins deux matières différentes, se chargent souvent également d'autres fonctions assurées par un employé dans le système français. Qu'il s'agisse de la responsabilité des équipements informatiques ou d'un rôle de « professeur de confiance » pour les élèves, celui ou celle qui se charge d'une telle fonction donnera moins d'heures de cours. Chaque classe, comme en France, a un professeur principal chargé de l'ensemble des activités de la classe, des rapports avec les parents d'élèves, c'est à lui que s'adressent les élèves quand il y a un problème avec d'autres professeurs ou au sein de la classe.

Die Pausenaufsicht haben in der französischen Schule die *surveillants*, in Deutschland die Lehrer selbst im Schichtbetrieb. Die Mittagspause findet in Frankreich in der Kantine statt. Diese Stunden sind im Alltag der französischen Schüler insofern wichtig, als hier Sozialverhalten geübt wird. Das mag manchmal stressig sein und nicht jedem gefallen, aber es gibt Gelegen-

menter, mais il s'agit encore d'exceptions à la règle.
En France, ce sont les « pions » (les surveillants, dernièrement intitulés « assistants d'éducation ») qui sont chargés de surveiller les élèves pendant les différentes pauses de la journée, tandis qu'en Allemagne, ce sont les enseignants qui se relaient pour maintenir l'ordre. Les heures passées à l'école en

Was uns in der französischen Schule schnell aufgefallen ist, sind die ungewöhnlich langen Unterrichtszeiten manchmal bis in den Abend hinein. Auch das Essen in der Kantine, das dadurch notwendig wird, war neu für uns. Andreas und Jakob (11. Klasse)

Comme en général il n'y a pas de cantine à l'école en Allemagne et comme les élèves ne reviennent chez eux qu'à 13h30 environ, ils se munissent d'une boîte à goûter, qui peut avoir des noms différents selon les régions (*Vesperbox, Butterbrotdose* etc.). La plupart du temps ce sont les mères qui remplissent ces boîtes de tartines, de légumes ou de fruits.

Wer macht was in der französischen weiterführenden Schule?

Der Lehrer: In Frankreich unterrichtet jeder Lehrer nur ein Fach.

Der Klassenlehrer: Wie in Deutschland empfängt der Klassenlehrer die Schüler am Anfang des Schuljahres, er koordiniert die Arbeit in den anderen Fächern und den Kontakt mit den Eltern.

Der Erziehungsberater *(CPE, conseiller principal d´éducation)* kümmert sich um die Abläufe im Schulalltag und achtet darauf, dass auch außerhalb des Unterrichts alles seine Ordnung hat.

Die Aufpasser oder Erziehungshelfer unterstützen den Erziehungsberater bei der Organisation des täglichen Lebens in der Schule. Für die Schüler sind diese meist jungen Assistenten für viele Fragen die besten Ansprechpartner, weil sie kumpelhafter sind als die Lehrer.

Der Dokumentarist kümmert sich um das Dokumentations- und Informationszentrum.

Der Entwicklungsberater *(conseiller d´orientation psychologique)* ist für die berufsorientierende Beratung der Schüler zuständig.

Der Intendant ist für die ökonomischen Fragen in der Schulorganisation verantwortlich.

heit, sich in sozialen Gruppen zu organisieren. Im deutschen Schulalltag spielt das familiäre Umfeld eine viel größere Rolle. Die Einübung in soziales Verhalten findet weit weniger in der Schule, sondern in den privat organisierten Aktivitäten statt – dabei ist das in Deutschland sehr vielfältige Vereinsleben besonders wichtig, gleich ob es Sport- oder Musikvereine sind. Die Hausaufgaben haben die deutschen und französischen Schüler gemeinsam. Denn obwohl die Schule den ganzen Tag dauert, sind die französischen Schüler auch am Abend mit Hausaufgaben beschäftigt.

Wer arbeitet in der Schule?

In der Schule gibt es Schüler, Lehrer – und noch eine Reihe von Angestellten. In Frank-

dehors des cours sont importantes pour les élèves français, car elles représentent un instrument de socialisation. Cela peut paraître stressant et déplaire à certains, mais c'est une occasion d'apprendre à s'organiser dans un contexte social. En Allemagne, les familles jouent un rôle bien plus important dans le quotidien scolaire. Ce sont plutôt les activités extrascolaires qui jouent le rôle d'outil de socialisation, et tout particulièrement la vie associative, très riche en Allemagne, qu'il s'agisse d'activités sportives ou artistiques. Quant aux devoirs, ils sont aussi peu populaires en France qu'en Allemagne, les Français ayant néanmoins plus de raison de se plaindre si l'on considère qu'ils sont encore obligés de les faire le soir après avoir passé une journée entière à l'école.

Typischer Speiseplan einer Kantine in einer französischen Grundschule	Gänge	Montag	Freitag
	Vorspeise	Radieschen mit Butter	Gemüsesuppe
	Hauptgericht	Frankfurter Würstchen oder Geflügelwürstchen	Fischfilet mit Butter und Oregano
	Gemüse	grüne Bohnen	Blumenkohl in Teig
	Käse	Joghurt mit Zucker	Quark mit Zucker
	Nachtisch	Marmorkuchen	Obst

reich sind viel mehr Menschen dort beschäftigt. Einen besonderen Stellenwert haben die *surveillants* (auch *pions*, neuerdings *assistants d'éducation*). Sie sind „Aufseher" in mehrfacher Hinsicht: Sie sorgen für Ordnung in den Pausen und in den Hohlstunden, wenn die Schüler in die *salle d'études* gehen und dort ihre Hausaufgaben machen oder sich sonst beschäftigen. Für die Schüler sind sie deshalb sehr wichtig, weil sie zu ihnen ein lockeres Verhältnis haben können, das sie zu Lehrern nicht haben. Und dann gibt es noch die Krankenschwester, die technischen Arbeiter, die Sozialarbeiter und die *conseillers d'orientation*, eine Art Berufsberater. Diese Kategorien gibt es jeweils einmal für mehrere Schulen. Die entsprechenden Aufgaben werden in Deutschland von Personen wahrgenommen, die in der Regel in den Schulämtern oder Oberschulämtern angesiedelt sind. Sie sind also nicht täglich im schulischen Alltag.

In deutschen Schulen gibt es keine *surveillants*, dafür aber einen Hausmeister. Dies sind sehr wichtige Personen, weil sie viele Aufgaben parallel erfüllen. Sie sind von den Schülern in der Regel respektiert, und können daher ab und zu für Disziplin sorgen.

Autorität

Der unterschiedliche Umgang mit Autorität und Selbstverwaltung führt dazu, dass es einen immer wieder überraschenden Befund gibt: in deutschen Schulen scheint Unordnung vorzuherrschen, obwohl wir doch alle mit dem Vorurteil leben, dass es in deutschen Landen ordentlich zugeht. Und die angeblich so individualistischen

Qui fait quoi à l'école ?

A l'école, on trouve des élèves et des professeurs ainsi que d'autres employés. En France, les catégories professionnelles sont plus variées qu'en Allemagne dans les structures scolaires. Les surveillants ont une importance toute particulière. Comme leur nom l'indique, ils surveillent les élèves à différents niveaux : ils assurent la discipline pendant les récréations, la pause de midi et pendant les heures creuses. Pour les élèves, les rapports envers les « pions » sont plus détendus qu'avec les professeurs. Dans l'enceinte de l'école, on trouve également une infirmière, des techniciens, des conseillers principaux d'éducation ainsi que des « conseillers d'orientation ». Ces catégories professionnelles travaillent parfois pour plusieurs écoles à la fois. En Allemagne, ces fonctions sont assurées par des employés des organismes de surveillance des établissements scolaires. Ils ne sont pas automatiquement intégrés dans le quotidien de la vie scolaire mais se rendent sur place lorsque l'on a besoin d'eux.

Dans les écoles allemandes, il n'y a pas de surveillants, mais il y a un concierge. Cette fonction est importante car le concierge effectue une multitude de tâches diverses. Les élèves le respectent ou le craignent, ce qui lui confère l'autorité nécessaire pour assurer le respect de la discipline de temps à autre.

L'autorité

Les différences dans la définition de l'autorité et la gestion interne des écoles est l'un des premiers constats que font la plupart des Français lors des échanges scolaires : dans les écoles allemandes, il semble régner le désordre le plus complet, ce qui contredit l'image stéréotypée des Allemands très disciplinés et

und tendenziell chaotischen Franzosen entpuppen sich in der Schule als wahre Ordnungs- und Regelungsfanatiker. Diese Beobachtung machen alle Austauschlehrer und -schüler – die tiefere Dimension dieser oberflächlichen Wahrheit wird erst sichtbar, wenn man die Selbstregulierung im deutschen Chaos und die unterschwellige Macht des chaotischen Ausbruchs in Frankreich in Rechnung stellt.

Was lernen deutsche und französische Schüler?

Eigentlich wäre es doch ganz einfach: Alle Schüler in Europa lernen einen gemeinsamen Grundstock an Wissen und Fähigkeiten, um für die Wirklichkeit des europäischen Binnenmarktes gut gerüstet zu sein. Darüber hinaus können alle Länder ihre Eigenheiten pflegen und durch die Schule tradieren. Leider aber sieht die Realität anders aus. Und zwar sowohl im Hinblick auf eine mangelnde gemeinsame Bildungsgrundlage als auch auf die Verschiedenartigkeit der Bildungssysteme. Überspitzt formuliert kann man sagen, dass die Europäer erst durch die Schule zu ganz unterschiedlichen Bürgern der Union werden. Diese Tatsache ist von besonderer Bedeutung für das deutsche und französische Bildungssystem. Viele der oft besprochenen kulturellen Unter-

parfaitement organisés. Même constat paradoxal de l'autre côté du Rhin : ces Français, perçus dans le monde entier comme des individualistes aux tendances chaotiques, se révèlent dans l'enceinte de l'école être de vrais génies de l'organisation et de la discipline. Les élèves aussi bien que les professeurs participant aux échanges scolaires sont témoins de cette réalité, bien surprenante à première vue. Néanmoins, pour percevoir sa dimension profonde, il faut tenir compte du fait que, sous le désordre apparent des écoles allemandes, se cache une puissante force d'autorégulation venant des élèves. En France, l'organisation plus stricte et sévère semble vouloir juguler les penchants individualistes des Français qui pourraient mettre en péril les objectifs pédagogiques.

Qu'aprennent les élèves allemands et français ?

Cela pourrait être si simple : tous les élèves européens suivraient pendant leur scolarité un enseignement commun qui leur permettrait d'acquérir les mêmes connaissances et aptitudes et de pouvoir entrer ainsi bien préparés sur le marché du travail. A côté de ce tronc commun, chaque pays pourrait continuer à inculquer aux écoliers ses traditions et ses particularités nationales.

Dans la réalité nous en sommes encore loin, qu'il s'agisse de la définition des contenus

Disziplin war jedoch nicht nur in der Kantine zu spüren. Auch auf dem Pausenhof herrschte Ordnung – das Sitzen auf einer Mauer oder Treppe war nicht erlaubt. „Aufpasser" achteten peinlichst genau darauf, dass alle Vorschriften eingehalten wurden. Mit dem Klingeln gingen die Schüler nicht direkt in die Zimmer, sondern stellten sich in Reihen auf dem Schulhof auf und folgten den Lehrern in die Klassenzimmer. 11. Klasse

J'aime bien les règles strictes et autoritaires au collège, les élèves sont plus polis qu'en Allemagne et ils ont beaucoup de respect pour leurs professeurs. 11e classe

schiede im sozialen oder intellektuellen Bereich gehen zurück auf die unterschiedlichen Bildungssysteme.

Historische Hintergründe

Die Worte sprechen für sich: Bildung ist nicht *éducation*. Ein Blick in die Geschichte zeigt uns schnell, wo der grundlegende Unterschied in der Konzeption von höherer Schule liegt. In Frankreich herrscht die jesuitische Tradition vor, derzufolge es darum geht, die jungen Menschen (die Zöglinge) durch die richtigen Botschaften zu formen und zu prägen. Es handelt sich um einen Zivilisierungsvorgang nach vorgegebenen Normen. Das Bildungsideal in Deutschland ist historisch als Gegenmodell gegen die jesuitische Tradition entwickelt worden. Der junge Mensch ist nicht ein Zögling, sondern ein mitwirkender, aktiver Teil eines Prozesses, in dem auch der Lehrer ein Lernender ist. Mit Bildung ist ein Vorgang gemeint, bei dem ein Mensch zu sich selbst findet, wo etwas aus ihm „herauswächst". Nicht von ungefähr gibt es das Verb „sich bilden", aber man kann nicht „jemanden bilden". Bildlich gesprochen füllt die jesuitische (französische) Tradition etwas in die jungen Menschen hinein, im deutschen Bildungskonzept wird etwas herausgeholt. Es soll jedoch nicht der Eindruck entstehen, diese jesuitische Tradition sei die einzig denkbare in Frankreich – der bedeutende Humanist Montaigne hat schon im 16. Jh. eine ganz andere Erziehung eingefordert, die der späteren deutschen Bildungsidee sehr nahe kam. Eine besondere einflussreiche Tradition ist der Kartesianismus, der besonderen Wert auf die Strenge geometrischen Denkens legt.

communs de l'enseignement ou des structures et des méthodes pédagogiques des différents systèmes scolaires nationaux. Pour simplifier, on peut dire que l'école enracine plus profondément les différences, en façonnant chez les écoliers des perceptions et des conceptions différentes de la même réalité européenne. C'est particulièrement vrai pour les systèmes allemand et français. Un certain nombre de différences culturelles, intellectuelles et sociales sont le résultat de traditions scolaires divergentes.

Le poids de l'histoire

Il suffit d'analyser les expressions : éducation n'est pas *Bildung*. Un bref aperçu historique montre où se situe la différence fondamentale dans la définition même de l'enseignement. En France, la tradition des jésuites, qui vise à former les élèves avant tout par l'acquisition passive de connaissances, a laissé des traces profondes dans la pédagogie moderne. Il s'agit d'un processus d'éducation de l'enfant (« l'élève » qui doit être « élevé » vers un idéal) selon des normes préétablies où le savoir prévaut sur l'expérience. L'idéal de la *Bildung* en Allemagne a été conçu au 18e siècle en tant qu'alternative au modèle jésuite. L'enfant ou l'adolescent n'est pas un élément passif, un récipient, mais participe de manière active au processus de formation auquel le professeur, lui aussi, prend part. La *Bildung* se réfère à un processus où l'individu trouve lui-même son chemin vers sa propre identité. Le verbe bilden est réflexif, on peut se bilden (se former), mais non pas jemanden bilden (former quelqu'un). Si dans la tradition jésuite on inculque un savoir extérieur à l'enfant, la conception allemande veut, elle, faire sortir la connaissance de l'écolier.

Formen der Pädagogik heute

Ein französischer Lehrer hat eine viel größere Distanz zu seinen Schülern als ein deutscher. Der Unterricht findet viel öfter als „Frontalunterricht" statt, wo der Lehrer diktiert und die Schüler mitschreiben. Natürlich gibt es auch in der französischen Schule Gruppenarbeit, aber der Grundansatz ist eher ein individuelles Verhältnis

N'oublions pourtant pas qu'en France il y a aussi une tradition pédagogique autre que celle des jésuites. Au 16e siècle déjà, Michel de Montaigne prônait une éducation qui ne soit pas basée sur le principe de « l'entonnoir ». Un élément particulièrement fort de la tradition française est le cartésianisme qui privilégie la rigueur de la pensée « géométrique ».

Der klassische deutsche Bildungsbegriff wurde um 1800 entwickelt. Da in der Gesellschaft der Einzelne immer mehr „verzweckt" würde und sich spezialisieren müsste, wäre eine „volle Menschlichkeit" kaum noch möglich. Deshalb müsse sie durch eine allseitige, ganzheitliche Menschenbildung gefördert werden. Wilhelm von Humboldt sah in der vielseitigen Bildung der Individualität die vornehmste Aufgabe des Menschen. Für ihn war der Zweck des Menschen „die höchste und proportionierlichste Bildung seiner Kräfte zu einem Ganzen".
„…dass daher der wahren Moral erstes Gesetz ist: bilde dich selbst, und nur ihr zweites: wirke auf andere durch das, was du bist."

Wilhelm von Humboldt (1767-1835)

La conception allemande de la *Bildung* remonte à 1800. Pour Humboldt, l'individu doit, s'il veut survivre à l'esprit utilitaire de la société, se réaliser à travers un épanouissement le plus complet possible et approprié à sa personnalité. C'est la raison d'être de l'espèce humaine.

des „Nicht Wissenden" (des Schülers) zum „Wissenden" (dem Lehrer). Das kommt z.B. auch dadurch zum Ausdruck, dass die Mitschreibe dessen, was der Lehrer diktiert hat, die wichtigste Grundlage für die Klassenarbeiten ist.
Die Stärke der französischen Schüler liegt daher in erster Linie in der Fähigkeit, viel Stoff schnell zu lernen und präzise zu reproduzieren. Der Vorteil dieser pädagogischen Tradition ist eine sehr breite Allgemeinbildung.

La pédagogie aujourd'hui

Un enseignant français garde plus ses distances par rapport aux jeunes que le professeur allemand. Les leçons se font plus souvent sous forme de cours magistraux, le professeur dictant et les élèves remplissant leurs cahiers. Bien entendu, il y a aussi à l'école française des travaux de groupe, mais le rapport essentiel est celui qui existe entre le « non-savant » (l'élève) et le « savant » (l'enseignant). Ce n'est pas un hasard si, pour préparer les contrôles, les écoliers utilisent avant

In deutschen Klassenzimmern hingegen gilt tendenziell, dass der Schüler – besonders in den höheren Klassen – an der Erarbeitung des Wissens Anteil hat. Dies geschieht entweder durch mehr Gruppenarbeit, oder aber durch viel mehr Diskussionen in den Unterrichtsstunden. Deshalb gibt es im Deutschen auch den Ausdruck der „konstruktiven Kritik", und in der Schule wird großer Wert darauf gelegt, dass Dinge gemeinsam erarbeitet werden. Die Stärke des deutschen Schülers wird also eher in der Fähigkeit liegen, thematische Zusammenhänge kritisch zu hinterfragen und Gedanken in eine Diskussion einzubringen. Die Vertiefung einzelner Themen geht allerdings auf Kosten der Allgemeinbildung, deren unzureichendes Niveau bei deutschen Schülern oft beklagt wird.

Es ist nicht von der Hand zu weisen, dass die Unterrichtsstile vom Kindergarten bis in die Universität hinein sehr unterschiedlich sind. Jedem Austauschschüler und -lehrer fällt dieser grundlegende Unterschied auf. In den Schulbehörden wird immer mal wieder versucht, neue pädagogische Akzente zu setzen, und dabei liest man im deutschen Kontext oft, es müsse „wieder mehr gelernt" werden, d.h. mehr Wissen reproduziert (was ein Schritt hin zum französischen System wäre). In Frankreich hingegen wird gefordert, mehr vernetztes Denken und eine größere Kritikfähigkeit zu fördern – was ein Schritt in Richtung des deutschen Systems wäre. Es ist interessant zu beobachten, wie schwierig solche Reformversuche sind. Die Erwartungen an die Schule, wie sie von Eltern und Schülern formuliert werden, tendieren eher zur Erhaltung des bekannten Systems.

tout leurs notes qui sont en somme la copie conforme du cours du professeur. La force des élèves qui fréquentent une école française réside avant tout dans leur capacité à vite saisir un grand nombre d'informations et à les reproduire de manière rapide et précise. L'effet positif de cette forme d'enseignement est une culture générale de haut niveau.

Dans les classes allemandes, les élèves prennent part à l'élaboration de ce savoir. Cela se concrétise par davantage de travaux de groupe et par des discussions avec le professeur pendant les heures de cours. C'est pour cette raison que la langue allemande use souvent de l'expression « critique constructive ». A l'école allemande, les sujets abordés sont traités en commun et non pas uniquement par le professeur. La force des élèves allemands réside donc plutôt dans leur capacité à approfondir des sujets complexes et à contribuer au débat à l'intérieur du groupe. L'approfondissement des sujets ne peut se faire qu'au détriment de la culture générale des élèves dont on dit souvent qu'elle est moins bonne en Allemagne qu'en France.

Il est indéniable que de l'école maternelle à l'université, les approches pédagogiques diffèrent de la France à l'Allemagne. Cependant, on tente régulièrement de réformer les traditions pédagogiques. Dans le contexte allemand, on parle souvent de la nécessité « d'apprendre davantage », donc de transmettre plus de connaissances factuelles (ce qui serait un pas vers le système français). En France, par contre, on demande une plus grande capacité de réflexion critique et d'autonomie, ce qui équivaut à se rapprocher de la pratique allemande. Il est

Sozialverhalten in den Klassen

Junge Menschen zwischen 6 und 16 Jahren verbringen die meiste Zeit ihres Lebens in der Schule. Dadurch bekommt die Schule als Organisationsform einen erheblichen Einfluss auf die Sozialisation. Neben Elternhaus und Medienkonsum ist die Schule die wichtigste Sozialisierungsinstanz.

So wie bei den pädagogischen Formen in Frankreich weniger Gruppenarbeit gemacht und in Deutschland weniger abfragbares Wissen vermittelt wird, so werden im französischen System die individuelle Konkurrenz und im deutschen System die Teamfähigkeit vorrangig gefördert. Das heißt natürlich nicht, dass im deutschen Schulsystem keine Konkurrenz besteht, aber sie wird völlig anders dargestellt und wahrgenommen. Französische Schüler lernen sehr früh, dass sie sich dauernd in einem *classement* befinden. Nicht die schülerspezifische Leistung wird als Erstes angeschaut, sondern die Position des Einzelnen im Verhältnis zu den anderen. Dies kann sehr anschaulich anhand der Schulzeugnisse beobachtet werden. Französische Zeugnisse nennen natürlich die individuellen Leistungen des Schülers – das haben sie mit den deutschen gemeinsam. Dann aber werden diese Noten in Beziehung zum Rest der Klasse gesetzt: Man erhält Informationen über die beste und die schlechteste Leistung in diesem Fach, und das Zeugnis nennt auch den Klassendurchschnitt. Für jedes Fach weiß also der Schüler genau, wo er im Verhältnis zu

intéressant d'observer les réactions par rapports à de telles tentatives de changement. Les parents d'élèves, les élèves eux-mêmes et la plupart des enseignants ont en effet tendance à prôner le maintien du statu quo.

Le comportement social à l'école

De 6 à 16 ans, les jeunes passent la plus grande partie de leur vie à l'école. De ce fait, l'école en tant qu'organisation occupe, avec la famille et les médias, une place de choix dans le processus de socialisation des jeunes générations.

Parallèlement aux formes pédagogiques, qui privilégient le travail de groupe dans le système allemand et la transmission des connaissances dans la logique de l'école française, on observe des différences significatives au niveau du comportement social en classe. Les élèves français apprennent à raisonner en termes de concurrence au niveau individuel, leurs collègues allemands sont orientés vers la capacité à travailler en équipe. Ce qui ne veut pas dire qu'il n'y ait pas de concurrence dans le système allemand, cependant celle-ci est perçue et présentée de manière fondamentalement différente. Les élèves français apprennent très tôt qu'ils se trouvent dans une logique de « classement ». On ne prend pas en compte en premier lieu les prestations de l'élève par rapport à ses propres capacités, mais le positionnement de l'individu par rapport au reste de la classe. Une analyse même succincte des bulletins scolaires français et allemands fait ressortir de manière flagrante ces

Les élèves boivent pendant les cours. Certains professeurs se font appeler par leurs prénoms et dans une des classes un professeur se faisait même tutoyer par ses élèves !
Ceux-ci disent franchement ce qu'ils pensent au professeur et le critiquent s'ils ne sont pas d'accord avec lui. Chez nous, il serait impensable de prendre de telles libertés !
Lucie, Classe de troisième

Schulzeugnis aus der 10. Klasse

Baden-Württemberg

Kepler - Gymnasium
Tübingen

Zeugnis des Gymnasiums

Klasse: 10C   Schuljahr 2003/2004

Vor- und Zuname:

Verhalten   **gut**   Mitarbeit   **gut**

Leistungen in den einzelnen Fächern:

Religionslehre (evangelisch)	**gut**	--------------	------------
--------------	------------	Mathematik	**sehr gut**
Deutsch	**gut**	Physik	**sehr gut**
--------------	------------	Chemie	**sehr gut**
Geschichte	**sehr gut**	Biologie	**gut**
Gemeinschaftskunde	**gut**	Sport	**gut**
Englisch	**gut**	Musik	**gut**
Französisch	**gut**	Bildende Kunst	**gut**
--------------	------------	--------------	------------
--------------	------------	--------------	------------

Teilnahme an Arbeitsgemeinschaften:

Bemerkungen: wird versetzt und erhält eine Belobung.

Datum: 15.07.04

_____   _____
Schulleiter   Klassenlehrer/in

Gesehen! Erziehungsberechtigte/r

Notenstufen:
sehr gut (1), gut (2), befriedigend (3), ausreichend (4), mangelhaft (5), ungenügend (6)

Le bulletin scolaire d´une troisième

COLLEGE ELIE FAURE

BP115 - PORT SAINTE FOY

33220 - SAINTE FOY LA GRANDE

Tél : ░░░░░░░ / Fax : ░░░░░░░

Malika - 3D
Née le 06/09/1988 - Demi-pensionnaire
BULLETIN DE NOTES >> 1er Trimestre 2002-2003

Mme ░░░░░░░

Imprimé le : 04/12/2002

Matières / Professeurs	Élève Moy.	Classe Moy.	Max.	Min.	Professeur principal : Mme ░░░░ (26 élèves) - Appréciations générales - Progrès et efforts - Conseils pour progresser
Arts plastiques ░░░░░░	15.5	14.6	17.8	10.3	- Bon travail d' ensemble, sérieux et réfléchi. - Continuez ainsi en essayant de participer plus activement à l' oral.
Education physique et sportive ░░░░░	12.8	12.8	16	10	- Bonne attitude, bon trimestre -
Education musicale ░░░░░░	17	17.1	19.8	13.6	- Bon trimestre - Élève sérieuse, discrète. Bien en chant, très bien à l'écrit - Continue
Francais ░░░░░	13.2	11.7	18.5	4.8	- Ensemble satisfaisant et travail sérieux.
Anglais lv1 ░░░░░	17.3	11	18.8	2.8	Ecrit : 17.4 Oral : 17 - Très bon trimestre à tous points de vue, travail, interêt et participation.
Espagnol lv2 ░░░░░	14.4	10.5	17.6	2.1	Ecrit : 16.3 Oral : 11.4 - Bilan satisfaisant, des qualités à l'écrit, oral mal maîtrisé, se contente de peu, peut mieux faire - Trop de bavardages - Ne négligez aucune activité, prenez confiance en vous, participez plus à l'oral
Histoire et geographie ░░░░░░░	12.4	10.5	16.2	5.8	- Ensemble satisfaisant, des qualités d'analyse - Bonne attitude - Appliquez-vous à l'écrit, plus de rigueur, participez plus à l'oral
Mathematiques ░░░░░	16.5	12.3	17.8	4	- Très bon trimestre. Elève sérieuse et réfléchie. Continuer. -
Physique-chimie ░░░░░░	17.5	14	19.5	5	- Bons résultats. Travail très sérieux. Malika a pris confiance. - Continuez ainsi !
Sciences de la vie et de la terre ░░░░░	11.6	10.2	18	2.2	- Ensemble très moyen et plutot décevant ; il faut fournir un travail plus soutenu et plus personnel . -
TECHNO	14	13.3	17.4	6.2	**Technologie**
Technologie2 ░░░░░	14	11.8	17.4	6.2	- Ensemble assez satisfaisant, élève agréable et appliquée - Travail consciencieux - Persévérez dans cette voie
Latin ░░░░░	15.3	13.9	19.8	4.7	- Très bon trimestre . - Travail sérieux, mais attention à une tendance à la dispersion en classe parfois... - Halte aux bavardages.
Moyenne périodique	14.8				

Vie scolaire : Nombre de demi-journée(s) d'absence : 0 - Nombre de retard(s) : 0

Appréciation de l'équipe pédagogique

Bon trimestre. De belles qualités de réflexion et d'analyse. Travail sérieux. Continuez ainsi.

Le Principal

ATTENTION : Ce bulletin est l'original, il doit être conservé par la famille.

CAMPUS® - © LAUREATS Informatique

Das deutsch-französische Jugendwerk DFJW / L'office Franco-Allemand pour la Jeunesse – OFAJ

Das Deutsch-Französische Jugendwerk (DFJW) ist eine internationale Organisation im Dienst der deutsch-französischen Zusammenarbeit mit zwei Adressen in Berlin und in Paris. Seine Gründung geht auf den Elysée-Vertrag von 1963 zurück. Das DFJW ermöglicht jungen Deutschen und Franzosen mittels finanzieller und pädagogischer Unterstützung im Nachbarland, aber auch in anderen Ländern Europas und weltweit, Jugendliche zu treffen.
Das DFJW fördert und unterstützt Austausch und Begegnung von Jugendlichen, interkulturelles Lernen, Sprachmotivation, berufliche Qualifikation, pädagogische Fortbildung und begleitende Forschung zu diesen Themen.
L'Office Franco-Allemand pour la Jeunesse (OFAJ) est une organisation internationale au service de la coopération franco-allemande avec deux adresses, l'une à Paris, l'autre à Berlin. Il a été créé en 1963 par le Traité de l'Elysée. En apportant son soutien financier et pédagogique aux projets et rencontres, l'OFAJ permet aux jeunes Français et aux jeunes Allemands de se rencontrer, voire même de rencontrer des jeunes d'autres pays d'Europe ou du monde. www.ofaj.org Depuis sa création, l'OFAJ n'a cessé de favoriser et soutenir les rencontres de jeunes, le dialogue interculturel, l'apprentissage linguistique, la formation professionnelle, la formation pédagogique et la recherche appliquée aux rencontres.

Die Schulprogramme des DFJW / Les Programmes scolaires de l'OFAJ
Le programme Voltaire: Das Programm richtet sich an Schüler der 9. und 10. Klasse. Die deutschen Schüler nehmen zuerst ihren französischen Austauschpartner für 6 Monate auf und fahren anschließend nach Frankreich, wo sie in der Familie ihres Austauschpartners wohnen.
Le programme Voltaire: Ce programme d'échange s'adresse à des élèves de seconde. Les élèves français séjournent dans leur famille d'accueil allemande pendant 6 mois et accueillent leur correspondant allemand en France pour les 6 mois suivants.

Das Brigitte Sauzay Programm: Dieses Programm richtet sich an Schüler in der 8. oder 9. Klasse. Die deutschen Schüler bleiben in der Regel drei Monate in Frankreich. Während ihres Aufenthaltes sind die deutschen Schüler in der Familie ihres Austauschpartners untergebracht und besuchen mindestens sechs Wochen lang den französischen Unterricht. Im Gegenzug nehmen die deutschen Schüler ihren französischen Partner in ihrer Familie auf.
Le programme Brigitte Sauzay: Ce programme s'adresse aux élèves en classe de quatrième ou de troisième qui veulent passer trois mois dans une famille dans l'autre pays. L'élève assiste aux cours dans l'établissement partenaire au moins pendant six semaines. Il est hébergé dans une famille allemande ayant un enfant du même âge. A son tour, le jeune Allemand séjourne en France.

den anderen steht. Nicht so im deutschen Zeugnis: Dort geht es um die Leistung des Einzelnen als solche, nicht um ein schulisches „ranking".

différences. En France, on mentionne bien sûr les notes individuelles, tout comme dans les bulletins allemands. Mais ces notes sont mises en rapport avec les prestations de la

Ein zweiter Punkt, der auffällt und der auf einen großen Unterschied zwischen der deutschen und französischen Gesellschaft hinweist, betrifft den Umgang mit Regeln. Deutsche Schüler lernen sehr früh, sich in der Gruppe selbst Regeln zu geben – dies kann zwar prinzipiell auch in französischen Klassen gemacht werden und in neuerer Zeit haben dies Lehrer in der Grundschule auch versucht, allerdings ist es nicht die Regel. Die Einübung von Selbstverpflichtung führt Schüler zu einem Verhalten, in dem sie die Autorität durchaus infrage stellen, die selbst eingeführten Regeln aber stärker respektieren werden. In der französischen Tradition wird die Autorität des Lehrers kaum infrage gestellt, die Regeln aber soweit wie möglich umgangen oder ausgehebelt.

classe entière. Le bulletin nous informe sur la meilleure note et sur la plus mauvaise, ainsi que sur la moyenne générale de la classe. Dans chaque matière, l'élève (et ses parents) peut situer sa place dans le classement général. Le bulletin allemand en dit beaucoup moins long : ce sont avant tout les notes individuelles qui comptent et non la place d'un élève par rapport aux autres.

La seconde différence concerne la façon dont sont gérées les normes et les règles dans les sociétés allemande et française. Les élèves allemands apprennent très tôt à définir eux-mêmes les règles qui régissent le groupe. Il est bien sûr possible d'imposer le même exercice d'autorégulation dans les classes françaises. Dans la société (et l'école) française, on s'attend beaucoup plus à ce que les règles soient dictées par les autorités. Dans le système allemand, les élèves remettent volontiers en question l'autorité mais respectent plus facilement les règles. L'approche française les amène à respecter l'autorité mais à contourner les règles, dans la mesure du possible..

09

Ausbildung und Studium

Formation professionnelle et enseignement supérieur

In der Europäischen Union sind die jeweiligen nationalen Bildungssysteme in Bewegung geraten, und zwar sowohl durch die erhöhten Anforderungen an den zunehmend internationalen Arbeitsmarkt als auch durch die Bestrebungen der EU, einen gemeinsamen Hochschul- und Forschungsraum zu schaffen. Die nationalen Traditionen wirken aber noch in erheblichem Maße fort, so dass eine gelungene deutsch-französische Zusammenarbeit auf diese gewachsenen Unterschiede Rücksicht nehmen muss. Gleichzeitig gibt es wie in anderen Bereichen der Gesellschaft auch eine Tendenz zur Angleichung der Situation. Beide Aspekte, die Fortdauer der nationalen Traditionen und die gleichzeitige Annäherung, gelten für den Bereich der Berufsbildung ebenso wie für den Bereich der Hochschulen und der Forschungseinrichtungen.

Depuis quelques années, sous l'effet conjugué des exigences accrues d'un marché du travail de plus en plus international et des efforts de l'Union européenne pour créer un espace européen de l'enseignement supérieur et de la recherche, les systèmes de formation des pays membres de l'UE ont connu d'importantes évolutions. Toutefois, ces différents systèmes de formation gardent l'empreinte de traditions nationales persistantes, qui doivent être prises en compte dans la coopération franco-allemande. En même temps, on observe dans les domaines de la formation professionnelle et de l'enseignement supérieur la même tendance au rapprochement des situations nationales que dans d'autres secteurs de la société. Ces deux aspects concomitants, c'est-à-dire la pérennité des traditions nationales et la tendance des différents systèmes à s'adapter les uns aux autres, valent autant pour la formation professionnelle que pour l'enseignement supérieur et la recherche.

Berufliche Bildung

Es gibt kaum einen anderen Bereich im Bildungssystem, in dem sich Deutschland und Frankreich seit Jahrzehnten mit so unterschiedlichen Konzepten gegenüber stehen. In Frankreich hat man seit den späten 60er Jahren das traditionelle handwerkliche Ausbildungssystem im Betrieb zugunsten einer vorwiegend schulischen Berufsausbildung abgelöst. Je höherwertiger das erworbene schulische oder auch universitäre Diplom, desto höher das An-

La formation professionnelle

Aucun autre domaine des systèmes de formation français et allemand ne compte autant de divergences conceptuelles que celui de la formation professionnelle. En France, depuis la fin des années 1960, la plupart des formations professionnelles sont scolarisées et ce modèle basé sur la scolarisation a remplacé le système traditionnel d'apprentissage à l'atelier ou à l'usine. Dans

sehen des Absolventen. In dieser Logik wurden über viele Jahre zahlreiche Ausbildungsberufe an höhere Bildungseinrichtungen verlagert, so dass ein Ausbildungsgrad „Abitur plus 2 Jahre" als akademischer Abschluss gilt (z.B. die sehr erfolgreichen *BTS, brevet de technicien supérieur),* während vergleichbare Berufsqualifikationen in Deutschland durch das duale System (Hauptschule oder Realschule plus 3 Jahre betriebliche Ausbildung oder Abitur plus 2 Jahre betriebliche Ausbildung) erworben werden. Das Ergebnis ist durchaus vergleichbar, aber das französische gilt als akademischer Abschluss, der deutsche Beruf aber nicht, im deutschen System steht die berufliche Praxis stärker im Vordergrund als in Frankreich.

Vereinfacht kann man sagen, dass in den letzten Jahrzehnten im französischen System auf möglichst hohe und auch formell anerkannte Diplome geachtet wurde, in Deutschland mehr auf die handwerkliche Fertigkeit. Die Folge war und ist immer noch, dass die Berufsbildung in Frankreich dominant schulisch ist – wobei natürlich die schulische Ausbildung auch berufspraktische Elemente beinhaltet – während sie in Deutschland dominant betrieblich ist – wobei auch das deutsche System die Berufsschule als begleitende Schule kennt. Im traditionellen deutschen so genannten „dualen System" beginnt der Auszubildende sofort mit der Tätigkeit im Betrieb und besucht im Wechsel mit der lernenden praktischen Tätigkeit die Berufsschule. Der Begriff „Auszubildender", der den umgangssprachlichen „Lehrling" abgelöst hat, hat mehr soziales Prestige als der *apprenti*

cette perspective, plus un élève obtiendra un diplôme scolaire ou universitaire élevé, plus il sera considéré. Ainsi, en France, on a assisté ces dernières décennies au transfert progressif de nombreux types de formation vers des établissements universitaires, si bien que le niveau « BAC +2 » correspond systématiquement à un degré de l'enseignement supérieur (c'est le cas par exemple des BTS), alors qu'en Allemagne les élèves acquièrent des qualifications professionnelles semblables dans le cadre du système dual, un système qui permet aux diplômés de l'enseignement secondaire de faire un apprentissage sous contrat en entreprise (soit pendant 3 années après la *Hauptschule* ou la *Realschule* soit pendant 2 années après le baccalauréat). Même si, au final, ces deux systèmes de formation débouchent sur des résultats assez identiques, le diplôme obtenu en France est un diplôme de l'enseignement supérieur, ce qui n'est pas le cas en Allemagne. Pour le dire de manière simplifiée, dans le système français, on prête une attention toute particulière aux diplômes, symboles d'une reconnaissance officielle que l'on voudrait être la plus haute possible, et moins aux savoir-faire et compétences pratiques qu'en Allemagne. Aussi, en France, la formation professionnelle demeure-t-elle essentiellement scolaire (même si cette formation scolaire a évidemment un lien avec la pratique professionnelle), tandis qu'une place prépondérante est accordée à l'apprentissage direct en entreprise en Allemagne (néanmoins, le système allemand comprend également des écoles professionnelles qui accompagnent ces processus de formation en entreprise). Conformément au traditionnel système dual allemand, les apprentis commencent

im französischen System, denn als *apprenti* arbeitet dort vor allem derjenige, dem ein höherwertiges Diplom nicht zugänglich war. In Deutschland hingegen machen auch viele Abiturienten eine berufliche Ausbildung (Lehre), und es gibt sogar Lehrberufe, zu denen fast nur Abiturienten eingestellt werden.

leur formation directement par la pratique, au sein d'une entreprise, et suivent en alternance des cours généraux ou plus théoriques dans des écoles professionnelles. En allemand « *Auszubildender* » (que l'on peut traduire littéralement comme « celui devant être formé ») est un terme chargé d'un prestige social dont le terme français « apprenti »

Das Deutsch-französische Sekretariat (dfs) für den Austausch in der beruflichen Bildung mit Sitz in Saarbrücken bietet Berufsschulen und Unternehmen die Möglichkeit, Stipendien für Auszubildende zu beantragen, die eine gewisse Zeit in einem Betrieb oder einer Schule des anderen Landes verbringen möchten. Die Angebote richten sich auch an Fortbildungsmaßnahmen. (www.dfs-sfa.org)
Le Secrétariat franco-allemand (sfa) pour les échanges en formation professionnelle et formation continue siège à Sarrebruck. Les entreprises et les écoles de formation professionnelle peuvent demander des bourses pour des stages en entreprises pour les jeunes en formation. L'offre s'adresse également aux mesures de formation continue. (www.dfs-sfa.org)

Programm des Deutsch-französischen Jugendwerks : Praktika und Treffen für Auszubildende und Handwerker (www.dfjw.org)
Programme de l'Office franco-allemand de la jeunesse : Stages et rencontres pour jeunes apprentis et futurs artisans (www.ofaj.org)

Das Programm „Gemeinsam mehr Chancen" der Robert Bosch Stiftung fördert Initiativen zur Förderung der Mobilität von Berufsschülern, wobei es vor allem um die stärkere Vernetzung der Akteure geht. (www.bosch-stiftung.de)
Le programme « Avancer ensemble » de la Robert Bosch Stiftung soutient des initiatives en faveur de la mobilité des jeunes en formation professionnelle. L'objectif est une meilleure mise en réseau des acteurs publics et privés. (www.bosch-stiftung.de)

Diese sehr unterschiedliche Situation mit den beiden genannten Traditionen hat in Frankreich immer wieder Politiker dazu veranlasst, das deutsche System als vorbildlich und modellhaft zu bezeichnen. Seit einigen Jahren gibt es eine deutliche

ne bénéficie pas, car, dans le système français, on sous-entend qu'un apprenti est quelqu'un qui ne peut pas poursuivre sa formation scolaire et prétendre à un diplôme supérieur. En revanche, en Allemagne, nombreux sont les bacheliers à s'engager dans la

Aufwertung der beruflichen Ausbildung in Frankreich, die von vielen Unternehmen unterstützt wird. Die Anzahl der Ausbildungsverträge ist stark angestiegen, wobei man vor allem die Jugendlichen gewinnen wollte, die ohne Erfolg aus dem Schulsystem ausgeschieden waren. Ziel ist es, in wenigen Jahren 500.000 Lehrlingsverträge abzuschließen. Es wird seit Jahren versucht, auch leistungsstarke Jugendliche für eine betriebliche Ausbildung zu motivieren, um so das negative Image zu verbessern. Mittelfristig kann sich dieser Versuch der Aufwertung der beruflichen Ausbildung auf viele Berufe positiv auswirken. Hinzu kommt in Frankreich, dass die Zuständigkeiten für die Ausgestaltung des gesamten Berufsbildungsangebots auf die *Régions* übertragen worden ist. Damit können die regionalspezifischen Bedürfnisse bei der Konzeption von dualer Ausbildung berücksichtigt werden.

In Deutschland hat es eine gegenläufige Bewegung gegeben: Mehr und mehr Berufe werden nicht mehr im klassischen beruflichen dualen System unterrichtet, sondern werden durch spezialisierte Fachschulen vermittelt. Heute sind fast 50% der Auszubildenden in rein schulischen Ausbildungsberufen, nur die Hälfte also besucht das traditionelle duale Ausbildungssystem. Das liegt einerseits daran, dass es viele neue Berufsbilder gibt, die nicht im Betrieb ausgebildet werden (können), andererseits daran, dass zahlreiche Jugendliche nach dem Besuch der Pflichtschule ein oder zwei weitere Jahre in berufsvorbereitenden Schulen verbringen, um dann in die eigentliche Berufsausbildung zu gehen.

voie de la formation professionnelle en alternance et il existe même des secteurs professionnels qui ne prennent pratiquement que des bacheliers en apprentissage.

Au regard de ces deux traditions et des différences de situation qui en découlent, certains hommes politiques français n'ont eu cesse de réclamer de prendre modèle sur le système allemand. D'ailleurs, depuis quelques années, la formation professionnelle a été fortement valorisée en France. On observe une augmentation considérable du nombre de contrats d'apprentissage, surtout ceux destinés aux jeunes en situation d'échec scolaire ou ayant quitté l'école, et l'objectif est d'atteindre le nombre de 500000 contrats d'apprentissage dans un futur proche. De même, ces dernières années, diverses tentatives ont été amorcées pour encourager également les bons élèves à s'orienter vers une formation professionnelle et améliorer ainsi l'image véhiculée par l'apprentissage en France. De plus, la mise en valeur de la formation professionnelle pourrait avoir à court terme des retombées positives pour certains secteurs professionnels. A cela faut-il ajouter que, en France, toutes les compétences relatives à l'offre de formation professionnelle ont été transférées aux régions, permettant une meilleure prise en compte de la spécificité des besoins régionaux dans la conception des programmes de formation en alternance.

En Allemagne, c'est une évolution en sens inverse qui s'est opérée ces dernières années : de plus en plus de jeunes apprennent un métier en dehors du traditionnel système dual de formation professionnelle, dans des écoles techniques spécialisées. Aujourd'hui, près de la moitié des apprentis allemands

Die Hochschulen

Universitäten gehören seit dem Hochmittelalter zur europäischen Kultur. Weltberühmte Namen wie Bologna, Sorbonne, Oxford oder Heidelberg stehen für Qualität und Fortschritt des Wissens. Hochschulstudien sind heute nicht mehr eine Sache für eine kleine Minderheit, sondern für die Mehrheit einer Generation. Die nationalen Traditionen sind in jedem europäischen Land unterschiedlich, und zwischen dem deutschen und dem französischen System gibt es grundlegende Unterschiede. Allerdings hat seit einigen Jahren in Europa ein Reformprozess eingesetzt, der Vieles in beiden Ländern verändert: Der so genannte Bologna-Prozess soll die Vergleichbarkeit der Studienabschlüsse gewährleisten und dadurch die Mobilität erhöhen. Für deutsche wie für französische Hochschulen heißt dies, die Lehrpläne an ein zweistufiges System anzupassen. In der Regel gibt es den ersten Abschluss nach 3 Jahren, die nächste Stufe nach weiteren 2 Jahren.

Aber auch wenn die Abschlüsse ähnlich aussehen und sogar die Studienleistungen durch das ECTS-System (European Credit Transfer System) verglichen werden sollen, bleiben die Unterschiede der Konzeption eines Studiums doch sehr unterschiedlich und von den nationalen Traditionen geprägt. Für Studenten, die einen Teil ihrer Ausbildung im jeweiligen Nachbarland verbringen wollen, ist eine bessere Kenntnis der Unterschiede unverzichtbar, wenn der Auslandsaufenthalt nicht zu einem fruchtlosen Abenteuer werden soll.

fréquentent des organismes de formation professionnelle strictement scolaires, ce qui marque un net recul du système dual. Cette situation tient, d'une part, au fait que nombre de métiers et savoirs nouveaux ne peuvent plus être directement transmis au sein d'une entreprise. D'autre part, de plus en plus de jeunes doivent, après leur scolarisation obligatoire, passer une ou deux années supplémentaires de mise à niveau dans des écoles de préparation à la formation professionnelle avant de pouvoir débuter leur apprentissage.

Les établissements d'enseignement supérieur

Depuis le Moyen Âge, les universités constituent une part essentielle de la culture européenne. Bologne, la Sorbonne, Oxford, ou Heidelberg sont autant d'universités européennes reconnues dans le monde entier comme des hauts lieux du savoir et du progrès de la science. Aujourd'hui, l'enseignement supérieur n'est plus réservé à une petite minorité comme autrefois, mais accueille la majorité des jeunes d'une génération. En Europe, les universités et l'enseignement supérieur sont ancrés dans des traditions nationales très variables d'un pays à l'autre. Cependant, depuis quelques années, un processus de réforme de l'enseignement supérieur, communément appelé le processus de Bologne, a été mis en oeuvre à l'échelle européenne. Ce processus, dont l'objectif est de faciliter la comparaison et la reconnaissance des diplômes nationaux et ainsi d'accroître la mobilité des étudiants, a déjà occasionné de nombreux changements aussi

Deutsche Universitäten – Humboldts Erbe

Die deutsche Universitätslandschaft bleibt von den Grundzügen der humboldtschen Universitätsreform des frühen 19. Jhs. geprägt. Die großen Fortschritte des allgemeinen und naturwissenschaftlichen Wissens während der Aufklärung machten eine Neudefinition erforderlich. Humboldts Konzept, das sich in Deutschland durchsetzte und bald für andere Länder als vorbildlich galt, ging von einer engen Verbindung von Lehre und Forschung aus. Grundlagenforschung und angewandte Forschung wurde in eigenen Instituten gepflegt. Die Universitäten ihrerseits sollten ihren Bildungsauftrag durch eigenständige, unabhängige Forschung erfüllen. Bildung wird dabei ganzheitlich verstanden, deshalb darf in diesem Verständnis „Universität" nur jene höhere Bildungseinrichtung heißen, die alle Fakultäten vereint und damit den letztlich philosophisch fundierten Dialog der Wissenschaften erlaubt. Mit dieser Auffassung wendet sich das Universitätsmodell gegen die Spezialschulen und die rein nutzorientierte Forschung, die zwar weiterhin existiert und gute Ergebnisse erzielt, die aber in der Hierarchie deutlich unter den Universitäten stehen. In diesem Modell ist die zentrale Figur der Professor, der für die Einheit von Lehre und Forschung steht. Aus dieser Zeit stammt das erhebliche soziale Prestige des Professors in Deutschland, das zwar abgenommen hat, aber heute noch spürbar ist.

Die aktuelle Situation

Der Alltag an deutschen Universitäten im 21. Jh. ist von dieser Grundkonzeption bis heute geprägt. Die wesentlichen

bien en France qu'en Allemagne. Dans ces deux pays, une réforme des études supérieures a été engagée et s'est traduite par la mise en place d'une structure en deux cycles - un premier cycle de trois années débouchant sur un diplôme de type licence ou bachelor et un second cycle de deux années menant au grade de master. Toutefois, même si les diplômes délivrés dans les différents pays de l'UE correspondent à des grades semblables et que le système ECTS (European Credit Transfer System) permet une meilleure lecture et comparaison des programmes d'études nationaux et de la charge de travail qu'ils impliquent, de nombreuses différences persistent. Ainsi, les étudiants qui souhaitent faire une partie de leurs études dans un autre pays européen doivent absolument disposer d'une meilleure connaissance de ces spécificités nationales s'ils veulent profiter pleinement de cette opportunité.

Les universités allemandes – l'héritage de Humboldt

Le paysage universitaire allemand actuel porte encore la marque de la réforme des universités lancée par Wilhelm von Humboldt au début du 19e siècle. En raison des progrès considérables accomplis dans de nombreux domaines de la connaissance pendant les Lumières, un renouveau des universités était devenu nécessaire. Au centre de la réforme de Humboldt se trouvait la volonté d'un lien plus étroit entre l'enseignement et la recherche, et cette conception de l'université finit par s'imposer en Allemagne, avant d'être prise pour modèle dans d'autres pays. La recherche fondamentale fut isolée de la recherche appliquée afin de permettre aux universités de mener leurs travaux

pädagogischen Formen sind dem Ideal der Einheit von Forschung und Lehre geschuldet. Im Idealfall bietet die Vorlesung des Professors den jeweils neuesten Forschungsstand. Im Seminar werden Studenten von Anfang an in die Methodik wissenschaftlichen Arbeitens eingeführt – sie sind nicht nur Lernende, sondern kooperieren bei der Produktion von Erkenntnis und Wissen. Deshalb gilt es für Studienanfänger von der Schule an die Universität einen großen Schritt zu vollziehen. Für Studenten aus anderen europäischen Ländern, auch aus Frankreich, ist diese Verbindung von Lehre und Forschung vom ersten Studienjahr an ungewohnt. Da die Erwartungshaltungen und die akademischen Normen von Land zu Land variieren, kommt es trotz der Austauschprogramme immer wieder zu Anerkennungsproblemen der jeweiligen Studienleistungen.

Nachdem die deutschen Universitäten seit den 60er Jahren zu Massenuniversitäten geworden sind, blieb das Niveau im Durchschnitt zwar hoch, aber die einstige Spitzenstellung deutscher Universitäten im weltweiten Vergleich ging verloren. Daher gibt es seit einigen Jahren eine so genannte „Exzellenzinitiative", mit der alle Universitäten zum Wettbewerb um sehr hohe staatliche Fördermittel aufgerufen sind. Mit diesen zusätzlichen Millionen soll es einigen Universitäten ermöglicht werden, zur Weltspitze aufzuschließen. Die Folge wird sein, dass zwischen den deutschen Universitäten immer größere Unterschiede bestehen werden.

Die Konkurrenz zwischen den deutschen Universitäten führt zu immer stärkerer Pro-

scientifiques en toute indépendance, sans influence extérieure, car cette liberté académique était considérée comme la meilleure garantie d'un enseignement de qualité. De même, dans cette perspective humboldtienne n'étaient reconnus comme universités que ces établissements d'enseignement supérieur qui hébergeaient toutes les facultés et participaient ainsi à la confrontation des idées et au dialogue entre les disciplines si chers aux philosophes de l'époque. En d'autres termes, ce modèle donna la priorité à la recherche fondamentale au sein de l'université. Celle-ci se distingua ainsi des écoles spécialisées et des établissements dédiés à l'application pratique de la science dont l'existence ne fut pas remise en cause et qui continuèrent de produire de bons résultats malgré leur relégation au second plan dans la hiérarchie scientifique. Enfin, un autre aspect de ce modèle allemand de l'université est la place centrale qu'y occupe la figure du professeur, acteur et garant de l'unité de l'enseignement et de la recherche.

Situation actuelle des universités allemandes

Aujourd'hui, ce principe fondamental hérité du 19e siècle continue à marquer le quotidien des universités allemandes et les cours qui y sont dispensés illustrent très bien l'unité de la recherche et de l'enseignement. Dans l'idéal, les cours magistraux sont l'occasion pour les professeurs de présenter l'état actuel de la recherche dans leur discipline. Dès les premiers séminaires, les étudiants doivent être initiés aux méthodes du travail scientifique – en cela, les étudiants sont à l'université à la fois pour apprendre et pour participer à la production de savoirs et de

filbildung und Konzentration auf einige Fächer und Fakultäten. Dies gilt natürlich für die alten, sehr renommierten Technischen Universitäten, zunehmend gibt es aber auch Universitäten, die sich auf Betriebswirtschaft oder Jura konzentrieren. Einige davon sind in privater Trägerschaft und erheben beträchtliche Studiengebühren. Allerdings haben bisher nur sehr wenige private Universitäten Erfolg gehabt, einige Projekte mussten sogar wieder eingestellt werden.

In dem Maße, wie die Konkurrenz und die Leistungsunterschiede zwischen den Universitäten zunimmt, wird auch die Selektion stärker. Und zwar in beide Richtungen: Die Studenten drängen an die Universitäten (und andere Hochschulen), die einen besonders guten Ruf und in den sehr zahlreichen Rankings gute Plätze belegt haben. Und die renommierten Universitäten können sich mehr und mehr ihre Studenten durch eigene Selektionsverfahren selbst aussuchen. Allerdings bleibt trotz unterschiedlicher Rekrutierungsverfahren eine gute Abiturnote immer noch der beste Türöffner für eine qualitätsvolle Hochschulausbildung.

Fachhochschulen und Berufsakademien

Zu den Hochschulen in Deutschland gehören auch die Fachhochschulen. Sie wurden seit den 50er Jahren in hoher Anzahl gegründet, als immer mehr junge Menschen eine höhere Berufsausbildung suchten, ohne deshalb das hohe Forschungs- und Bildungsideal der Universität einlösen zu wollen. Das Studium an einer Fachhochschule gilt bis heute als praxisorientierter

connaissances. Dès lors, les étudiants allemands ont parfois du mal à franchir le fossé immense qui sépare le lycée de l'université sans parler des étudiants d'autres pays européens, notamment les Français, pour qui ce lien entre enseignement et recherche dès la première année est tout à fait inhabituel.

Avec le phénomène de massification qui a débuté dans les années 1960 et même si leur niveau reste en moyenne assez élevé, les universités allemandes ne figurent plus depuis longtemps parmi les meilleures universités au monde. Pour remédier à cette situation, les pouvoirs publics ont lancé une « initiative de l'excellence », où les universités sont amenées à concourir entre elles en vue de subventions très importantes. Les universités auxquelles ce prix de l'excellence a été décerné ont bénéficié de millions supplémentaires qui sont censés les aider à se hisser en haut du palmarès international, au risque de creuser les écarts déjà importants entre les universités du pays.

En effet, dans ce contexte de concurrence accrue entre les universités allemandes, certaines cherchent une meilleure visibilité par la concentration sur quelques facultés et disciplines : c'est le cas bien sûr pour les universités techniques, qui comptent au nombre des plus célèbres du pays, et, de plus en plus, de celles qui se concentrent sur l'enseignement des sciences économiques et juridiques. Certains de ces établissements sont privés et exigent des frais de scolarité très élevés Mais, jusqu'à présent, le succès des universités privées a été limité et certains projets ont même dû être abandonnés.

und verspricht eine effiziente Vorbereitung auf den Arbeitsmarkt für gut qualifizierte Absolventen. Die Unterschiede zur Universität haben abgenommen – die Fachhochschulen forschen und verleihen den Doktorgrad. Auch ihr Prestige hat zugenommen, renommierte Fachhochschulen können sich heute die besten Abiturienten für ihre stark nachgefragten Studiengänge aussuchen. Ihre Internationalisierung steht der deutscher Universitäten in nichts nach, viele deutsch-französische Studiengänge sind in und mit Fachhochschulen organisiert.

Eine Sonderform, die in den 70er Jahren in Baden-Württemberg entstand und heute auch in anderen Bundesländern existiert, sind die Berufsakademien. Hier werden dreijährige Studiengänge angeboten, wobei die Hälfte der Zeit in einem Unternehmen absolviert wird. Es handelt sich also um eine duale Hochschulausbildung, bei der die Studenten einen Vertrag mit dem Unternehmen abschließen und einen akademischen Grad erwerben. Diese heute fest etablierte duale Form akademischer Ausbildung wurde von großen deutschen Unternehmen eingefordert, die möglichst viele Abiturienten in hochwertige betriebliche Ausbildung bringen wollten.

Universitäten in Frankreich

Französische Universitäten haben eine völlig andere historische Entwicklung genommen als die deutschen und auch ihr Platz in der heutigen Gesellschaft ist ein anderer. Bis zum 18. Jh. verlief die Entwick-

L'intensification de la concurrence et des différences de niveau entre universités s'est également accompagné d'un durcissement de la sélection des étudiants, pour deux raisons : d'une part, le nombre d'étudiants à vouloir entrer dans les universités et autres établissements d'enseignement supérieur les mieux placés dans les classements ne cesse d'augmenter et, d'autre part, ces universités réputées peuvent de plus en plus se permettre de choisir leurs étudiants par des procédures de sélection spécifiques. Malgré tout, avoir de bonnes notes à l'Abitur reste le meilleur sésame pour l'entrée dans un établissement d'enseignement supérieur de qualité.

Fachhochschulen et Berufsakademien

En Allemagne, il existe d'autres types d'établissement d'enseignement supérieur que les universités : les Fachhochschulen (instituts spécialisés d'enseignement supérieur) et les Berufsakademien (littéralement académies professionnelles).

Depuis les années 1950, le succès des Fachhochschulen ne s'est jamais démenti car elles représentent une véritable alternative pour un nombre croissant de jeunes qui ne se reconnaissent pas dans l'idéal de formation et de recherche des universités. En effet, les cursus proposés par les Fachhochschulen sont davantage orientés vers la pratique et s'avèrent être d'excellentes préparations à l'entrée sur le marché du travail. Par ailleurs, peu à peu, les différences entre universités et Fachhochschulen s'amenuisent et ces dernières sont de plus en plus nombreuses à faire de la recherche et à ouvrir des formations doctorales. Le prestige de ces établissements d'enseignement supérieur n'a cessé de grandir et les plus réputés d'entre eux peuvent

lung der Universitäten in Europa weitgehend parallel. Als im späten 18. und frühen 19. Jh. die Anforderungen moderner Wissenschaft eine Anpassung erforderlich machten, trennten sich die Entwicklungslinien in Deutschland und Frankreich. Kann man noch in beiden Ländern die Schaffung von technischen Spezialschulen als Reaktion auf die Nachfrage nach Ingenieuren beobachten, beendet Frankreich in der Revolution die universitäre Tradition, während die deutschen Universitäten mit dem humboldtschen Modell einen anderen Weg beschreiten.

Die Revolutionäre wollten alle aus dem Ancien Régime stammenden Organisationsformen abschaffen und neue, demokratischere Bildungseinrichtungen schaffen. 1793 wird die französische Universität offiziell geschlossen, und für fast 100 Jahre gab es nur wenige „Restfakultäten", die ihre Forschungs- und Wissenstradition fortsetzen konnten. Im Mittelpunkt der von Napoleon gegründeten *université impériale* standen nun die zahlreich gegründeten Spezialhochschulen *grandes écoles*, die auf unmittelbar nützliches Wissen ausgerichtet waren. Alle Hochschulen unterstanden der zentralen Kontrolle des Staates.

Die offizielle Wiedereröffnung der französischen Universitäten erfolgte erst nach 1870, wobei man sich an den renommierten deutschen Universitäten orientierte. Dabei galt die starke Forschungsorientierung als vorbildlich und auch die Verbindung aller Fächer unter einem ideellen Dach allgemeinen Wissens schien wünschenswert. Allerdings übernahm nicht die Philosophische Fakultät die verbindende Rolle, sondern im Geiste des Positivismus

aujourd'hui sélectionner leurs recrues parmi les meilleurs bacheliers tant certaines formations sont prisées. Enfin, du point de vue de leur internationalisation, les *Fachhochschulen* n'ont rien à envier aux universités et sont, par exemple, impliquées dans de nombreux cursus franco-allemands.

Quant aux *Berufsakademien*, les premières ont été fondées dans les années 1970 dans le Bade-Wurtemberg. Ces établissements proposent une formation en trois ans, dont la moitié se déroule au sein même d'une entreprise. Il s'agit donc d'études supérieures en alternance où les étudiants sont liés à une entreprise par un contrat et à la fin desquelles ils obtiennent un diplôme universitaire. Ce mode d'enseignement supérieur en alternance, aujourd'hui très reconnu, a été instauré sur demande des grandes entreprises allemandes qui voulaient qu'un grand nombre de bacheliers reçoivent une formation économique et commerciale de qualité pour pouvoir faire carrière au sein de leurs services.

Les universités en France

L'histoire des universités françaises n'est en rien comparable à celle de leurs voisines allemandes, et leur place au sein de la société contemporaine est tout à fait différente. En Europe, jusqu'au 18e siècle, toutes les universités avaient connu une évolution pratiquement identique. Mais lorsque, vers la fin du 18e et au début du 19e siècle, les exigences de la science moderne rendirent le changement inéluctable, les universités françaises et allemandes empruntèrent des chemins

des späten 19. Jh. wurden in Frankreich die Naturwissenschaften und vor allem die Mathematik zur Leitwissenschaft. Diese hohe Bewertung der Naturwissenschaften wirkt sich bis heute in den Gymnasien aus, wo die mathematischen Klassen das höchste Prestige haben und Grundlagen für die besten Karrierechancen bieten.

Die Situation heute

Die französischen Universitäten sind heute ebenso wie die deutschen zu Massenuniversitäten geworden. Durch die besondere historische Entwicklung stehen die Universitäten in Konkurrenz zu den Spezialschulen, den *grandes écoles,* die ein höheres soziales Prestige haben. Universitäten sind nur in einigen Fächern die unbestritten besten Lehr- und Forschungseinrichtungen, vor allem in Jura und Medizin. In allen anderen wissenschaftlichen Bereichen haben sie gegenüber den *grandes écoles* das Nachsehen. Dies äußert sich etwa in den finanziellen Ausstattungen, angefangen bei den Gebäuden, aber auch bei den Bibliotheken und sonstiger Infrastruktur. Diese unbefriedigende Situation wird noch dadurch verstärkt, dass die Forschung im französischen System nicht automatisch an den Fakultäten angesiedelt ist, sondern durch so genannte *laboratoires de recherche* von der zentralen Forschungsagentur *CNRS (Centre national de la recherche scientifique)* übernommen wird. Diese weitgehende Trennung von universitärer Lehre und wissenschaftlicher Forschung (Forscher können an den Universitäten lehren, müssen es aber nicht) ist als unbefriedigend empfunden worden, weshalb seit wenigen Jahren die Forschung an den

différents. Même si, à cette époque, les deux pays réagirent de la même façon aux besoins en ingénieurs en fondant des écoles techniques spécialisées, ils étaient loin de partager la même conception des universités.

En France, les révolutionnaires voulurent supprimer toutes les formes d'organisation héritées de l'Ancien Régime et instaurer de nouvelles institutions plus démocratiques pour la transmission des savoirs et des connaissances. En 1793, un décret proclama la fermeture officielle des universités et, pendant près de cent ans, seules quelques facultés de moindre importance purent poursuivre leurs activités. Quant à l'université impériale créée par Napoléon, il s'agissait d'un corps d'Etat unique réunissant les cinq facultés (facultés de théologie, de droit, de médecine, des sciences et des lettres) et l'enseignement des disciplines techniques fut alors confié à des écoles spécialisées, orientées vers l'application concrète des savoirs. Ce partage des disciplines fut à l'origine du système des grandes écoles en France.

Il fallut attendre 1870 pour que les universités françaises puissent de nouveau ouvrir leurs portes et c'est à cette époque que l'exemple des universités allemandes, alors très renommées, suscita le plus grand intérêt. La place prépondérante accordée à la recherche dans les universités allemandes était perçue comme exemplaire et l'idée de rassembler toutes les disciplines sous la bannière commune du progrès de la science fut également reprise par les universités françaises. Mais, dans l'esprit du positivisme de la fin du 19e siècle, ce rôle unificateur ne revint pas aux facultés de philosophie, ce furent les sciences naturelles et surtout les mathématiques qui furent considérées comme les

Universitäten durch ein Förderprogramm erleichtert werden soll. Die Idee ist, nicht bestehende und unflexible forschende Institutionen zu fördern, sondern Projektförderung zu bevorzugen. Die Situation der französischen Universitäten macht eine Reform erforderlich, der aber noch viele Debatten und Polemiken vorausgehen werden.

Die *grandes écoles*
Die Besonderheit des französischen Hochschulsystems sind die *grandes écoles.* Die bekanntesten unter ihnen sind weltberühmt und machen bis heute den Stolz des französischen Hochschulwesens aus. Historisch sind sie das Ergebnis der Bevorzugung praktischen Wissens verbunden mit dem Misstrauen der fortschrittlichen Kräfte gegenüber den klerikal geprägten Universitäten. Die ersten bedeutenden Hochschulen dieses Typs entstanden im 18.Jh. und während der Revolution. Sie dienten vor allem dem Bauwesen, der Marine und dem Militär. Die heute noch berühmtesten und besten Ingenieurschulen sind Gründungen dieser Zeit: die *Ecole Polytechnique* entstand 1794; die renommiertesten Wirtschaftshochschulen sind *HEC (Haute école de commerce),* eine privat finanzierte Universität, ESSEC (die vom Wirtschaftsministerium abhängt und finanziert wird) und ESCP-EAP, die schon 1819 gegründet wurde und von der Industrie- und Handelskammer Paris abhängt.

Die Anzahl der *grandes écoles* ist größer als gemeinhin angenommen, da alle bei diesem Begriff nur an die bekanntesten Ingenieurs- und Wirtschaftsschulen denken. Es können 88 aus dem Bereich Naturwis-

disciplines de référence. D'ailleurs, le prestige actuel des sciences naturelles – dans les lycées français, les filières scientifiques sont les plus renommées et celles qui offrent les plus belles perspectives de carrière – est un héritage de cette époque.

Les universités françaises aujourd'hui
Les universités françaises sont, tout comme leurs voisines allemandes, devenues des universités de masse. Toutefois, en raison de l'histoire particulière de l'enseignement supérieur en France, elles se trouvent en concurrence avec les grandes écoles qui jouissent d'un prestige social bien plus grand. Si nul ne peut mettre en doute la supériorité des universités en termes d'enseignement et de recherche dans des disciplines comme le droit ou la médecine, la primauté des grandes écoles est indéniable dans tous les autres domaines du savoir. Cette différence de niveau et de réputation est particulièrement visible en ce qui concerne les moyens financiers des unes et des autres, les grandes écoles ayant souvent des bâtiments et des infrastructures bien plus imposants et des bibliothèques mieux fournies que les universités. Par ailleurs, le fait que la plupart des laboratoires de recherche dépendent, dans le système français, d'une organisation centrale, le CNRS (Centre national de la recherche scientifique), et ne soient pas systématiquement rattachés à une faculté, contribue à aggraver la situation déjà préoccupante des universités. La séparation de l'enseignement et de la recherche (les chercheurs français peuvent enseigner à l'université mais n'y sont pas obligés) suscite de plus en plus de critiques, si bien qu'un programme particulier a été mis en place ces dernières années

senschaften und Ingenieurwesen dazu gerechnet werden, 3 aus den Geisteswissenschaften und 15 Wirtschaftshochschulen. Eine offizielle Liste dieser Schulen gibt es jedoch nicht. Tatsächlich studieren fast 30% der französischen Studenten an diesen fachlich spezialisierten Hochschulen. Die erste Besonderheit ist die Tatsache, dass die *grandes écoles* kaum Forschung betreiben. Nur wenige haben das Recht, Doktortitel zu vergeben und so das Grundrecht eigenständiger Forschung auszuüben. Das tut ihrem Renommee in der Gesellschaft, bei den jungen Menschen und bei den Arbeitgebern aber keinen Abbruch. Sie können sich daher ihre Studenten selbst aussuchen. Dies geschieht durch *concours*, also schriftliche Aufnahmeprüfungen, die von Hochschule zu Hochschule variieren und unterschiedliche thematische Schwerpunkte haben. Allerdings reicht ein einfaches Abitur zur Teilnahme an diesen sehr schwierigen *concours* nicht aus. Im Anschluss an das Abitur kann man, wenn man von der Schule vorgeschlagen wird, an zweijährigen Vorbereitungskursen teilnehmen, um eine reelle Chance zu haben, einen der sehr anspruchsvollen *concours* zu bestehen. Diese Vorbereitungskurse heißen dem entsprechend *classes préparatoires*.

Wer einmal in die Hochschule aufgenommen wurde, wird mit einiger Sicherheit bestehen. Die Absolventen können vom Prestige der besuchten Schule profitieren. Ausführliche, oft internationale Praktika öffnen den Blick für die Realitäten in Wirtschaft und hoher Verwaltung. Bis heute ist eine beträchtliche Zahl von Führungskräften aus den bekanntesten *grandes écoles* hervorgegangen.

pour faciliter les activités de recherche au sein des universités. Ce programme traduit une volonté de promouvoir la recherche en favorisant des projets plutôt que des institutions qui s'avèrent souvent peu flexibles.

Dans tous les cas, la situation actuelle des universités françaises nécessite une réforme, malgré tous les débats et de tous les conflits qu'elle risque de provoquer.

Les grandes écoles

Les grandes écoles font incontestablement la spécificité du système d'enseignement supérieur français. Les plus prestigieuses d'entre elles sont connues dans le monde entier et font la fierté de l'enseignement français. D'un point de vue historique, leur création exprime à la fois la méfiance des partisans du progrès vis-à-vis des universités jugées trop soumises au clergé et la volonté des pouvoirs publics de privilégier les savoirs techniques. Les premières grandes écoles virent le jour au 18e siècle et sous la Révolution dans les domaines des ponts et chaussées, de la marine et de la formation militaire. Les meilleures et les plus célèbres écoles d'ingénieurs que compte la France aujourd'hui datent également de cette époque. L' École Polytechnique, par exemple, a été fondée en 1794. Des grandes écoles ont également été créées dans le secteur économique et commercial. Les plus renommées sont l'Ecole des Hautes Etudes Commerciales, HEC (fondée en 1881), l'Ecole Supérieure des Sciences Economiques et Commerciales, ESSEC (fondée en 1907, qui est placée sous la tutelle du ministère de l'Economie) et l'Ecole Supérieure de Commerce de Paris, ESCP (fondée en 1819 et financée par la Chambre de Commerce et d'Industrie de Paris), qui a

Für die Rekrutierung der französischen Eliten gibt es zwei Einrichtungen, die eine besonders große Rolle spielen: die *Fondation des Sciences politiques* in Paris (kurz *Sciences Po*) und die nationale Verwaltungshochschule *(Ecole nationale d'administration ENA)*. Sie sind in mancher Hinsicht vergleichbar, komplementär und stehen dennoch in dauernder Konkurrenz. Die Mehrzahl der Führungskräfte aus Wirtschaft und Politik haben eine oder beide dieser Schulen absolviert. Der Unterricht ist dort zwar auch wissenschaftlich, aber die Besonderheit liegt in der großen Rolle, die hochrangige Praktiker beim Unterricht spielen. Oft gehen die Absolventen von *Sciences Po* danach noch für zwei Jahre auf die ENA, um ihre Ausbildung zu vervollkommnen und optimale Aussichten auf eine gute Karriere zu haben. Auch wenn sie seit vielen Jahren kritisiert wird, bleibt die ENA doch einer der Pfeiler bei der französischen Elitenbildung. Beide Schulen haben sich seit Jahren zunehmend für ausländische Studenten geöffnet, für Europäer und Studenten aus aller Welt.

Die *classes préparatoires*

Für deutsche Schüler ist nur schwer vorstellbar, dass in Frankreich mit dem Abitur der Selektionsprozess erst richtig anfängt. Die besten Schüler werden noch vor der eigentlichen Abiturprüfung animiert, sich für eine der *classes préparatoires* anzumelden. Die Selektion erfolgt aufgrund der Schulnoten der beiden letzten Jahre, und die Lehrer schlagen den Schülern die Bewerbung um einen Platz in einer der vielen *classes préparatoires* vor. Allerdings führen viele Kandidaten mit den Gymnasien, wo diese

fusionné avec l'Ecole Européenne des Affaires en 1999 pour former l'ESCP-EAP.

On sous-estime souvent le nombre des grandes écoles françaises puisque l'expression même « grandes écoles » fait communément penser aux plus célèbres écoles d'ingénieurs et de commerce. On peut compter 88 écoles de sciences naturelles et d'ingénieur, 3 écoles de sciences humaines et 15 écoles de commerce. Pourtant il n'existe pas de liste officielle. En réalité, 30% des étudiants français sont formés dans des établissements d'enseignement supérieur de ce genre. Ces écoles procèdent à une sélection très stricte de leurs étudiants par le biais de concours d'entrée dont les thématiques et les modalités varient d'une école à l'autre. En effet, avoir le baccalauréat n'est pas une garantie de réussite à ces concours souvent très difficiles et les bacheliers qui veulent entrer dans une grande école suivent pendant deux années des cours de préparation plus connus sous le nom de « classes préparatoires ».

En revanche, une fois admis dans une grande école, les étudiants sont pratiquement assurés de pouvoir mener à bien leurs études et d'obtenir leur diplôme. Outre les enseignements qui leur sont dispensés, les grandes écoles offrent de nombreux autres avantages à leurs élèves, notamment la possibilité de se faire une idée du fonctionnement du monde économique ou de la haute fonction publique grâce à des stages obligatoires en France ou à l'étranger. De même, le prestige de l'école fréquentée est un atout important pour les jeunes diplômés qui arrivent sur le marché du travail. Un nombre considérable de managers et de hauts fonctionnaires d'hier et d'aujourd'hui sont issus d'une grande école célèbre.

zweijährigen Vorbereitungskurse angeboten werden, individuelle Gespräche, um sich richtig entscheiden zu können. Auch die Gymnasien, die *classes préparatoires* anbieten, haben wiederum eine Rangordnung. Dieses Renommee besteht nicht nur auf dem Papier, sondern es gibt Statistiken mit den Erfolgsquoten der einzelnen Vorbereitungskurse. Und auch in den *grandes écoles* besteht ein präzises Wissen darüber, wer von welcher Schule gekommen ist und wie hoch die Erfolgsquote war. Die *classes préparatoires* werden von besonders guten Gymnasiallehrern „im Nebenjob" abgehalten. Für die Schüler heißt es, sich auf zwei Jahre große Entbehrungen vorzubereiten – das genaue Gegenteil des Gefühls großer Freiheit, das deutsche Abiturienten in der Regel erfüllt. Der Lerndruck ist so hoch, dass viele nach kurzer Zeit aufgeben, manche halten das erste Jahr durch, verzichten aber auf das zweite Jahr und wechseln an die Universität. Der Wechsel wird erleichtert, weil ein Jahr *prépa* wie ein Studienjahr an der Universität zählt. Daher kommt die weit verbreitete Vorstellung, unter den 70% Universitätsstudenten seien viele, die an den hohen Anforderungen der wirklich guten Hochschulen gescheitert sind.

Mit den anerkannt „guten" Gymnasien, den Erfolg versprechenden *classes préparatoires* und den besten Hochschulen *(grandes écoles)* entsteht ein geschlossener Kreislauf elitärer Rekrutierung des Führungsnachwuchses von morgen. Die Idee des gleichen Zugangs zu Bildungschancen für alle wird durch das System der *concours* gewährleistet: Nicht das Bildungsniveau oder der soziale Status der Eltern soll den

Pour le recrutement des élites en France il y a deux institutions particulièrement importantes : la fondation des Sciences politiques de Paris « Sciences Po » et l'Ecole nationale d'administration « ENA ». Comparables, complémentaires et pourtant dans une concurrence permanente, ces deux écoles forment des dirigeants d'entreprise ou de la fonction publique. L'enseignement est théorique certes, mais la particularité réside dans l'enseignement effectué par des praticiens, hauts responsables en fonction. Souvent, les diplômés de Sciences Po intègrent l'ENA ensuite pour perfectionner leur formation et être sûr d'une bonne carrière. Bien que critiquée depuis des années, l'ENA reste un des piliers de la formation des élites de la République. Les deux écoles se sont ouvertes depuis plusieurs années aux étudiants étrangers, européens ou autres.

Les classes préparatoires

Pour un élève allemand, il est assez difficile de concevoir que le processus de sélection puisse véritablement commencer une fois le baccalauréat en poche, comme c'est le cas en France. Les meilleurs élèves de première sont encouragés par leurs professeurs à postuler pour une place dans une des nombreuses classes préparatoires du pays. La sélection des élèves s'effectue alors sur la base de leurs notes des deux dernières années et, parfois, d'entretiens individuels. Les lycées qui proposent des classes préparatoires font l'objet d'un classement, réalisé à partir des taux de réussite des élèves aux concours d'entrée des grandes écoles, et qui joue un rôle essentiel pour la réputation de l'établissement. Les professeurs enseignant en classes préparatoires sont choisis parmi

Ausschlag geben, sondern die individuelle Leistung in einer Prüfung, die für alle gleich ist. Diese sympathische Idee wird in der Praxis aber immer schlechter verwirklicht, denn wie in Deutschland sind die sozialen Aufstiegschancen durch dieses Bildungssystem begrenzt. Heute sind weniger Studenten aus Arbeiterfamilien erfolgreich als noch in den 50er und 60er Jahren.

Hochschul- und Forschungskooperation

Enge Zusammenarbeit in den höheren Bildungsinstitutionen und in der wissenschaftlichen Forschung hat es seit Gründung der Universitäten im Mittelalter in Europa immer gegeben. Die Universitäten waren der Ort, wo Wissen unabhängig von

les meilleurs professeurs du secondaire et le niveau des cours dispensés est très élevé. Pour les élèves, la classe préparatoire correspond à deux années d'efforts et de sacrifices importants, tout le contraire du sentiment de liberté que peuvent ressentir la plupart des bacheliers allemands. Les élèves de classe préparatoire sont souvent soumis à une telle pression que beaucoup abandonnent après quelques semaines, d'autres après une année, et préfèrent continuer leurs études à l'université. Etant donné qu'une année de classe préparatoire compte comme une année d'université, le passage d'un établissement à l'autre pose rarement problème.

Ainsi, les meilleurs lycées français, les classes préparatoires et les grandes écoles les plus réputées sont les maillons d'une chaîne élitaire destinée à produire les dirigeants

Die Deutsch-Französische Hochschule ist eine internationale Einrichtung und wurde 1997 durch ein Regierungsabkommen gegründet. Die Hochschule hat keinen eigenen Campus. Der Verwaltungssitz der Hochschule, die von Deutschland und Frankreich zu gleichen Teilen finanziert wird, ist Saarbrücken. Sie fördert im akademischen Jahr 2007/08 142 Studiengänge.

L'Université franco-allemande est une institution internationale créée en 1997 par un accord intergouvernemental. Elle n'a pas de campus propre. Le siège administratif de cette université, financée à parts égales par la France et l'Allemagne, est Sarrebruck. En 2007/08, l'UFA soutient 142 cursus intégrés. www.dfh-ufa.org

der Nationalität der Intellektuellen und Gelehrten zirkulierte, mit dem Lateinischen und später dem Französischen gab es internationale Verkehrssprachen, die persönliche Kommunikation ermöglichten.

de demain. Par ailleurs, le principe de l'égal accès de tous à l'éducation est au cœur du système d'enseignement supérieur français et les concours en sont la meilleure illustration. En effet, selon ce modèle de méritocra-

Die Sorbonne war über Jahrhunderte Anziehungspunkt für Gelehrte aus ganz Europa, und die deutschen Universitäten im 19. Jh. waren Orte internationaler Lehre und Forschung. Diese Tatsache sollte man in Erinnerung behalten, wenn man heute über Mobilität von Studenten und von einem gemeinsamen Forschungsraum in der Europäischen Union spricht. Allerdings ist richtig, dass die heutige Massenuniversität an die Organisation des Austauschs und der Mobilität ganz andere Anforderungen stellt als früher, als die absolute Zahl der Studenten sehr gering war.

Die beiden Hochschul- und Forschungssysteme Deutschlands und Frankreichs sind in wichtigen Punkten sehr verschieden. Zudem ist für viele die mangelnde Kenntnis der Sprache des anderen Landes ein Hinderungsgrund. Um dennoch eine intensive Kooperation zwischen den politisch und wirtschaftlich wichtigsten Partnern in Europa auch im Hochschul- und Forschungsbereich zu fördern, sind eine ganze Reihe von Strukturen und Instrumenten geschaffen worden, die dauerhafte Früchte tragen.

Die Deutsch-Französische Hochschule

Eine erfolgreiche Bilanz kann die Deutsch-Französische Hochschule vorweisen. Seit fast 10 Jahren fördert diese von Frankreich und Deutschland gleichermaßen finanzierte Organisation mehr als 140 deutsch-französische Studiengänge aller Fächer. Der Grundgedanke ist, dass es sich lohnt, neben der europaweiten Mobilität, die etwa durch das Erasmus-Socrates-Programm gefördert wird und Tausenden von Studenten einen einjährigen Aufenthalt

tie, ce sont les performances et les résultats d'un individu à un concours, qui est le même pour tous, qui sont déterminants, et non son origine sociale ou le niveau d'études de ses parents. De plus en plus, cette conception louable est pourtant démentie par la réalité, et ce système de formation – tout comme le système allemand – peine à offrir de véritables chances de promotion sociale. Aujourd'hui, les étudiants issus de familles d'ouvriers ont encore moins de chances de réussir que dans les années 1950 et 1960.

La coopération en matière d'enseignement supérieur et de recherche

Depuis la création des universités au moyen âge, il y a toujours en des liens de coopération entre elles en Europe, aussi bien au niveau de l'enseignement que de la recherche. Dès cette époque, les universités étaient des lieux de production et de transmission des connaissances où se côtoyaient savants et érudits de différentes nationalités. Le latin puis le français étaient alors les langues internationales qui permirent la communication et la coopération entre les différentes universités européennes. Pendant des siècles, la Sorbonne attira de nombreux savants originaires de toute l'Europe et, au 19e siècle, les universités allemandes étaient de grands centres internationaux d'enseignement et de recherche. Il faut donc garder cette dimension historique à l'esprit lorsque l'on parle aujourd'hui de la mobilité des étudiants au sein de l'Union européenne ou de la réalisation d'un espace européen de la recherche. Mais il est vrai que le contexte actuel des universités de masse rend l'organisation

an einer europäischen Universität im Ausland ermöglicht, spezielle bilaterale Ausbildungen anzubieten. Hierbei verbringen die Studenten in der Regel die Hälfte der Studienzeit im anderen Land und erlangen in beiden Universitätssystemen einen Abschluss. Der Mehrwert besteht darin, dass die Absolventen hohe Motivation zeigen, sich in einem anderen soziokulturellen Umfeld behaupten müssen und am Ende mindestens dreisprachig sind (wenn man das Englische als internationale Verkehrssprache als Standard annimmt). Der Arbeitsmarkt nimmt diese Absolventen gerne auf, denn sie bringen Qualitäten mit, die nicht bei jedem Studenten gegeben sind.

Die Karrieren der Absolventen bilateraler Studiengänge (mit oder ohne Doppeldiplom) zeigen aber auch etwas, das unterstrichen werden muss: Die Absolventen werden nicht in erster Linie eingestellt, weil sie eine „deutsch-französische Kompetenz" haben, sondern weil sie in einem Fachgebiet gut qualifiziert sind – erst im zweiten Schritt wirkt sich die besondere deutsch-französische Komponente aus. Es ist also Vorsicht geboten, wenn Studiengänge mit höheren Chancen am Arbeitsmarkt wegen dieser oft interkulturell genannten Kompetenz werben. Einen Arbeitsmarkt speziell für „deutsch-französische Kompetenz" gibt es nicht. Richtig aber ist, dass diese Trumpfkarte im entscheidenden Moment den Ausschlag geben kann, wenn die fachliche Ausbildung hochwertig und konkurrenzfähig ist.

d'échanges et la gestion de la mobilité bien plus compliquées qu'autrefois, lorsque très peu d'étudiants fréquentaient les universités. Bien que les systèmes français et allemand soient très différents l'un de l'autre et que, pour beaucoup, la langue soit une véritable barrière, toute une série d'instruments et de structures ont été mis en place afin que les deux plus importants partenaires politiques et économiques européens puissent également réaliser une coopération étroite dans les domaines de l'enseignement supérieur et de la recherche. Aujourd'hui, ces mesures semblent porter leurs fruits.

L'Université franco-allemande (UFA)

La création de l'Université franco-allemande, il y a dix ans, se solde par un bilan positif. Cette organisation, financée à parts égales par la France et l'Allemagne, propose plus de 140 cursus binationaux dans de nombreuses disciplines. Parmi les principes fondateurs de cette université se trouve la volonté d'accroître la mobilité en Europe en complétant le programme Erasmus-Socrates, qui permet déjà à des milliers d'étudiants de passer un an dans une autre université européenne, par une offre étendue de formations binationales spécifiques. En règle générale, les étudiants inscrits dans un des cursus de l'UFA passent la moitié de leur formation à l'étranger (c'est-à-dire en France ou en Allemagne, selon le pays d'origine) et se voient délivrer un diplôme de fin d'études de chacun des établissements fréquentés. En suivant une formation binationale de l'UFA, les étudiants donnent la preuve de leur motivation et de leur capacité à s'affirmer dans un nouvel environnement socio-culturel, et ils ont l'avantage de maîtriser au moins trois langues à la fin de leurs

Forschungskooperation

Spitzenforschung ist per definitionem international. Das Beispiel der großen nordamerikanischen Forschungszentren zeigt, dass die guten Forscher weltweit von den exzellenten Arbeitsbedingungen angezogen werden. Die Forschungsförderung in allen europäischen Staaten muss daher alles daran setzen, attraktive Strukturen zu schaffen. In vielen Naturwissenschaften gelingt dies. In Deutschland sind es die renommierten Max Planck Institute, die Helmholtz-Gesellschaft und die Fraunhofer-Institute, bei denen sich neben den Universitäten internationale Spitzenforschung bündelt. Auch in Frankreich sind herausragende Forschungszentren in der Medizin, der Physik oder anderen Naturwissenschaften Orte internationaler Forschung.

études (en plus du français et de l'allemand, on peut supposer que ces étudiants maîtrisent également l'anglais international). Une fois sur le marché du travail, les diplômés de l'UFA bénéficient de nombreuses opportunités professionnelles car ils possèdent des compétences très recherchées qui sont autant d'atouts supplémentaires par rapport aux autres demandeurs d'emploi. Il est toutefois intéressant de noter un aspect évident dans les carrières des diplômés de cursus binationaux : ils ne sont pas engagés sur la base de leur « compétence franco-allemande », mais plutôt en raison de la qualité de leur formation et de leur spécialisation dans leur domaine, la dimension franco-allemande n'entrant en compte que dans un second temps. Une certaine vigilance doit donc être observée vis-à-vis des cursus binationaux qui

---

Das Deutsch-französisches Forum bringt seit 1999 jährlich Absolventen, Hochschulen und Arbeitgeber zusammen. Besonders die Absolventen von Doppelstudiengängen haben hier die Möglichkeit, sich direkt zu bewerben und ihre Chancen einzuschätzen zu lernen. Gleichzeitig werben Dutzende von deutschen und französischen Hochschulen für ihre jeweiligen Doppeldiplomstudiengänge. (www.DFF-FFA.org)

Depuis 1999, le Forum franco-allemand réunit une fois par an des diplômés, des universités allemandes et françaises ainsi que de nombreuses entreprises. Les diplômés, notamment ceux des cursus intégrés franco-allemands, peuvent postuler directement pour un poste et ainsi apprendre à évaluer leurs chances. En même temps, des douzaines d'universités font de la publicité pour leurs cursus intégrés respectifs. (www.DFF-FFA.org)

Im Hinblick auf spezifisch deutsch-französische Initiativen, die es immer wieder gegeben hat, wirken sich die sehr unterschiedlichen Strukturen der Forschungsförderung negativ aus. In Frankreich gibt

mettent en avant la dimension interculturelle comme atout sur le marché du travail. Il n'existe aucun marché du travail particulier pour la « compétence franco-allemande ». En revanche, lorsque les candidats à un emploi

es eine Tradition, vor allem im industrienahen Forschungsbereich, mit öffentlicher
Unterstützung strategische Felder der
Grundlagenforschung zu besetzen. Diese
staatlich gesteuerte Forschungspolitik hat
Erfolge gebracht, aber auch zahlreiche
Projekte gefördert, die niemals zu Ergeb-
nissen geführt haben. In Deutschland setzt
man auf ein anderes Förderprinzip: Universitäten, außeruniversitäre Forschungszentren und Unternehmen entwickeln ihre
Projekte „von unten" und können dann
Fördergelder bei den großen Institutionen
in Deutschland oder Europa beantragen.
Eine zentrale Rolle spielt die Deutsche For-

ont déjà un solide bagage d'enseignement
supérieur, la dimension binationale et interculturelle peut aider à faire la différence.

La coopération scientifique

La recherche de pointe est par définition internationale. En leur offrant d'excellentes conditions de travail, les grands centres de recherche d'Amérique du Nord attirent les meilleurs
chercheurs au monde. Cet exemple devrait
donc inciter les pays européens à intensifier
leurs efforts de soutien à la recherche, en
créant notamment des structures attractives.
Force est de reconnaître que, dans de nombreux domaines des sciences naturelles, de

AFAST
DFGWT

Die Deutsch-französische Gesellschaft für Wissenschaft und Technologie
(DFGWT, Bonn) wurde von der deutschen und der französischen Regie-
rung mit dem Ziel der Förderung der Zusammenarbeit in Forschung und
Technologie gegründet. www.dfgwt.org

L'Association franco-allemande pour la Science et la Technologie (AFAST, Paris) fut fondée par les gouvernements allemand et français pour renforcer la coopération scientifique et technologique. www.afast.free.fr

Das Deutsch-französische Forschungsinstitut von Saint-Louis wurde
bereits 1959 durch einen Staatsvertrag gegründet. Heute arbeiten dort
ca. 400 Mitarbeiter in unterschiedlichen Forschungs- und Entwicklungs-
bereichen der Militärtechnik.

L'Institut franco-allemand de recherches de Saint Louis, fondé en 1959 par un
traité d'Etat, travaille dans différents domaines de l'armement et de la défense.

Aujourd'hui 400 employés environ y développent des technologies et des produits innovants. www.isl.eu

schungsgemeinschaft, bei der jeder Wis-
senschaftler Anträge auf Förderung einer
guten Idee stellen kann. In Frankreich hat
man vor wenigen Jahren ein ähnliches Förderprinzip eingeführt.

telles structures existent déjà. En Allemagne,
il s'agit des Instituts Max-Planck, de la Société
Helmholtz et des Instituts Fraunhofer qui sont
tous des centres de recherche performants
dont la renommée dépasse les frontières na-

Die Grundstruktur in Frankreich ist jedoch eine andere. Die Trennung von Lehre und Forschung führt dazu, dass viele Professoren an den Universitäten nur sehr geringe Forschungsetats haben und die Beantragung von Fördermitteln sehr schwierig ist. Daneben gibt es hauptamtliche Forscher, die in der nationalen Forschungsagentur CNRS angestellt sind. Die mit unbefristeten Verträgen angestellten Forscher machen das Forschungssystem relativ unflexibel, daher ist man zu verstärkter Projektförderung übergegangen. Aufgrund der unterschiedlichen Förderlogik und der Forschungsstrukturen sind spezifische deutsch-französische Kooperationen nicht immer leicht. In den Naturwissenschaften ist die Internationalisierung oft eine objektive Notwendigkeit, weil hochspezialisierte Kompetenzen nicht überall vorhanden sind. Steuern lässt sich dieser Prozess kaum, aber es gibt ausreichend Anreize und Stipendien, um hier auch die deutsch-französische Kooperation voranzubringen.

Anders sieht es bei den Geistes- und Sozialwissenschaften aus. In diesen Fächern sind die Forschungsthemen nicht im gleichen Maße objektiv vorgegeben wie in den Naturwissenschaften. Zudem wirken sich nationale Traditionen, einschließlich der in der Forschung verwendeten Sprachen, erschwerend aus. Um den Dialog überhaupt lebendig zu erhalten und fruchtbaren Austausch zu ermöglichen, sind Institutionen und Förderprogramme eingerichtet worden, die ganz speziell auf deutsch-französische Forschungskooperation abzielen.

tionales. En France, de grands centres spécialisés dans la recherche médicale, la physique ou autres sciences naturelles figurent également au nombre des instituts scientifiques internationaux les plus connus. En revanche, les initiatives franco-allemandes lancées dans ce domaine ont souvent souffert des différences structurelles de financement de la recherche en France et en Allemagne. En France, il est courant que l'Etat subventionne certains secteurs stratégiques de la recherche fondamentale, notamment les secteurs innovants proches de l'industrie. Cette politique de financement public de la recherche a connu de nombreux succès, mais elle a également conduit à financer une multitude de projets qui n'ont jamais abouti. En Allemagne, c'est un autre principe qui prévaut : dans un premier temps, les universités, les laboratoires de recherche extra-universitaires et les entreprises mettent au point leurs projets, et c'est ensuite seulement qu'elles se soumettent à des procédures de demande de subventions auprès des grandes institutions nationales de financement de la recherche ou auprès de l'Union européenne. Dans cette configuration, l'institution centrale est la *Deutsche Forschungsgemeinschaft* (la Société allemande pour la Recherche scientifique) à laquelle n'importe quel chercheur peut adresser une demande de subvention pour ses travaux. En France, un système similaire de financement a été introduit il y a quelques années.

Compte tenu des différences d'organisation et de financement, la coopération franco-allemande dans le secteur de la recherche n'est pas toujours aisée. Dans de nombreux domaines des sciences naturelles, étant donné le haut degré de spécialisation, les

Von deutscher Seite wurden nach dem Krieg in Paris mehrere Einrichtungen gegründet und gefördert. 1964 wurde das Deutsche Historische Institut eröffnet, dessen Aufgabe die historische Erforschung der deutsch-französischen Beziehungen ist. Dem kunsthistorischen Bereich widmet sich das 1997 gegründete Deutsche Forum für Kunstgeschichte Paris, das die Zusammenarbeit zwischen deutschen und französischen Kunsthistorikern fördert. Im Bereich der Sozialwissenschaften gibt es eine intensive Zusammenarbeit deutscher Forscher mit der *Maison des Sciences de l'homme.* Der Deutsche Akademische Austauschdienst, der die internationale Zusammenarbeit der deutschen Universitäten und Forschung weltweit fördert, ist mit einem großen Büro in Paris vertreten und vergibt zahlreiche Stipendien für deutsche Forscher nach Frankreich und für französische Forscher nach Deutschland. Von Seiten der französischen Institutionen ist 1992 das sozialwissenschaftlich ausgerichtete Centre Marc Bloch in Berlin gegründet worden, das heute auch von der Bundesregierung finanziell unterstützt wird. Bereits seit 1977 existiert in Göttingen die *Mission historique française en Allemagne.*

Zusätzlich zu diesen Forschungszentren bemüht man sich seit vielen Jahren um eine Koordinierung der Studien, die sich in Frankreich mit der deutschen Gesellschaft, Politik und Kultur, und in Deutschland mit der soziokulturellen Aktualität Frankreichs befassen. Zu diesem Zweck wurde die Dachorganisation CIERA geschaffen, in der zahlreiche französische Seminare, Profes-

laboratoires de recherche doivent souvent faire appel à des chercheurs étrangers et leur internationalisation est donc incontournable. Le constat n'est pas le même en ce qui concerne les sciences humaines et sociales. Ces matières se prêtent moins bien à une définition objective des thèmes de recherche qui s'imposent et sont davantage soumises à l'influence des traditions nationales et aux difficultés linguistiques. Un certain nombre de mesures ont dû être prises et d'institutions créées pour maintenir un dialogue constructif entre chercheurs français et allemands et permettre des échanges fructueux dans les sciences humaines et sociales. Du côté allemand, cette volonté de coopération s'est traduite par l'ouverture, après la Seconde Guerre mondiale, de plusieurs instituts de recherche à Paris. L'Institut Historique Allemand de Paris, dont l'une des missions est de mener des travaux de recherche sur l'histoire des relations franco-allemandes, a ainsi été inauguré en 1964. Le Centre Allemand d'Histoire de l'Art de Paris, fondé en 1997, se consacre quant à lui à la promotion de la coopération entre historiens de l'art des deux pays. Dans le domaine des sciences sociales, il convient de mentionner l'intense coopération des chercheurs allemands avec leurs collègues français des Maisons des Sciences de l'Homme. Enfin, l'Office allemand d'échanges universitaires (DAAD), qui a pour tâche principale de promouvoir la coopération des universités et centres de recherche allemands avec des établissements étrangers, possède une antenne importante à Paris et attribue de nombreuses bourses aux chercheurs français et allemands qui souhaitent séjourner dans le pays voisin pour poursuivre leurs travaux.

soren und Forschungsstellen mitarbeiten. In Deutschland nimmt diese Rolle das Netz der Frankreich-Zentren in Freiburg, Berlin, Leipzig und Saarbrücken sowie das Deutsch-Französische Institut in Ludwigsburg wahr, dessen Bibliothek und Archiv das größte Dokumentationszentrum für deutsch-französische Beziehungen bildet. Zusammenfassend lässt sich sagen, dass der deutsch-französischen Forschungsko-

Quant aux institutions françaises présentes en Allemagne, l'une des plus connues est sans aucun doute le Centre Marc-Bloch établi à Berlin depuis 1992. Aujourd'hui, ce centre de recherche en sciences sociales bénéficie également du soutien financier du gouvernement allemand. Depuis 1977 déjà la Mission historique française en Allemagne siège auprès de l'université de Göttingen.

Forschungseinrichtungen in Sozial- und Geisteswissenschaften
Centre Marc Bloch – www.cmb.hu-berlin.de
Mission historique française en Allemagne – www.mhfa.mpg.de
Frankreich Zentrum Freiburg – www.fz.uni-freiburg.de
Frankreich Zentrum Berlin – www.tu-berlin.de
Frankreich Zentrum Saarbrücken – www.uni-saarland.de/fz
Frankreich Zentrum Leipzig – www.uni-leipzig.de/zhs/frz
Deutsch-Französisches Institut Ludwigsburg – ww.dfi.de
Deutsche Gesellschaft für Auswärtige Politik (DGAP), Arbeitsstelle Frankreich – www.dgap.org
Stiftung Wissenschaft und Politik (SWP) – www.swp-berlin.org

Centres de recherche en sciences humaines
Maison des sciences de l'homme (MSH) – www.msh-paris.fr
Comité d'études des relations franco-allemandes (CERFA) à l'Institut français des relatons internationales (IFRI) – www.ifri.org
Centre interdiscplinaire d'études et de recherches sur l'Allemagne (CIERA) – www.ciera.fr
Centre d'information et de recherche sur l'Allemagne contemporaine (CIRAC) – www.cirac.u-cergy.fr
Deutsches Historisches Institut – www.dhi-paris.fr
Deutsches Forum für Kunstgeschichte Paris – www.dt-forum.org

operation für alle Fachgebiete ausreichend Instrumente und Einrichtungen zur Verfügung stehen, um jedem, der ein Projekt realisieren möchte, die Möglichkeit dazu zu eröffnen. Richtig ist aber auch, dass bi-

Enfin, parallèlement à ces centres de recherche, des efforts importants ont été déployés depuis de nombreuses années pour mieux coordonner les cursus français et allemands consacrés à l'étude de la culture, de la so-

laterale genauso wie europaweite Projekte ein erhebliches Maß an Motivation und Verwaltungsanstrengungen erfordern.

ciété et des institutions politiques du pays partenaire. C'est dans ce but qu'a été fondé le Centre Interdisciplinaire d'Etudes et de Recherches sur l'Allemagne (CIERA), qui rassemble une dizaine d'établissements membres (centres de recherche sur l'Allemagne et universités) au sein d'un groupement d'intérêt public. En Allemagne, cette mission de coordination est assumée par le réseau des Centres français de Fribourg, Berlin, Leipzig et Sarrebruck ainsi que par l'Institut Franco-Allemand de Ludwigsburg, dont la bibliothèque et les archives constituent le plus grand fond documentaire sur les relations franco-allemandes.

Pour résumer, on peut donc avancer qu'il existe suffisamment d'instruments et d'institutions dont la fonction est de promouvoir la coopération franco-allemande dans tous les domaines de la recherche. Néanmoins, même si le contexte est théoriquement favorable, mettre en oeuvre des projets de recherche bilatéraux, et a fortiori européens, suppose d'entreprendre de multiples démarches administratives, et donc d'être animé d'une forte motivation.

Kunst oder Kultur, that is the question … | Art ou culture, that is the question …

Anlässlich einer Konferenz in Paris zur Frage nach der Kultur als politischem Schlüsselthema warf einer der Teilnehmer genau diese Frage auf: Sprechen wir über Kunst oder über Kultur? Es war der international renommierte Operndirektor flämischen Ursprungs Gerard Mortier, der mit dieser Fragestellung zum Ausdruck brachte, dass der Begriff Kultur je nach sprachlicher Zugehörigkeit eine unterschiedliche Interpre-

Lors d'un colloque à Paris sur la culture comme enjeu politique, un des intervenants souleva d'emblée cette question : parlons-nous d'expression culturelle ou parlons-nous d'expression artistique ? Gerard Mortier, l'intervenant en question, entra dans le vif du sujet en donnant la préférence à la notion germanique, qui parle de *Kunst* (art), sur la notion française de culture. Belge d'origine flamande, Mortier s'est retrouvé, de par sa

„Kultur … die Kenntnis dessen, was aus dem Menschen etwas Anderes als einen Unfall des Universums hat werden lassen."
« La culture … la connaissance de ce qui a fait de l'homme autre chose qu'un accident de l'univers. »

André Malraux (1901-1976)

tation erfährt. Mortier, der während seiner Karriere zwischen der germanischen und der romanischen Kulturwelt hin- und hergependelt ist, bezog sich dabei auf die Theorien des Soziologen Norbert Elias. Dieser untersuchte in seinem 1939 erschienenen Werk „Über den Prozess der Zivilisation" die unterschiedliche Entwicklung des Kulturbegriffs in Deutschland und in Frankreich. Mortier bezeichnet sich selbst als der deutschen Auffassung zuneigend, welche

prestigieuse carrière artistique, à cheval sur ces deux conceptions culturelles. Citant le sociologue Norbert Elias, Mortier différencie entre l'Allemagne et la France, soulignant qu'en France l'idée de culture exprime une conception de « civilisation culturelle » étroitement liée aux structures politiques, tandis qu'en Allemagne l'évolution de la notion de culture s'est faite loin du pouvoir et des structures politiques en place. Norbert Elias avait en effet montré, dans son ouvrage

die Kunst in den Vordergrund stellt, unabhängig von den politischen Machtstrukturen. In Frankreich hingegen ist die Kultur eng an die politischen Strukturen geknüpft und Ausdruck einer gewissen Auffassung von *civilisation*.

Über die Schwierigkeit einer gemeinsamen Begriffsbestimmung

Wenn man die offensichtlichen Unterschiede des Kulturverständnisses in Deutschland und Frankreich genauer betrachtet, stößt man unweigerlich auf die Schwierigkeit einer für beide Länder gültigen Definition von „Kultur". Für Norbert Elias, beruht diese Tatsache auf der unterschiedlichen gesellschaftlichen Entwicklung.

Das Ende des Dreißigjährigen Krieges (1618-1648) stellt für Elias eine Zäsur in der Entwicklung beider Gesellschaften dar. Der Krieg weitete sich zu einem europäischen Hegemonialkampf aus, aus dem Frankreich als Sieger hervorging. Das Heilige Römische Reich deutscher Nation hingegen schien zersplitterter denn je. Die Vormachtstellung Frankreichs in Europa sollte sich weiter ausbauen, um unter Ludwig XIV. die glanzvolle *grandeur* zu erreichen, auf die sich Frankreich noch immer stolz berufen kann. Ganz Europa schaute auf Paris und Versailles, auch der deutsche Adel blieb davon nicht unberührt. An den deutschen Höfen wurde Französisch parliert und französische Literatur studiert.

Das sich parallel dazu entwickelnde Bürgertum wurde am Hof nicht zugelassen. Im Gegensatz zu Frankreich hatte das deutsche Bürgertum weder Zugang zu politischen Posten noch zum dort herr-

« La civilisation des mœurs » et « La dynamique de l'Occident » publié en 1939 (trad. fr. 1973/1976), que l'idée de culture avait connu un développement bien différent en France et en Allemagne.

Difficulté d'une définition commune

En analysant de plus près certaines différences manifestes entre l'idée de culture en France et en Allemagne, on se heurte rapidement à la difficulté de trouver une définition du mot « culture » qui serait valable dans les deux sociétés. Ce qui amène à s'intéresser de plus près aux écrits du dit sociologue Elias. Ce dernier explique cette difficulté par une évolution différente des mœurs dans les deux pays.

D'après lui, un tournant s'opère dans l'évolution des sociétés française et allemande à la fin de la Guerre de Trente Ans (1618-1648), guerre qui laisse le Saint Empire romain germanique exsangue et plus morcelé que jamais. Cet Empire affaibli se trouve alors confronté à une France qui est sortie gagnante du conflit et dont l'hégémonie s'affirmera bientôt sous Louis XIV. La grandeur de la France attire les regards et l'admiration de l'Europe entière, et plus particulièrement de l'aristocratie allemande qui se met à imiter la cour de France. On parle français dans les cours d'Allemagne, on y lit la littérature française.

Mais à la différence de la France, où la bourgeoisie s'associe et est associée à la société de la cour, on voit en Allemagne se former loin des cours une couche d'intellectuels bourgeois qui non seulement s'expriment en allemand, mais écrivent et publient dans leur langue. Ce fut la naissance d'une « bourgeoisie de culture » qui, tenue à l'écart des

schenden, französisch inspirierten Verhaltenskodex. Dieses Bürgertum, belesen und wirtschaftlich aufstrebend, konzentrierte sich auf die deutsche Sprache, förderte und publizierte deutsche Dichter und Schriftsteller. Der intensive intellektuelle Austausch führte zur Entwicklung des so genannten Bildungsbürgertums, und dies über die vielen Grenzen der Territorialherrschaften hinweg.

Deutschland, Land der Dichter und Denker

Am Ende des 18. Jahrhunderts wurde Weimar zu einem Symbol und Zentrum für die Entwicklung der deutschen Kulturszene, weit weg vom preußischen Berlin und vom habsburgischen Wien. Goethe, Schiller, Herder, Wieland, alles, was Rang und Namen hatte, traf sich in Weimar, inspiriert von den Idealen der griechischen Klassik. Man wandte sich ab vom französischen Revolutionsgedankengut, vom politischen Hegemonialstreben Frankreichs und dem dort herrschenden Machtzentralismus, der sich an das antike Rom anlehnte. Nicht durch Gewalt und Chaos, sondern durch die Vernunft, durch Kunst und Bildung sollte der Mensch sich erhöhen und so zu einer besseren, humaneren Wandlung der Gesellschaft beitragen.

Angesichts der territorialen Zersplitterung des Reichs fehlte den deutschen „Vielvölkern" eine politische Einheit, mit der sie sich hätten identifizieren können. Was diese vielen Völker einte, war ihre deutsche Sprache und ihre gemeinsame Kultur. Statt der politischen hatte sich eine kulturelle Einheit entwickelt, eine Kulturnation.

postes de décision politique, s'enorgueillit de sa culture, de sa langue et de sa littérature.

L'Allemagne, « pays des poètes et des penseurs »

A la fin du 18e siècle, la ville de Weimar devint une capitale culturelle pour des écrivains et des philosophes aussi connus que Goethe et Schiller (et Wieland, Herder etc.). Loin de Berlin et du centre politique de la Prusse, ils y trouvaient des conditions parfaites pour écrire et vivre conformément à leur idéal. La Grèce et l'antiquité inspiraient ce qui allait devenir le «classicisme de Weimar» (1794-1805). Face au morcellement du territoire allemand, face aux victoires napoléoniennes qui allaient suivre, ces écrivains et ces philosophes ne cherchaient pas à imiter la France, ils n'aspiraient pas à une Révolution à la française pour réformer la société, et ils gardaient leurs distances par rapport à une politique culturelle française qui chantait les louanges de Rome, de son centralisme politique et de son ambition d'hégémonie.

A défaut d'unité politique, le peuple allemand emprunta un autre chemin. Pour se forger une identité, il opposa à la Grande Nation française son développement en tant que nation culturelle. Le rôle de la bourgeoisie allemande s'en trouva renforcé. Bien avant d'avoir achevé son unité politique, l'Allemagne se définissait donc par l'unité de sa langue et de sa culture. Cette conception allait progressivement s'étoffer, influencée par un romantisme nationaliste plus agressif qui se servait du cliché de la « Patrie de la langue allemande » pour justifier un certain nationalisme culturel. Dorénavant, le concept de Kulturnation s'éloigna de la tradition libérale et cosmopolite des origines pour s'élargir à

Diese sehr intellektuelle, kosmopolitische Herangehensweise wandelte sich im Laufe des 19. Jahrhunderts zu einem aggres-

des ambitions économiques et stratégiques de plus en plus évidentes, surtout après 1871.

Germaine de Staël (1766-1817) war als Autorin und einflussreiche Intellektuelle respektiert. Sie verkehrte mit Schriftstellern und Philosophen aus Deutschland und Frankreich. Ihr Schweizer Domizil in Coppet wurde zu einem brillanten Salon, in dem August Wilhelm Schlegel, Benjamin Constant, Lord Byron und Chateaubriand zusammenkamen. Ihr 1810 erschienenes Werk „Über Deutschland" ist ein Meilenstein in der französischen Beschäftigung mit dem deutschen Nachbarn. Sie öffnete der französischen Elite die Augen für die deutsche Hochkultur in Literatur, Philosophie und Musik.

Germaine de Staël (1766-1817) était respectée en tant que romancière et intellectuelle influente. Elle fréquentait des écrivains et philosophes de France et d'Allemagne. Son lieu de résidence suisse à Coppet devint un salon brillant, où se retrouvaient August Wilhelm Schlegel, Benjamin Constant, Lord Byron et Chateaubriand. Son œuvre « De l'Allemagne », publié en 1810, marque un pas important dans le développement de la perception française de l'Allemagne. Pour la première fois elle permet une vision d'ensemble de la grande époque de la culture allemande, littéraire, philosophique, musicale.

siveren deutschen Nationalstolz, bedingt durch die Niederlagen gegen Napoleon und gefördert durch die Dichter der deutschen Romantik. Die deutsche Sprache wurde beim Heraufbeschwören einer deutschen Nation instrumentalisiert. Ein wirtschaftlich erstarktes Bürgertum und ein in Militär und Verwaltung aufgehender Adel verfolgten zunehmend wirtschaftliche und strategische Ambitionen, die verstärkt nach 1871 auch in die Tat umgesetzt wurden.

Kultur et civilisation

Qui dit nation culturelle allemande, dit « bourgeoisie de culture », et traduit donc le mot allemand *Bildung* (formation, éducation) par le mot français « culture ». Cette éducation, dont profita la bourgeoisie allemande grâce à ses liens étroits avec le monde artistique et littéraire de l'époque, visait l'épanouissement individuel au profit de la société. Celle-ci se voulait émancipatrice et cosmopolite, puisqu'elle n'était pas confinée dans un état nation. La *Kultur* allemande, toujours d'après

Kultur und *civilisation*

Wer sich mit deutscher Kultur beschäftigt, stößt unweigerlich auf den Begriff des Bildungsbürgertums. „Bildung" wird dabei im Französischen mit *culture* übersetzt, womit nur ein Teil des deutschen Begriffs wiedergegeben werden kann.

In Deutschland entwickelte sich die Kultur, so Elias, gerade durch die Opposition zwischen Aristokratie und Bürgertum. Die Bildung des Bürgertums ermöglichte dessen Emanzipation, unabhängig vom Exklusivitätsanspruch des Französischen an den deutschen Höfen. Sie sollte der freien Entfaltung des Individuums dienen und kam so der Entwicklung und dem Wohle der deutschen Gesellschaft zugute. Humanistische, geisteswissenschaftliche und kulturelle Beweggründe standen im Vordergrund. Dem gegenüber stand das höfische, von Versailles kopierte Verhalten des Adels. Die zivilisierten Usancen, die die Aristokratie pflegte, wurden vom Bürgertum als oberflächlich und manieriert abgelehnt. Der Bürger wollte nicht raffiniert und zivilisiert sein, er wollte gebildet und kultiviert sein. Musik, Literatur, Philosophie aber auch die Religion und die Wissenschaften bildeten das Rückgrat der sich formenden deutschen Identität Anfang des 19. Jahrhunderts.

Selbstverständlich hat es auch in Frankreich die Entwicklung eines gebildeten und kulturinteressierten Bürgertums gegeben. Im Unterschied zu Deutschland fand dies jedoch nicht weitab vom Hof und seinen Entscheidungsträgern statt. Im Gegenteil, die französischen Könige zogen mit Vorliebe qualifizierte Bürger zu Rate, letztlich auch um eine Monopolstellung des Adels

Elias, était le fruit de l'opposition entre aristocratie et bourgeoisie. La première tenant la deuxième à l'écart de la vie, des normes et des valeurs de la cour, de cette courtoisie d'usage à la cour. Par conséquent, la notion de civilisation copiée sur Versailles par l'aristocratie allemande semblait être, aux yeux des bourgeois, synonyme d'affectation superficielle, de comportement maniéré etc. Cette évolution des mœurs vers un mode de vie raffiné, influencé par la France, n'étant pas à leur portée, les classes bourgeoises développèrent leur propre conception de culture. Le but fut d'être cultivé, pas nécessairement civilisé. C'est ainsi qu'en Allemagne, la notion de *Bildung* correspond à une certaine formation intellectuelle, imprégnée de valeurs authentiques comme la vertu, la profondeur des sentiments, la sincérité. Ce sont la littérature, les sciences, la philosophie, la religion, la musique qui ont fait la fierté de l'Allemagne et lui ont donné son identité.

En France, l'identité culturelle ne s'est pas formée à contre-courant de la société de cour, mais au sein même de cette cour. On y vit aussi l'apparition d'une bourgeoisie influente et intellectuelle, mais celle-ci n'était pas tenue à l'écart de la cour. Dans cet Etat centralisé, la question de l'unité culturelle - à défaut d'entité nationale - ne se posait pas au moment de l'ascension de la bourgeoisie aux plus hauts postes de l'Etat. Sollicitée par les rois de France, la bourgeoisie partageait ces postes influents avec l'aristocratie de la cour, elle était familière de ses usages.

Cette perméabilité entre les couches supérieures et moyennes permettait une assimilation des courants culturels de l'époque, et une influence directe des uns et des autres sur ces courants. Les intellectuels se pen-

am Hof zu verhindern. Die Bande zwischen Künstlern, Adel und Bürgertum waren eng geknüpft und dienten der gegenseitigen Einflussnahme und Kontrolle. So gingen das höfische Verhalten und der damit verbundene Zivilisationsanspruch wie selbstverständlich von einer Gesellschaftsschicht in die andere über. Die Künstler und Intellektuellen nahmen zu politischen Fragen Stellung, wurden aktiver Teil der Gesellschaft. Dieses Phänomen verstärkte sich nach der französischen Revolution noch. Das französische Volk übernahm „die Geschäfte", somit auch die kulturellen und künstlerischen Bereiche, die Kunst des Lebens, *l'art de vivre* mit einbegriffen. In einem zentralisierten Machtgefüge wie Frankreich wurde die Frage nach einer nationalen Identität nicht neu gestellt. Getragen durch die Werte, die ihre Vorstellung von *civilisation* ausmachen, war die Grande Nation der Stolz eines jeden Einzelnen.

Die Sprache

Neben ihrem unschätzbaren Wert als Kommunikationsmittel vermittelt die Sprache auch bestimmte Weltvorstellungen. Sie ist Ausdruck gesellschaftlicher Werte und kultureller Ansichten, sie verkörpert in gewisser Weise das Erbe und die Identität einer Region, eines Landes, der Menschheit im Ganzen. Auf nationaler und zunehmend auf europäischer Ebene verfolgen Frankreich und Deutschland ähnliche Ziele, und der Bereich der Sprache spielt eine große Rolle in der Kulturpolitik beider Länder. Die französische Sprache war für lange Zeit die Sprache der Diplomatie schlecht-

chaient sur les problèmes de l'Etat, au lieu de s'en distancer, cherchant parfois même à influencer, à presser ou à annuler certaines réformes politiques, économiques et sociales. Penseurs et bourgeois reproduisaient les coutumes de la cour, c'est-à-dire ce qui se faisait ou ce qui ne se faisait pas dans le domaine artistique, mais ils y empruntaient aussi un certain art de vivre. Le processus de civilisation entrait ainsi dans les mœurs du peuple français. Ce phénomène allait s'accélérer après la Révolution de 1789 puisque, dorénavant, le peuple français s'était approprié tous les domaines de la société, ce qui inclut évidemment le domaine de la culture et de l'art. La notion de « civilisation » développée au plus haut degré à la cour du roi de France, et reprise par la pensée républicaine, faisait la fierté des Français, et leur conception de culture est basée sur cette civilisation.

La langue

A côté de son inestimable valeur en tant que véhicule de communication, la langue reflète aussi une certaine perception du monde. Elle transmet certaines valeurs et expressions culturelles, elle représente une partie essentielle du patrimoine d'un pays, voire de l'humanité. La France et l'Allemagne intègrent le domaine de la langue dans leur politique culturelle respective.

Longtemps, la langue française a été LA langue officielle pour tout échange diplomatique, et le français fait partie des 6 langues officielles et des deux langues de travail de l'ONU. C'est une des deux principales langues de travail de l'Union européenne (avec l'anglais).

Französisch ist weltweit für 75 Millionen Menschen Muttersprache, Deutsch sogar für 100 Millionen. Die in der Frankophonie zusammen geschlossenen Staaten umfassen 200 Millionen Menschen, weitere 100 Millionen weltweit lernen Französisch in der Schule. 55 Millionen EU-Bürger beherrschen Deutsch als Fremdsprache.

Au niveau mondial, 75 millions ont le français, 100 millions l'allemand comme langue maternelle. Environ 200 millions de locuteurs sont organisés dans la francophonie, 100 millions d'autres apprennent le français comme langue étrangère à l'école. 55 millions de citoyens européens parlent l'allemand en tant que langue étrangère.

Quelle / Source: George Weber: Top languages : The world's 10 most influential languages, 1997; Eurobarometer 2005

hin, und heute noch gehört sie zu den sechs offiziellen Amtssprachen und den zwei Arbeitssprachen der Vereinten Nationen. Neben Englisch ist Französisch die meistgebrauchte Arbeitssprache innerhalb der europäischen Institutionen. Die deutsche Sprache scheint hingegen als dritte Arbeitssprache oft verdrängt zu werden, obwohl Deutsch die innerhalb der EU am meisten gesprochene Muttersprache ist. Französisch ist mit Englisch die einzige Sprache, die auf allen 5 Kontinenten gesprochen wird (Französisch ist in 29 Ländern Amtssprache). Sobald man nach der Muttersprache fragt, ist Deutsch hingegen deutlich mehr gesprochen als das Französische.

Die Frankophonie

Die französische Sprache, die traditionell als Ausdruck der französischen Eleganz, des Raffinements und einer gewissen Lebensart galt, hat über Jahrhunderte zur Ausstrahlung Frankreichs in der Welt wesentlich beigetragen. Der in Frankreich begonnene Zivilisationsprozess sollte an den Landesgrenzen nicht halt machen, sondern mit dem Anspruch universeller Gültigkeit auch in anderen Ländern zur Anwendung

L'allemand semble souvent négligé comme troisième langue de travail, bien qu'étant la langue maternelle la plus parlée au sein de l'Union européenne. Le français est avec l'anglais la seule langue internationale parlée sur les cinq continents (elle est langue officielle dans 29 pays). Mais si l'on parle de langue maternelle, l'allemand dépasse assez nettement le français.

La Francophonie

La langue française, traditionnellement véhicule du raffinement, de l'élégance et de l'art de vivre « à la française », contribua pendant des siècles au rayonnement de la France dans le monde. Ce rayonnement a permis aux Français de se forger une identité culturelle sûre d'elle-même et offensive. Le processus de civilisation entamé en France ne devait pas s'arrêter aux frontières du pays, une certaine prétention universaliste impliquant l'exportation de sa culture et de sa langue. A partir du 18e siècle, l'expansion de la langue française en Europe et en Amérique a tout d'abord été d'ordre démographique, puis économique et militaire. L'implantation du français en Afrique et dans l'Océan Indien est plus récente (à l'exception du Sénégal, où des postes françaises s'étaient établis dès

kommen. Zunächst beschränkte sich Frankreich auf eine sprachliche Expansionspolitik, gestützt durch die Migration vor allem nach Amerika. Progressiv verstärkte Frankreich jedoch auch seine militärischen und wirtschaftlichen Positionen auf den anderen Kontinenten, angefangen mit dem Senegal, dann über ganz Afrika verstreut und rund um den Indischen Ozean. Im 19. Jahrhundert folgte auf die militärischen Erfolge eine konsequente Missionierungs- und Schulpolitik, die die französische Sprache überall dort durchsetzte, wo Paris das Sagen hatte.

Unter Frankophonie (mit einem großen F) versteht man die Gesamtheit der Staaten und Regierungen (55 an der Zahl), die sich in der „Internationalen Organisation der Frankophonie" zusammengeschlossen haben. Die *francophonie* mit kleinem f meint hingegen alle Länder oder Sprecher, die Französisch teilweise oder dauernd als Verkehrssprache benutzen. Diese Rückbesinnung auf die französische Sprache erfolgte nach dem 2. Weltkrieg zu einem Zeitpunkt, als der Einfluss der angloamerikanischen Kultur in Europa immer stärker wurde. Ziel ist es, die französische Sprache und die französischsprachige Kultur (Film, Musik) in der Welt zu stärken. Seit 1986 findet alle 2 Jahre ein Gipfeltreffen der Frankophonie statt.

Von je her stand der Schutz des Französischen in Frankreich an oberster Stelle: Schon 1635 gründete der Kardinal de Richelieu in Paris die *Académie française.* Hauptanliegen dieser ehrwürdigen Institution ist bis heute die Pflege und Förderung der Reinheit der französischen Spra-

le 18ème s.), s'exportant à mesure des nouvelles conquêtes militaires au 19e siècle, avec les missionnaires et le développement de l'organisation scolaire.

La Francophonie (avec un grand F) désigne globalement les pays et gouvernements (55 membres) qui se sont organisés au sein de l'Organisation internationale de la Francophonie (OIF). La francophonie (avec un petit f) englobe tous les peuples ou locuteurs qui utilisent entièrement ou partiellement le français dans leur vie quotidienne ou leur communication. Cette prise de conscience du rôle du français date de l'après-guerre, au moment où la langue et la culture anglo-américaines prirent de plus en plus d'ampleur en Europe. Elle vise à promouvoir et à défendre la langue et la culture francophone dans le monde. Des sommets de la Francophonie sont organisés tous les deux ans depuis 1986.

La France possède une institution, fondée en 1635 par le cardinal de Richelieu, dont la mission première a toujours été de veiller sur le développement de la langue française: l'Académie française. L'Académie et ses « 40 Immortels » veillent au bon usage du français, fixent les règles linguistiques, publient un dictionnaire, décernent chaque année des prix littéraires, et attribuent aussi depuis 1986 un grand prix de la Francophonie à une personne qui a contribué « au maintien et à l'illustration de la langue française ».

Toute une législation protège en France l'usage du français face à l'influence croissante de l'anglais (loi Toubon de 1994). Ce souci de défense de la langue comme pilier du patrimoine figure aussi depuis 1992 dans la Constitution (« La langue de la République est le français »). C'est l'article un de cette

che. Der Gebrauch des Französischen wird angesichts des steigenden Einflusses des Englischen auch durch Gesetze geschützt (Toubon-Gesetz von 1994). Die Sorge um die französische Sprache als Pfeiler des kulturellen Erbes Frankreichs hat 1992 auch zur Aufnahme der Sprache in die Verfassung geführt („Die Sprache der Republik ist Französisch"). Der § 1 der französischen Verfassung, der die Gleichheit aller Bürger vor dem Gesetz, unabhängig von ihrer Herkunft, Rasse oder Religion garantiert, hilft auch zu verstehen, warum Frankreich bisher nicht die Europäische Charta der Regional- und Minderheitensprachen (1992) ratifiziert hat. Einige Kritiker sprechen sogar von einem gewissen sprach-

Constitution, rappelant « l'égalité devant la loi de tous les citoyens sans distinction d'origine, de race ou de religion », qui explique les difficultés juridiques qui ont empêché jusqu'à présent la France de ratifier la Charte européenne des langues régionales ou minoritaires. Certains critiques parlent même d'un certain impérialisme linguistique face aux langues régionales existant sur le territoire français. Si cela a sans aucun doute été le cas, notamment dans le passé, il ne faut pas oublier que c'est par la langue française que s'est forgée la nation « une et indivisible », et que c'est l'apprentissage « forcé » de cette langue commune qui a favorisé la promotion sociale et l'égalité des chances de tous les citoyens.

Antoine de Rivarol hat im Jahre 1784 das (französischsprachige) Preisausschreiben der Berliner Akademie gewonnen mit seiner Schrift „Discours sur l'universalité de la langue française". Das berühmteste Zitat lautet :„Ce qui n'est pas clair n'est pas français."
« Dégagée de tous les protocoles que la bassesse invente pour la vanité et le pouvoir, elle (la langue française) en est plus faite pour la conversation, lien des hommes et charme de tous les âges, et puisqu'il faut le dire, elle est de toutes les langues la seule qui ait une probité attachée à son génie. Sûre, sociale, raisonnable, ce n'est plus la langue française, c'est la langue humaine. » (Antoine de Rivarol)

lichen Imperialismus gegenüber den Regionalsprachen in Frankreich. Auch wenn dies, vor allem in der Vergangenheit, zutreffen mag, sollte man nicht vergessen, dass sich die „eine und unteilbare" Nation dank der Sprache herausgebildet hat und dass der „erzwungene" Erwerb dieser gemeinsamen Sprache den sozialen Aufstieg und die Chancengleichheit für alle Bürger ermöglicht.

La langue allemande – gage d'unité
En Allemagne, le rôle historique de la langue a été très différent. Si le français a permis à la République de rassembler autour des mêmes valeurs des populations dont ce n'était pas toujours la langue maternelle, le grand mérite de l'allemand a été son rôle décisif dans l'intégration et l'identification des peuples germaniques pour aboutir à la formation d'un seul Etat. La langue était le déno-

Die deutsche Sprache – Garant der Einheit

Für Deutschland hat die Sprache historisch eine ganz andere Rolle gespielt. Während die französische Sprache es der Republik erlaubt hat, Bevölkerungsteile, die eine andere Muttersprache hatten, an die gemeinsamen Werte zu binden, ist es der deutschen Sprache zu verdanken, dass die unterschiedlichen germanischen Volksgruppen schrittweise zueinander fanden, sich mit der Sprache identifizieren konnten und schließlich auch zur Bildung eines gemeinsamen Staates beitrugen.

In der deutschen Sprache gibt es ein Wort, das den Unterschied zwischen einem konkreten Nationalstolz und einer abstrakten, eher romantischen Konzeption verständlich werden lässt: der Begriff der Heimat. In Französisch lässt sich dieses Wort kaum übersetzen. Es ist schwer zu vermitteln, dass mit Heimat etwas gemeint ist, das sowohl ein konkreter Ort (der Geburtsort), als auch ein abstrakter Ort (die deutsche Sprache) sein kann, an dem man sich „heimisch" fühlt und aus dem man Identitätsgefühle ableitet.

Dieser abstrakte Begriff der kulturellen Identität, losgelöst von geographischen Grenzen und einengendem Patriotismus, ermöglichte einen einmaligen intellektuellen Austausch in ganz Mitteleuropa. Verbunden durch den gemeinsamen Sprach- und Bildungshorizont fand ein reger Dialog zwischen Berlin und Wien, aber auch Prag, München, Hamburg, usw. statt, ungeachtet der Nationalitäten oder der Religionen.

Die Liste der deutschsprachigen Künstler und Intellektuellen jüdischen Glaubens in jener Zeit ist lang: Zweig, Kafka, Freud...

minateur commun qui justifiait en quelque sorte l'unification de tous ces petits Etats au 19e siècle.

Un mot illustre cette différence de priorité culturelle entre un patriotisme national assez concret et une notion plus abstraite, plus romantique : l'importance du mot *Heimat* pour l'Allemand. Mot dont la traduction française approximative serait « pays natal » ou « patrie ». *Heimat*, c'est une notion subjective qui décrit un endroit ou l'individu se sent chez lui ; cela peut être le lieu géographique de sa naissance, mais cela peut aussi être la langue allemande comme domaine de prédilection et d'identification d'un poète ou d'un écrivain, d'un peuple.

A côté de son rôle d'intégration nationale, la langue allemande a été le véhicule de communication dominant de tous les milieux littéraires, universitaires et artistiques de l'Europe centrale dans la première moitié du 20e siècle. Les échanges intellectuels et culturels entre Berlin, Munich, Hambourg, Prague, Vienne etc. étaient très riches. On se connaissait, on s'appréciait, indépendamment de toute origine nationale ou religieuse. En effet, la proportion des artistes et des intellectuels de langue allemande et d'origine juive était importante. Zweig, Kafka, Freud … la liste serait longue si on voulait la compléter.

Tout cela allait prendre une fin tragique et abrupte dès 1933 avec l'accession au pouvoir du régime nazi. Toute la vie culturelle et artistique de qualité s'arrêta du jour au lendemain. Les juifs de tous milieux confondus n'étaient pas les seuls visés, cela concernait tout « libre penseur », athée, juif, catholique, protestant, communiste, allemand ou étranger. Les nazis exploitèrent cette fierté de l'Al-

Dies alles sollte 1933 mit der Machtergreifung der Nazis ein brutales Ende nehmen. Das Regime erstickte jegliche Kreativität im Keim, verfolgte alle, die ihren Gedanken, ihren Überzeugungen und Begabungen freien Lauf ließen. Dies betraf nicht nur die Juden, sondern jeden „freien Geist", ob Atheisten, Kommunisten, Christen, Juden oder Ausländer. Die deutsche Sprache wurde von der nationalsozialistischen Propaganda zu eigenen Zwecken missbraucht.

1945 war die Stunde Null für Deutschland. Es galt, mit der Schuld fertig zu werden, in den Nachbarstaaten neues Vertrauen aufzubauen, die Zerstörungen des Krieges zu beseitigen und sich eine neue Identität zu geben, da auf der alten nicht aufgebaut werden konnte. Die nächste Katastrophe stand schon vor der Tür: die Teilung des Landes und der damit verbundene Verlust der nationalen Einheit. Alles schien die beiden Teilländer zu trennen: das politische und wirtschaftliche System ebenso wie die Verbündeten. Zwei Faktoren allerdings sollten über die 40 Jahre deutscher Teilung einen einigenden Charakter behalten. Erstens die besondere strategische Position der beiden Deutschlands westlich und östlich des eisernen Vorhangs, wodurch jeder auf seiner Seite einer wirklichen Gefahr ausgesetzt war. Und zweitens die gemeinsame deutsche Sprache und das gemeinsame kulturelle Erbe. Die Möglichkeit,

lemand à l'égard de sa langue et la déformèrent à leurs fins.

1945 fut l'année zéro pour l'Allemagne. Il fallait expier ses crimes, regagner la confiance des pays voisins, se reconstruire et se créer une identité nouvelle puisque l'ancienne avait perdu tout droit à l'existence. Et bientôt, il a fallu surmonter une nouvelle tragédie : la division du pays. L'unité nationale perdue, tout semblait diviser ces deux Allemagnes : leurs régimes politiques, leurs systèmes économiques et leurs alliés respectifs.

Ce qui leur resta de commun fut leur position stratégique de la plus haute importance des deux côtés du rideau de fer. Et surtout leur langue et leur patrimoine culturel communs. Ce sentiment de communauté de destin face au danger réel du conflit Est-Ouest, et le fait de pouvoir se parler dans la même langue assurèrent la continuité d'une unité culturelle, envers et contre tout. L'importance de ce gage d'unité qu'est la langue fut littéralement palpable en 1989, l'année de la chute du mur. Ce n'est pas la violence, mais des mots et des manifestations pacifiques qui renversèrent le mur de Berlin. Leonard Bernstein, qui dirigea le concert de Noël en 1989 à Berlin, choisit la 9ème Symphonie de Beethoven et fit changer les paroles de Schiller pour l'occasion : l'Ode à la joie devint l'Ode à la liberté !

Dans l'Allemagne réunifiée, le soin de la langue allemande ne semble pas être une prio-

---

„Worte können sein wie winzige Arsendosen: Sie werden unbemerkt verschluckt, sie scheinen keine Wirkung zu tun, und nach einiger Zeit ist die Giftwirkung doch da."
Victor Klemperer : LTI Lingua tertii imperii – Notizbuch eines Philologen, Berlin 1947.

« Le nazisme s'insinua dans la chair et le sang du grand nombre à travers des expressions isolées, des tournures, des formes syntaxiques qui s'imposaient à des millions d'exemplaires et qui furent adoptées de façon mécanique et inconsciente. »
Victor Klemperer : LTI, la langue du Troisième Reich. Carnets d'un philologue, Paris 1996.

dieselbe Sprache zu sprechen, hat einen kulturellen Austausch trotz aller Umstände erlaubt.

Als die Mauer 1989 fiel, konnte man die Bedeutung dieser gemeinsamen Sprache mit Händen greifen. Nicht Gewalt und Waffen überwanden schließlich die deutsche Teilung, sondern Worte und friedliche Demonstrationen. Leonard Bernstein ließ es sich nicht nehmen, in dem Jahr das Weihnachtskonzert der Berliner Philharmoniker zu dirigieren und kurzerhand Schillers Ode an die Freude zur Feier des Tages in eine Ode an die Freiheit umzudichten.
Im wiedervereinigten Deutschland scheint der Pflege der deutschen Sprache keine besondere politische oder gesellschaftliche Bedeutung beigemessen zu werden. Aus französischer Sicht ist es höchst erstaunlich festzustellen, dass man in Deutschland ohne irgendwelchen Zwang auf den Gebrauch deutscher Worte verzichtet und sie durch vermeintlich englisch klingende Begriffe ersetzt. Das geschieht zum Beispiel, um einen besonders auffälligen Fall zu nennen, bei der Deutschen Bahn. Dort kauft man seine „bahncard" an einem „counter" und seine Getränke in einem „travel shop". Nur wenige Stimmen werden gegen diese Form des Verlusts an Sprachbewusstsein laut.

Die französische Kulturpolitik – eine Staatsangelegenheit

Sprache und Kultur, Kunst und Zivilisation, nationale Identität und weltweite Ausstrahlung, alle Aspekte des französischen

rité, ni politique ni sociale. Vu de France il est fort surprenant de constater qu'on renonce, sans contrainte quelconque, à l'utilisation de mots allemands pour les remplacer par des expressions à consonance anglaise. C'est le cas, pour citer un exemple particulièrement frappant, des chemins de fers nationaux *Deutsche Bahn*, qui vend une «bahncard» à un « counter » et qui offre des boissons dans un « travel shop ». Rares sont ceux qui luttent contre une telle perte de conscience linguistique.

La culture, une affaire d'Etat en France

Langue et culture, art et civilisation, identité nationale et rayonnement universel, tous ces aspects du patrimoine français sont regroupés, dirigés, financés ou subventionnés, délégués au sein du gouvernement français au ministère de la Culture et de la Communication, dont le siège se trouve bien évidemment dans le centre historique de Paris, au Palais Royal, et qui porte son nom actuel depuis 1997. Paris est la métropole culturelle par excellence. Bien que d'autres centres culturels de haut niveau existent dans le pays, jamais aucune ville n'a été élevée au rang de Paris. Ce qui peut paraître évident aux yeux des Français ne l'est pas du tout aux yeux des Allemands. Habitué de par son histoire à une forte décentralisation des pouvoirs politiques, et plus particulièrement en ce qui concerne les affaires culturelles, l'Allemand s'étonnera peut-être de l'omniprésence officielle du ministre de la Culture au Festival d'Avignon, à l'ouverture d'un nouveau musée à Paris ou au Festival international du cinéma à Cannes. En France, la Culture, c'est une affaire d'Etat.

kulturellen Erbes sind zentralisiert zusammengefasst im französischen Ministerium für Kultur und Kommunikation, dessen Sitz sich mitten im historischen Zentrum von Paris am Palais Royal befindet und das seit 1997 diesen Namen trägt. Von dort aus wird gelenkt, entschieden, delegiert und finanziert. Paris ist die kulturelle Metropole schlechthin. Während in Deutschland eine Konzentration der Mittel und Aufmerksamkeit zugunsten einer einzigen Stadt schlecht akzeptiert würde, ist es für die Franzosen aus der historischen Entwicklung heraus eine Normalität. Die offizielle Präsenz des französischen Kulturministers sowohl bei den Filmfestspielen in Cannes, wie auch bei der Eröffnung eines Pariser Museums oder dem Theaterfestival von Avignon ist eine Selbstverständlichkeit. Kultur ist eine Staatsangelegenheit.

Der Minister für Kultur und Kommunikation

1959 wurde unter General de Gaulle das „Ministerium der kulturellen Angelegenheiten" aus der Taufe gehoben. Die Leitung übernahm André Malraux, Freund de Gaulles, Widerstandskämpfer und Schriftsteller. Das Gründungsdekret gibt die wichtigsten Ziele des neuen Ministeriums vor: Der Zugang zu den kulturellen Gütern soll demokratisiert werden. Möglichst viele Franzosen sollen die großen Kunstwerke der Welt und besonders Frankreichs genießen können, und die Entstehung neuer Kunstwerke soll gefördert werden. Dieses Ziel wurde in den vergangenen 50 Jahren nicht aus den Augen verloren. In jeder größeren Stadt wurden so genannte Häuser der Kultur gegründet, wo die Bevölkerung

Le ministre de la Culture et de la Communication

En 1959, la Vème République toute jeune crée pour André Malraux, ami du Général de Gaulle, un ministère des Affaires culturelles. A l'époque, un souci de démocratisation culturelle est perceptible dans le décret fondateur de ce ministère qui « a pour mission de rendre accessibles les œuvres capitales de l'humanité, et d'abord de la France, au plus grand nombre de Français ; d'assurer la plus vaste audience à notre patrimoine culturel, et de favoriser la création des œuvres d'art et de l'esprit qui l'enrichissent » (Malraux). Cette volonté d'égalité et d'accessibilité n'a pas faibli au cours des cinquante dernières années. Elle a donné naissance à une multitude d'établissements à Paris mais aussi en province et en banlieue comme les Maisons de la Culture, la création d'événements populaires comme la Fête de la Musique (en 1982), la Journée nationale du Patrimoine (1984), la Nuit des Musées (2005) etc., tous accessibles au grand public. Certains événements ont été imités à l'échelle européenne ou même mondiale, remportant un franc succès auprès du public qui en apprécie certes la gratuité, mais surtout un moment de convivialité et d'échange artistique et humain.

Le ministère gère une multitude d'institutions sur le territoire français, toutes vouées au service de la transmission des valeurs (la laïcité, la notion de citoyenneté) et des normes (la langue française, le comportement civilisé) qui font la fierté de la France.

Autre manifestation du lien parfois fusionnel entre l'Etat et la culture : les Grands Projets, dont le plus prestigieux exemple dans l'histoire de la France est sans doute le château de Versailles. Portant parfois les noms

kostenfrei Ausstellungen, Konzerte und andere kulturelle Aktivitäten besuchen kann. Ähnliche Beweggründe führten auch zur Entwicklung kultureller Höhepunkte wie den jährlich stattfindenden Musiknächten, dem Tag des kulturellen Erbes oder der Nacht der Museen. Diese Initiativen haben nationale, sogar internationale Ausstrahlung und erfreuen sich eines großen Publikumsinteresses.

Im französischen Kulturministerium sind eine Reihe von Einzelinstitutionen, Delegationen und Abteilungen unter einem Dach zusammengeschlossen, die alle der gleichen Aufgabe dienen: Vermitteln der französischen Werte (Laizismus, Staatsbürgertum) und Normen (französische Sprache, zivilisiertes Verhalten).

Dass in Frankreich Kultur eine Staatsangelegenheit ist, lässt sich besonders gut anhand der großen staatlichen Bauprojekte veranschaulichen, die seit dem spektakulären Bau des Schlosses von Versailles Tradition sind. Sie gehen meist auf den Willen eines französischen Staatspräsidenten zurück. So zum Beispiel das der modernen Malerei gewidmete Centre Georges Pompidou, die von François Mitterrand initiierte Pyramide des Louvre, die Bastille-Oper oder die Neue Staatsbibliothek, und letztlich das von Jacques Chirac eröffnete Ethnologiemuseum Musée du Quai Branly. Hinzu kommen Großprojekte, welche die französische Leistungsfähigkeit eher in technischen und wissenschaftlichen Bereichen wie dem Brückenbau (viaduc de Millau) oder der Hochgeschwindigkeitsbahn (TGV) unterstreichen. Gleich ob künstlerischer oder wirtschaftlicher Art werden diese Projekte von einer Inszenie-

de leurs initiateurs, on reconnaît au Centre Beaubourg, dédié à la culture contemporaine, la signature de Georges Pompidou ; à la pyramide du Louvre, à l'opéra Bastille ou à la Bibliothèque nationale de France celle de François Mitterrand ; et plus récemment au Quai Branly, musée consacré aux Arts Premiers, la signature de Jacques Chirac. A ces grands travaux présidentiels s'ajoutent ce que l'Express a appelé des « projets étato-industriels » grandioses comme le viaduc de Millau ou le TGV. Des projets aux budgets faramineux, mais qui contribuent au prestige et au rayonnement de la France dans le monde. Pour faire connaître leurs prouesses techniques, architecturales et artistiques, ces projets sont en général mis en scène dès le stade de la planification par le gouvernement français qui prévoit des journées officielles de « chantiers ouverts » pour la population.

Le patrimoine français et les quotas

Une certaine forme de politique culturelle étatique existait déjà sous l'Ancien Régime. Le mécénat royal, la création de la Comédie française et des Académies en sont les exemples les plus connus. Deux épisodes marquants de l'histoire de France renforcèrent cette politique en faveur du patrimoine:

- En réaction au pillage et aux destructions, la Révolution de 1789 décida un transfert massif de monuments (châteaux) et d'objets d'art à la République.
- La séparation de l'Eglise et de l'Etat en 1905 confia à l'Etat et aux collectivités locales la responsabilité des édifices cultuels (églises, monastères).

C'est dans ce contexte qu'il faut situer la politique de protection du patrimoine et du système des quotas qui s'ensuit. L'Etat fran-

rung begleitet, welche die Identifizierung des französischen Volkes mit dem jeweiligen Projekt erlaubt, vom Planungsbeginn bis zur Einweihung.

Nationales Kulturerbe und Quotenpolitik

Schon in der Zeit vor der Revolution gab es eine gewisse Form von staatlicher Kulturpolitik. Das Mäzenatentum des Hofes, die Gründung der *Comédie française* und der Akademien sind dafür die bekanntesten Beispiele. Zwei einschneidende Daten in der französischen Geschichte verstärken diese Förderpolitik des nationalen Kulturerbes.

Nachdem während der Revolution zahlreiche Kulturgüter geraubt und zerstört worden waren, beschließen die Revolutionäre die weitgehende Nationalisierung von historischen Bauwerken und Kunstgegenständen. 1905 kam im Rahmen der Trennung von Staat und Kirche die Leitung und Unterhaltung der kirchlichen Besitzungen hinzu.

In diesem Rahmen muss man die französische Kulturpolitik bis heute verstehen. Der besondere Wert der Kunstgüter, der sie außerhalb des rein ökonomischen Marktes stellt, rechtfertigt die Eingriffe des Staates im Kulturbereich und auf dem Kunstmarkt. Paris hat die Aufgabe, ein rechtlich und finanziell günstiges Klima zu garantieren, um ein möglichst großes Potential an französischer kreativer Produktion zu erlauben. Marktregulierungen und Quotenregelungen stehen dabei auf der Tagesordnung. Auch wenn sich der Staat gegen eine Definition von Kunst als Ware sträubt, ist er mit dieser Politik doch Akteur am Markt. Schon Malraux hatte auf dieses

çais se doit d'être garant de ce qu'on a appelé « l'exception culturelle ». Pour cela, il a instauré toute une série d'aides législatives et financières qui ont pour but de soutenir la production française. Vu de l'extérieur, cela peut paraître une contradiction: l'exception culturelle refuse de considérer la production culturelle comme une marchandise, ce qui justifie la politique de subvention qui est censée protéger l'art face aux règles du marché « à l'américaine ». Mais en même temps, le marché de l'art peut rapporter gros, ou comme l'exprimait Malraux dans son Esquisse d'une psychologie du cinéma: le cinéma est un art, « et par ailleurs une industrie ».

Dans chaque branche (cinéma, théâtre, télévision ou autre moyen de communication) il existe un système d'aide automatique à la création. C'est ainsi que par exemple sur chaque billet de cinéma vendu, un certain pourcentage est prélevé pour soutenir le cinéma français.

Depuis 1994, la France a adopté des quotas de diffusion d'œuvres francophones à la radio pour résister au quasi-monopole de la chanson anglo-américaine sur les ondes. Concrètement, sur une journée de diffusion, les radios doivent diffuser « 60% de titres francophones, dont un pourcentage de nouvelles productions pouvant aller jusqu'à 10% du total, avec au minimum un titre par heure en moyenne » (2000). Le résultat ne s'est pas fait attendre : en 2004 le CSA (Conseil supérieur de l'audiovisuel) annonça que par rapport à 1996, la proportion de vente de musique en France s'était exactement inversée : 40% pour la variété internationale, 60% pour la chanson francophone. Cette mesure,

Paradox hingewiesen: Das Kino, so sagt er in seinem Entwurf einer Psychologie des Kinos, ist eine Kunst, und übrigens auch eine Industrie.

Für alle Bereiche der Kommunikation und Unterhaltung (Kino, Theater, Fernsehen usw.) existiert ein System der finanziellen Unterstützung. So wird für jede gekaufte Kinokarte automatisch ein gewisser Prozentsatz für die französische Filmindustrie

critiquée à l'époque par les pays voisins, est aujourd'hui plébiscitée à l'étranger.

Autre système qui fait des envieux à l'étranger, même si certains artistes français ne s'en rendent pas compte : le statut des intermittents du spectacle, statut unique au monde et qui a permis de faire vivre la création en protégeant les métiers du spectacle pendant les périodes d'inactivité. Le gouvernement français a cherché à modifier ce statut der-

40 Immortels: Die 40 Mitglieder der französischen Akademie werden die „Unsterblichen" genannt. Es sind Literaten und Gelehrte, aber auch Politiker und Vertreter der Kirchen. Sobald ein Platz frei wird, können die übrigen 39 ein neues Mitglied wählen. Die Akademie vergibt viele literarische Preise, darunter den *Grand Prix de littérature*.

Il n'y a pas en Allemagne de vrai équivalent de l'Académie française. En 1949 fut fondée la *Deutsche Akademie für Sprache und Dichtung* dont la mission peut être comparée à celle de l'Académie française. Son siège se trouve à Darmstadt.

abgezweigt. Außerdem hat Frankreich seit 1994 eine Quotenregelung speziell für die Musikbranche im Radio eingeführt, um damit der angloamerikanischen Vorherrschaft Herr zu werden. Konkret bedeutet dies, dass die Radiosender innerhalb einer Sendestunde 60% frankophone Lieder senden müssen, davon bis zu 10% neue Titel. Die Entwicklung zeigt die unmittelbaren Folgen dieser Entscheidung: innerhalb von 8 Jahren (zwischen 1996 und 2004) hat man in Frankreich eine Umkehrung der Verhältnisse beim Plattenverkauf festgestellt: 2004 waren 40% der französischen Musikkäufe internationale Titel und 60% frankophone Produktionen. Wurde diese drastische Maßnahme anfangs in den

nièrement pour prévenir un éventuel abus, ce qui a provoqué un tollé dans le milieu du spectacle. S'ensuivirent des manifestations dans Paris, des interruptions de spectacles et même la quasi annulation de festivals aussi prestigieux que ceux d'Aix-en-Provence et d'Avignon en 2004.

Dans le domaine de l'audiovisuel, il ne faut pas oublier la création en 1963 de France-Culture, une radio culturelle de service public, intégrée à Radio France, et dont dépend entre autre l'Orchestre national de France qui est dirigé par le fameux chef d'orchestre allemand Kurt Masur.

Dans un souci de rééquilibrage face à la domination médiatique anglo-américaine, Jacques Chirac, alors président de la République,

Nachbarstaaten noch belächelt, erkennt man heute den Nutzen für die heimische Musikbranche neidvoll an.

Ein anderes System, das im Ausland für neidvolle Blicke sorgt, auch wenn die Betroffenen selbst sich dessen selten bewusst sind, ist die Unterstützung für die französischen *intermittents*. Gemeint sind alle die Beschäftigten der darstellenden Künste, die nicht durchgehend unter Vertrag stehen, also unregelmäßige Einkommen beziehen. Für diese „Durststrecken", die am Theater, im Filmgeschäft, aber auch im Zirkus vorkommen, stehen ihnen staatliche Hilfen zu. Um Missbrauch dieses finanziell vorteilhaften Systems zu vermeiden, arbeitet der französische Staat an einer Reform der Unterstützungen, was im Künstlermilieu für einen Aufschrei der Empörung gesorgt hat.

Eine wichtige Entscheidung im audiovisuellen Bereich war die Gründung des öffentlich-rechtlichen Radiosenders France Culture 1963. Ausschließlich der Kultur verschrieben, untersteht dem Sender auch das Rundfunkorchester, dessen Leitung Kurt Masur seit 2002 innehat.

Um der angloamerikanischen Dominanz im Bereich der Kultur und Wertevermittlung eine eigene Stimme entgegen zu setzen, hob der damalige französische Präsident Chirac im Winter 2006 einen neuen Sender aus der Taufe: Télévision France 24, dessen Aufgabe es ist, die französische Sicht auf die Welt in französischer, englischer und auch arabischer Sprache rund um die Uhr zu vermitteln.

a décidé en 2006 la création d'une chaîne d'information internationale française qui, à l'image de CNN ou de la BBC, émettra jour et nuit, en français, en anglais et en arabe en provenance de Paris. France 24 propose « un regard français sur le monde 24h/24».

Et le public français ?

Il va sans dire que toutes ces institutions, ces mesures de soutien et de protection sont presque entièrement financées par le service public. Et le public français, qu'en pense-t-il ?

Dans la perspective des présidentielles de 2007, TNS-Sofres a publié fin 2006 un sondage intitulé : « Les Français et la politique culturelle » dans lequel une majorité de personnes interrogées (71%) considéraient la culture comme un des enjeux importants des élections. 54% déclaraient ne voir « pas de différence » gauche-droite en matière de culture. On constate donc un certain consensus politique au sein de la population française lorsqu'il s'agit de culture. 44% s'accordaient pour dire que le financement des activités culturelles doit se faire « par l'Etat ou les collectivités », et que l'effort des pouvoirs publics devait porter en premier lieu sur « La préservation et le rayonnement du patrimoine culturel de la France » (57%). Les Français interrogés estimaient qu'une politique culturelle efficace pouvait :

1. « dynamiser les zones rurales » (70%),
2. « lutter contre les inégalités face à l'éducation » (64%),
3. « combattre le racisme et les extrémismes » (61%)
4. « renforcer l'identité nationale » (60%).

Tout en calculant une marge évidente entre la subjectivité des chiffres et la réalité,

Und das französische Publikum?

Selbstverständlich finanziert der französische Steuerzahler mit seinen Abgaben größtenteils die Kulturpolitik seines Landes. Was denken die Bürger darüber?

Im Hinblick auf die anstehenden Präsidentenwahlen wurde im Winter 2006 eine Meinungsumfrage von TNS –Sofres publiziert, die sich mit eben diesem Thema auseinandersetzte. Festgestellt wurde dabei zunächst, dass eine Mehrheit (71%) der Befragten die Kultur als ein wichtiges Thema bei den anstehenden Wahlen ansehen. Allerdings empfinden 54% keinen großen Unterschied zwischen linker und rechter Kulturpolitik in Frankreich. Man kann also fast von einem vom Volk so empfundenen politischen Konsens in Kulturfragen sprechen. Die Finanzierung der Kultur soll vom Staat und den Gebietskörperschaften gewährleistet werden, so 44% der Befragten, und Hauptaufgabe der Kulturpolitik sei der Schutz des französischen Kulturerbes (57%).

Kulturpolitik kann nach Meinung der befragten Franzosen:

1. dem ländlichen Raum neue Dynamik verleihen (70%),
2. gleiche Bildungsbedingungen für alle schaffen (64%),
3. Rassismus und Extremismus bekämpfen (61%) und
4. das nationale Bewusstsein stärken (60%).

Auch wenn eine Umfrage zunächst nur dem subjektiven Empfinden Ausdruck verleiht, zeigt sie doch die Tatsache, dass dem französischen Staat weiterhin eine große – finanzielle und ethische – Rolle im Bereich Kultur und Kunst zugemessen wird. David ce sondage démontre l'importance du rôle accordé à l'Etat dans le soutien - financier et autre - de sa culture et de son patrimoine. Comme le formulait David Kessler, directeur de France Culture : la culture n'est pas « du côté des paillettes », mais bien une préoccupation sérieuse pour les Français. Elle l'est peut-être moins pour les politiques : puisqu'il existe un certain consensus politique à son égard, la culture est moins dans le collimateur, donc on tend à « l'oublier » face aux problèmes de l'insécurité, du chômage, ou plus récemment de l'environnement.

La politique culturelle en Allemagne

La souveraineté des *Länder* en matière de culture

Lorsqu'on connaît la construction historique de l'identité nationale de l'Allemagne, on ne s'étonnera pas que la politique culturelle y soit principalement du ressort des états régionaux allemands, et ceci avant même la naissance de la République fédérale d'Allemagne en 1949. Après la réunification, ce système a été étendu aux régions allemandes de l'Est. Ce système fédéral, bien que discuté, s'est maintenu jusqu'à aujourd'hui.

Les *Länder* gèrent leur politique culturelle ainsi que l'éducation de façon indépendante et souveraine, principe fixé par la Constitution (Article 30). Ils défendent cette prérogative vis-à-vis de Berlin et n'en démordent que difficilement. Bien sûr, il existe des questions d'importance nationale dont la responsabilité revient à l'Etat fédéral. C'est par exemple le cas de la promotion de la langue et de la culture allemande à l'étranger (Instituts Goethe), le problème de la restitution des

Kessler, der Direktor von France Culture, hat es so formuliert: Die Kultur ist keine Frage „des Glitters", sondern für die Franzosen ein ernstes Thema. Für die Politik mag das nicht im gleichen Maße zutreffen, zumal da in Kulturfragen ein gewisser Konsens zu herrschen scheint. Unsicherheit, Arbeitslosigkeit und immer öfter auch die Umweltbedrohung drängen in den Vordergrund und beherrschen die politischen Debatten.

Deutscher Kulturföderalismus

Die Kulturhoheit der Länder

Kennt man die historische Entwicklung in Deutschland und die Rolle, die der Kultur dabei zukam, dann verwundert es nicht, dass deutsche Kulturpolitik in erster Linie Ländersache ist. Die verfassungsmäßig (Art. 30 GG) festgelegte Kulturhoheit der Länder ist nach dem Mauerfall auf die neuen Bundesländer ausgeweitet worden. Trotz einer hin und wieder geführten Diskussion um die Aufgabenverteilung wer-

biens juifs spoliés, et plus généralement la mise en place et la garantie d'un cadre législatif et financier pour protéger toute institution culturelle d'importance nationale. La défense des intérêts nationaux au niveau européen et international incombe aussi à Berlin.

Berlin et le poids du passé

La politique culturelle de l'Allemagne a quelque peu changé après la chute du mur. Le retour de la capitale à Berlin a attiré tous les regards sur cette ville qui avait connu une grande tradition culturelle, avec une apogée dans les années 20.

Berlin n'est pas Bonn. Pendant les années de la Guerre froide, des villes comme Munich, Cologne ou Hambourg affirmaient pleinement leur souveraineté culturelle à côté de cette capitale provisoire qu'était Bonn. Cette dernière avait certes une réputation de ville universitaire, mais jamais de centre d'art et de création. Et ce ne sont pas les projets de musées lancés par le chancelier Helmut Kohl à Bonn dans les années précédant la chute du mur qui auraient pu y changer quelque chose. Si les régionalismes artistiques de haut

Kulturfinanzierung / Le financement de la culture

Deutschland		France	
Bund:	9%	Ministère de la Culture :	53%
Bundesländer :	47%	Départements/Régions :	9%
Gemeinden :	44%	Communes :	38%

Private Kulturförderung / Mécenat privé			
Deutschland	255 Millionen Euro	France	183 millions d'euros

Quelle/Source: Comité européen pour le rapprochement de l'économie et de la culture

den dem Bund bis heute nur eingeschränkte Zuständigkeiten eingeräumt.

Selbstverständlich gibt es Bereiche, die naturgemäß dem Bund unterstehen. Dies ist ganz allgemein der Fall für die auswärtige Kulturpolitik, die Förderung der deutschen Sprache und Kultur im Ausland (Goethe-Institute), die Problematik der Kriegsbeutekunst und der Rückgabe widerrechtlich erworbener Kulturgüter sowie die zunehmende Koordinierung mit den europäischen Institutionen.

Berlin und die Last der Vergangenheit
Der Mauerfall 1989 und die Hauptstadtentscheidung für Berlin 1991 haben ihre Spuren in der deutschen Kulturpolitik hinterlassen. Weltweit besitzt Berlin, vor allem in Erinnerung an die glanzvollen 20er Jahre des 20. Jahrhunderts, eine kulturelle Ausstrahlung und Anziehungskraft, die Bonn nie hatte. Obwohl Bonn seine Rolle als provisorische Hauptstadt glänzend gespielt und einen unbestrittenen Rang als Universitätsstadt hat, stellte die Stadt am Rhein in den Zeiten der deutschen Teilung nie eine ernstzunehmende Konkurrenz für die Kulturstädte München, Köln oder Hamburg dar. Daran haben auch die Museumsprojekte, die Bundeskanzler Helmut Kohl in den Jahren vor dem Mauerfall angestoßen hatte, nichts ändern können. Seit der Wiedervereinigung spürt man eine Verschiebung und Konzentration der kulturellen Aufmerksamkeit in Richtung Berlin. Trotz leerer Kassen zieht Berlin die künstlerische Avantgarde Europas an, und dieses intensive Kulturleben stärkt den Status der Stadt.

niveau s'épanouissaient donc sans concurrence jusqu'en 1989, on observe depuis une quinzaine d'années un déplacement de l'intérêt et des financements en direction de Berlin. L'ouverture sur les régions de l'Est et le charisme d'une ville qui représente à la fois le tragique de l'histoire allemande et le renouveau pacifique, font de Berlin un aimant pour toute l'avant-garde culturelle européenne, et confortent son statut de capitale.

Depuis 1998, l'Allemagne s'est dotée d'un Délégué du gouvernement fédéral à la Culture et aux Médias, ce qui inspira à un ministre bavarois la remarque qu'un ministère fédéral de la culture était aussi nécessaire à l'Allemagne « qu'un ministère de la marine en Suisse » ! Cette nouvelle institution occupe environ 190 personnes à Berlin et à Bonn. Elle permet une meilleure coordination des questions culturelles à l'échelle nationale et regroupe des politiques culturelles auparavant dispersées entre différents ministères. Le délégué travaille étroitement avec la Commission de la culture et des médias du *Bundestag* pour gérer les questions de culture de la capitale, le soutien de la création cinématographique avec, entre autres, le fameux Festival du cinéma de Berlin, et les lieux de mémoire qui tiennent une place très importante dans la politique allemande. Ce début encore hésitant de centralisation de certaines compétences culturelles facilite le dialogue avec les acteurs culturels, les fondations et les institutions au niveau fédéral et international.

La situation actuelle
Depuis 1945, un grand travail de réflexion sur le passé a été accompli par le peuple allemand. Forcée d'abord par les Alliés de rompre avec le passé et de développer une

Sous le chancelier Helmut Kohl, la ville de Bonn, ancienne capitale provisoire de la RFA, s'est dotée de plusieurs musées : *Haus der Geschichte der Bundesrepublik Deutschland* (Maison de l'histoire de la République fédérale d'Allemagne), *Kunstmuseum Bonn* (expressionisme rhénan et peinture d'après 1945) et *Bundeskunsthalle* (expositions temporaires).

L'île aux musées de Berlin *(Museumsinsel)* est le plus grand chantier culturel de l'Europe. Cinq musées sur un km² : Musée de Pergame, Musée de Bode, *Altes Museum, Neues Museum, Alte Nationalgalerie*. L'ensemble est classé patrimoine mondial de l'humanité par l'UNESCO.

Seit 1998 gibt es in Deutschland einen Beauftragten der Bundesregierung für Kultur und Medien (BKM), der als Staatsminister dem Kanzleramt zugeordnet ist. Diese Neuerung verleitete einen bayerischen Minister zu der Äußerung, ein Bundeskulturminister sei in Deutschland so nötig wie ein Marineminister in der Schweiz. Immerhin hat diese neue Bundesinstitution ca. 190 Mitarbeiter in Bonn und Berlin, und sie erlaubt eine bessere Koordinierung der verschiedenen kulturellen Aufgaben des Bundes, die bis dahin auf mehrere Ministerien verteilt waren. Zusammen mit dem Ausschuss für Kultur und Medien des Deutschen Bundestages achtet der Beauftragte auf die Einhaltung und Verbesserung der Rahmenbedingungen für deutsche Kunst und Kultur. Ausschuss und Beauftragter bearbeiten ein breites Themenspektrum von der Kulturförderung über die Hauptstadtkultur bis zur Filmförderung (darunter auch das berühmte Berliner Filmfestival) und der Erinnerungskultur, die in der deutschen Politik einen großen Raum einnimmt. Der langsame Beginn einer Zentralisierung einiger Zuständigkeiten im Kulturbereich erleichtert auch den Dialog mit den Kunstschaffenden, privaten Förderern wie Stiftungen und den nationalen wie internationalen Institutionen.

conscience démocratique, l'Allemagne a fait preuve d'une impressionnante volonté de pédagogie nationale. Moins ancrée dans ses traditions que la France, elle est résolument tournée vers l'avenir, soutenant avec dynamisme la création contemporaine.

Il est impossible de donner une vision complète, et il est même difficile de définir les secteurs de pointe de la production culturelle dans l'Allemagne d'aujourd'hui. Le film, la littérature, la peinture, les arts plastiques et décoratifs jouissent d'une renommée internationale. Les prix nobel de littérature, des oscars pour la production cinématographique, des peintres de renommée internationale – l'art allemand d'après-guerre jouit d'une grande estime. Pourtant, il est vrai que la place de la musique reste particulièrement importante dans la société.

A l'opposé de la France, l'Allemagne se définit aujourd'hui plus facilement par sa culture musicale que par ses écrivains. Les villes allemandes sont toutes dotées d'orchestres de haut niveau, et d'excellentes salles de concert construites à cet effet – Cologne et Hambourg figurent parmi les plus réputées. Mais il faut surtout citer l'exemple de la Philharmonie de Berlin. D'une architecture innovante malgré ses plus de 40 ans d'existence, elle est dotée d'une acoustique parfaite et est le symbole d'une tradition musicale qui cherche son équivalent en France.

Die heutige Situation

Es ist unmöglich, einen vollständigen Überblick über die heutige Kunstproduktion in Deutschland zu geben, und es ist schwer, herausragende Bereiche zu benennen. Film, Literatur, Malerei und darstellende Kunst genießen internationales Ansehen. Literaturnobelpreise, Oscar-Preise für die Filmschaffenden, internationales Renommee zeitgenössischer Maler – die deutsche Nachkriegskunst hat insgesamt einen guten Ruf. Allerdings kann man mit Fug und Recht sagen, dass die Musik auch heute in der Gesellschaft einen besonders wichtigen Platz einnimmt.

L'initiation à la musique dès le plus bas âge fait partie de la politique culturelle en Allemagne. La densité en écoles de musique d'un bon niveau est nettement plus élevée que dans d'autres pays européens. Les communes investissent, aussi bien que les *Länder*, dans ce réseau qui couvre le territoire entier, avec une tradition particulièrement forte dans le sud-ouest du pays. Les petits Allemands reçoivent une formation musicale, qui est moins élitiste et scolaire que celle des conservatoires français. Les écoles de musique prônent un enseignement plus ludique et axé sur l'instrument, donc plus accessible et plus populaire.
La musique, surtout la grande tradition clas-

Der 22. Januar ist seit dem 40. Jahrestag des Elysée-Vertrags der deutsch-französische Tag (der Vertrag wurde am 22.1.1963 unterzeichnet). Von öffentlichen und privaten Stellen werden Initiativen zur Förderung der deutsch-französischen Beziehungen und der Sprachkenntnisse organisiert.
Depuis le quarantième anniversaire du traité de l'Elysée de 1963, le 22 janvier est devenu la « journée franco-allemande ». De nombreux acteurs publics et privés organisent des manifestations destinées à faire mieux connaître la coopération franco-allemande, à promouvoir la langue du partenaire et à améliorer la connaissance du voisin.

Mit seiner Musik identifiziert sich Deutschland in höherem Maße als Frankreich, wo eher die Literatur im Vordergrund steht. Alle größeren deutschen Städte haben sehr gute Orchester und hochwertige Konzertsäle – Köln und Hamburg haben ein besonders gutes Renommee. Als herausragendes Beispiel sei die Berliner Philharmonie genannt. Obwohl schon 40 Jahre alt, ist das Gebäude noch heute architektonisch interessant und die Akustik des Saals gilt als vollkommen. Ein vergleichbares Sym-

sique, mais aussi des créations plus récentes, peut être considérée comme faisant partie de la diplomatie allemande. Le *Deutsche Musikrat*, fédération nationale des écoles de musique et organisation clé pour la promotion de la musique, a joué un rôle important en organisant des tournées de grands orchestres allemands dans des pays avec lesquels il n'y avait que très peu de contacts officiels.

bol und Aushängeschild großer Musikkunst hat Frankreich nicht.

Musikalische Früherziehung ist Teil deutscher Kulturpolitik. Das Netz an guten Musikschulen ist in Deutschland dichter als in anderen europäischen Ländern. Die musikalische Ausbildung der Kinder ist weniger verschult und spielerischer, als es in den einer sozialen Elite vorbehaltenen französischen *conservatoires* der Fall ist.

Projets culturels franco-allemands

Les pouvoirs publics continuent à financer un réseau relativement dense d'instituts culturels et respectivement des instituts Goethe dans le pays partenaire. Il existe également de nouvelles formes de financement mixte: plusieurs villes allemandes ont repris, du moins en partie, les anciens Instituts culturels français, et en France, quelques

Akteure der deutsch-französischen Kulturzusammenarbeit

Die Deutsch-Französische Kulturstiftung (Mainz) fördert die Kulturbeziehungen zwischen Deutschland und Frankreich durch die Vergabe von Preisen und Projektförderung. Die Stiftung hat ein Adenauer-De Gaulle-Denkmal errichten lassen.

Der Deutsch-französische Kulturrat wurde 1988 auf einem der regelmäßig stattfindenden politischen Gipfeltreffen gegründet. Seine Aufgabe ist die Förderung der kulturellen deutsch-französischen Zusammenarbeit und die Beratung der öffentlichen Stellen. Beim deutschen Sekretariat ist die Stiftung für die deutsch-französische kulturelle Zusammenarbeit angesiedelt. (www.hccfa.org/de)

Acteurs de la coopération culturelle franco-allemande

La Fondation culturelle franco-allemande (Mayence) s'engage en faveur de la promotion des échanges culturels entre la France et l'Allemagne en décernant des prix et en accordant des subventions pour des projets culturels. La fondation a fait ériger un monument à la mémoire de Charles de Gaulle et Konrad Adenauer.

Fondé en 1988 lors d'un des sommets politiques réguliers, le Haut Conseil Culturel franco-allemand a pour mission la promotion de la coopération culturelle entre la France et l'Allemagne. Il conseille les acteurs publics. Le Secrétariat allemand héberge la Fondation pour la Coopération culturelle franco-allemande. www.hccfa.org

Man kann die Musik, sowohl die klassische als auch die modernere, sogar als Teil deutscher Außenpolitik betrachten. Der Deutsche Musikrat, in dem die Musikschulen organisiert sind, hat durch seine Konzertreisen in Länder, zu denen wenig offizielle

villes, départements et Régions soutiennent les « Maisons allemandes » qui regroupent plusieurs acteurs non étatiques.

Les échanges culturels et la fascination réciproque entre deux pays ne peuvent être décrétés par les gouvernements. Le domaine

diplomatische Kontakte bestanden, viele Türen öffnen und bessere Kontakte anbahnen können.

culturel est fortement subjectif, soumis à des conjonctures imprévisibles. Nul ne pouvait prévoir l'immense succès de « Good bye, Le-

Das Amt des Bevollmächtigten für die deutsch-französischen Kulturbeziehungen wurde mit dem Elysée-Vertrag 1963 geschaffen, um die Bundesländer an den deutsch-französischen Konsultationen angemessen zu beteiligen. Der Bevollmächtigte (jeweils der Regierungschef eines Bundeslandes) vertritt alle Themen, die zur Zuständigkeit der Länder gehören (vor allem Kultur, Medien und Bildung). Für 4 Jahre wird er bei deutsch-französischen Regierungstreffen Mitglied der Bundesregierung.

Le Traité de l'Elysée crée en 1963 la fonction du « Plénipotentiaire de la République fédérale d'Allemagne chargé des affaires culturelles » pour que les Länder soient représentés dans la coopération franco-allemande. Le Plénipotentiaire, qui est un des dirigeants des Länder, représente tous les sujets dont la compétence appartient aux Länder (avant tout culture, médias et éducation). Elu pour 4 ans, il devient membre du gouvernement fédéral allemand pendant les rencontres gouvernementales franco-allemandes.

Deutsch-französische Kulturprojekte

Die staatlichen Stellen finanzieren ein immer noch relativ dichtes Netz von Kulturinstituten bzw. Goethe-Instituten im anderen Land. Neue Formen der Mischfinanzierung sind dazugekommen: deutsche Kommunen haben teilweise die früher französischen *Instituts culturels* übernommen, in Frankreich erhalten in einigen Städten die so genannten „Deutschlandhäuser" auch Unterstützung der Städte und Regionen.

Kulturellen Austausch und wechselseitige Faszination zwischen zwei Ländern kann man nicht allein von Regierungsseite dekretieren. Kultur ist in hohem Maße subjektiv und unterliegt unvorhersehbaren konjunkturellen Schwankungen. Niemand

nin » en France, qui savait d'avance que « Le fabuleux destin d'Amélie Poulain » allait être tant apprécié en Allemagne, et qui aurait osé croire que la musique de « Tokio Hotel » allait créer un tel enthousiasme pour la langue allemande ? Restons donc modestes en parlant des initiatives publiques (et privées) visant à intensifier les échanges culturels entre la France et l'Allemagne et de promouvoir ensemble la production culturelle.

Dans le cadre de la coopération franco-allemande, plusieurs institutions gèrent l'application et le bon déroulement des directives et décisions prises au niveau gouvernemental entre l'Allemagne et la France. Elles sont soutenues par l'*Auswärtiges Amt*, le Ministère des Affaires étrangères et les ministères français de l'Education Nationale et de la Culture ainsi que par différentes commissions d'ex-

konnte den großen Erfolg von „Good bye, Lenin" in Frankreich vorhersehen, und niemand wusste, ob „Die fabelhafte Welt der Amélie" in Deutschland den Geschmack des Massenpublikums treffen würde. Wer hätte die Prognose gewagt, dass die Musik von „Tokio Hotel" in Frankreich zu einem riesigen Interesse an der deutschen Sprache führen würde? Man sollte also bescheiden bleiben, wenn man

perts. Du côté allemand, et pour simplifier les relations entre Paris et les 16 Länder allemands qui sont ses principaux interlocuteurs en matière de questions culturelles et scolaires, le traité franco-allemand de 1963 a créé un poste de « plénipotentiaire ». Depuis le janvier 2007, Klaus Wowereit, le maire de Berlin, est en charge du dossier pour quatre ans. Il a succédé à Peter Müller, ministre-président de la Sarre.

Eine der originellsten Produktionen von ARTE ist die Serie „Karambolage", die man auch als DVD oder kleines Buch beziehen kann. In kurzen amüsanten Stücken werden Eigenheiten der deutschen und französischen Kultur vorgeführt, Missverständnisse erläutert und sprachliche Kuriositäten analysiert. Unbedingt empfehlenswert, auch für den Sprachunterricht!

Une des productions les plus originales d'ARTE est la série « Karambolage », dont il existe une version DVD et une édition imprimée. Dans cette série, on présente, sous forme de petits films ou de dessins animés, les particularités de la civilisation allemande et française, on explique des malentendus et des curiosités linguistiques. A ne pas manquer ! Et fort intéressant pour l'enseignement de la langue …

über die staatlichen (und privaten) Initiativen spricht, die bewusst auf eine Stärkung des deutsch-französischen Kulturaustauschs und zudem die gemeinsame Kulturförderung abzielen.

Die deutsch-französische Kulturzusammenarbeit, die sich die Regierungen zum Ziel setzen, wird von mehreren Institutionen umgesetzt. Federführend dabei sind natürlich die jeweiligen Außenministerien, die Kultusministerien und verschiedene Expertenkommissionen. Um die Zusammenarbeit zwischen den zentralisierten Pariser Instanzen und den 16 deutschen Ländern zu vereinfachen, wird jeweils für vier Jahre ein deutscher „Bevollmächtigter

Les projets de coopération franco-allemande dans le domaine de la culture sont portés par de nombreux acteurs, fondations, associations, ministères ou Ambassades.

La chaîne de télévision ARTE, fruit d'une volonté politique commune, joue un rôle particulier. Dans un contexte de mondialisation et de nouvelles technologies omniprésentes, un rôle majeur incombe à l'audiovisuel.

ARTE, fusion à parité égale entre La SEPT française et ARTE Deutschland TV GmbH, a diffusé ses premières émissions simultanément en France et en Allemagne en 1992. Elle s'est depuis associée à d'autres chaînes publiques européennes (Belgique, Pologne etc.). La mission d'ARTE est de réaliser et

für die deutsch-französischen Kulturbeziehungen" ernannt. Seit Januar 2007 ist dies der Regierende Bürgermeister von Berlin, Klaus Wowereit, der in diesem Amt Peter Müller, dem Ministerpräsidenten des Saarlandes, folgte.

Die kulturellen Projekte werden in der deutsch-französischen Zusammenarbeit von einer Vielzahl von Vereinen, Stiftungen, Ministerien, Botschaften und Einzelpersönlichkeiten getragen.

Eine besondere Rolle spielt der Fernsehsender ARTE, der das Ergebnis eines gemeinsamen politischen Willens ist. ARTE ist aus der Fusion von La SEPT und ARTE Deutschland TV GmbH entstanden und hat 1992 die ersten Sendungen in deutscher und französischer Version ausgestrahlt. Mittlerweile ist ARTE auch mit anderen europäischen, öffentlichen Fernsehanstalten (Belgien, Polen, Schweiz usw.) vertraglich verbunden. Erklärtes Ziel von ARTE ist „das Verständnis und die Annäherung der Völker in Europa" zu fördern.

de diffuser des émissions « ayant un caractère culturel et international au sens large, et propres à favoriser la compréhension et le rapprochement des peuples en Europe ». La centrale d'ARTE se trouve à Strasbourg, mais ses statuts stipulent une direction et un financement bipolaire franco-allemand. Ces deux pôles contrôlent conjointement le financement et la réalisation des programmes, veillant au respect des intérêts des partenaires français et allemands. ARTE est financée dans les deux pays par la redevance audiovisuelle. Le programme est aux trois quarts constitué d'émissions provenant pour moitié du pôle français, ARTE France, et pour moitié du pôle allemand. Malgré ce souci de parité et de partenariat équilibré, ARTE n'a pas la même audience en France et en Allemagne (3,8% en France contre 0,5% en Allemagne en 2005). Malgré ce faible taux d'audience, malgré aussi une coopération parfois délicate entre les deux pôles dirigeants, ARTE persévère dans sa mission de rapprochement culturel et artistique franco-

2004 wurden von beiden Regierungen zahlreiche Initiativen zur Förderung der jeweils anderen Sprache angestoßen. Informations- und Werbekampagnen wurden gestartet. Das Goethe-Institut, der DAAD und andere Partner haben die Broschüre „L'allemand, passeport pour l'Europe" herausgebracht. Im Auftrag des französischen Außenministeriums hat das dfi eine Publikation „L'allemand, un atout pour des carrières en Europe" veröffentlicht. Der Bevollmächtigte für deutsch-französische kulturelle Zusammenarbeit hat mit der Kultusministerkonferenz eine Broschüre „Französisch schlägt Brücken in die Zukunft" publiziert. Das deutsch-französische Sprachenportal dokumentiert die bestehenden Angebote. www.fplusd.org

En 2004, les gouvernements français et allemand ont lancé de nombreuses initiatives pour promouvoir la langue du partenaire. Des campagnes d'information et de publicité (« On a tout à faire ensemble ») furent lancées. L'Institut Goethe, le Ministère de l'Education nationale et d'autres partenaires éditèrent une brochure sur « L'allemand, passeport pour l'Europe », et le dfi publia à la demande du Ministère des Affaires étrangères un livre « L'allemand, un atout pour des carrières en Europe ». Du côté allemand, le plénipotentiaire pour les relations culturelles franco-allemandes a publié, en coopération avec la Conférence nationale des Ministres de la Culture, une brochure « Français schlägt Brücken in die Zukunft ». Le portail de langues franco-allemand www.fplusd.org regroupe les informations et offres existantes.

Zuerst das „DeutschMobil" (seit 2001) und dann auch das „FranceMobil" (2002) bringen die Sprache im wahrsten Sinne des Wortes zu den Schülern. Auf Initiative der Föderation deutsch-französischer Häuser und mit Unterstützung der Robert Bosch Stiftung, der Daimler AG und des DAAD, bereisen mittlerweile 10 Autos die Schulen in Frankreich, um konkrete, spielerische Werbung für das Deutsche als Fremdsprache zu machen. Das „FranceMobil" wird von der Robert Bosch Stiftung, der Renault Nissan AG Deutschland, dem Klett Verlag und der französischen Botschaft in Berlin unterstützt (heute sind es 12 Fahrzeuge).

Dix « DeutschMobil » (depuis 2001) et douze « Francemobil » (depuis 2002) sillonnent le pays partenaire pour promouvoir l'apprentissage de la langue française et allemande. Né d'une initiative privée de la Fédération des Maisons Franco-Allemandes, le projet est soutenu par la Robert Bosch Stiftung, par Daimler AG et par l'office Allemagne des échanges universitaires. Pour les « Francemobil », les sponsors sont la Robert Bosch Stiftung, Renault Nissan AG Allemagne, la maison d'édition Klett et l'Ambassade de France à Berlin. Leur objectif est d'apporter aux élèves et aux parents une approche ludique et vivante de ces deux langues réputées difficiles.

www.deutschmobil.fr; www.kultur-frankreich.de/francemobil

Die Entscheidungsgremien sind paritätisch deutsch und französisch besetzt, und auch wenn der Sitz der Anstalt im französischen Straßburg liegt, wird ARTE anteilig durch die deutschen und französischen Fernsehgebühren finanziert. Trotz der ausgewogenen deutsch-französischen Struktur hat ARTE in beiden Ländern sehr unterschiedliche Einschaltquoten. 2005 lagen sie in Deutschland bei 0,5%, in Frankreich bei 3,8%.

Trotz der geringen Einschaltquoten und der manchmal schwerfälligen deutsch-französischen Leitungsstruktur hält der Sender an seiner Kernaufgabe fest, die in der künstlerischen und kulturellen Annäherung zwischen Deutschen, Franzosen und allen Europäern besteht. Der Sender ruft zu Offenheit und Neugierde über die nationalen Grenzen hinweg auf, und allemand et européen. Fidèle à son slogan « Vivons curieux ! », elle est une des clés donnant accès à l'avenir culturel des deux pays. Depuis quelques années, les gouvernements français et allemand se sont engagés dans la promotion de la langue du partenaire réciproquement. Effectivement, le nombre d'élèves choisissant l'Allemand en première ou deuxième langue étrangère était en baisse depuis des années, et le Français perd de plus en plus de sa place traditionnelle dans les écoles allemandes. Une vraie campagne de marketing, des initiatives originales comme le « DeutschMobil » ou le « FranceMobil » ainsi qu'un travail de fond avec les parents d'élèves et les établissements scolaires ont permis de redresser un peu les statistiques.

könnte damit einer der Schlüssel zur Zukunft der europäischen Kulturpolitik sein.

Seit einigen Jahren haben die deutsche und die französische Regierung die Förderung der Sprache auf ihre Fahnen geschrieben. Die Zahl der Deutschschüler in den französischen Schulen nahm seit Jahren kontinuierlich ab, und auch das Französische büßt seinen angestammten Platz in den deutschen Schulen immer mehr ein. Eine regelrechte Marketingkampagne wurde angestoßen, und originelle Initiativen wie das „DeutschMobil" oder „FranceMobil" haben zusammen mit Überzeugungsarbeit bei den Eltern und Schulen zu ersten Anzeichen einer Trendwende geführt.

Essen und Trinken

Manger et boire

Leben wie Gott in Frankreich …

Vivre comme Dieu en France …

„Leben wie Gott in Frankreich", das heißt für die Meisten vor allem „Essen und Trinken wie die Franzosen". Im Vordergrund steht das besondere Verhältnis zur Küche, den kulinarischen Produkten und den dazugehörenden Weinen.

Dieses Verhältnis ist ein lustvolles, ein irdisches Empfinden, dem die Menschen in Frankreich mit Genuss und sehr bewusst erliegen. *Les plaisirs de la table,* die Gaumenfreuden: Die deutsche Übersetzung trifft den Sinn nur ungenau. Mit der französischen Küche wird eben nicht nur der Gaumen gekitzelt, sondern sämtliche Sinne werden geweckt. Diese französische Auffassung der Esskultur ist weltweit bekannt und trägt erheblich zur französischen Identität bei. Nicht umsonst wird der typische Franzose mit einer Flasche Rotwein in der Hand und einer *baguette* unter dem Arm karikiert. Frankreich erleben heißt französisch essen, dies ist auch in Deutschland die erste Assoziation mit dem Nachbarland. Die südfranzösische Region Languedoc-Roussillon wirbt in deutschen Zeitungen für sich als Touristenziel mit der Aufforderung: „Wer uns kennen lernen will, muss mit uns essen!" Das Essen als gemeinsames Erlebnis ist ein wichtiger Beziehungsvermittler; bis heute ist in Frankreich der gesellschaftliche Rang der Esskultur ganz oben angesetzt. In Deutschland trifft man sich auf ein Bier, in Frankreich geht man gemeinsam essen.

« Vivre comme Dieu en France » : cette formule résume toute l'espérance et l'attente des étrangers lorsqu'ils pensent à la France, synonyme de terre promise, de bonheur. Cette idée du bonheur de vivre en France est toujours d'actualité en Allemagne, une idée étroitement liée au savoir-faire culinaire français. Bien sûr, ce bonheur de vivre ne se réduit pas aux aspects gastronomiques de la vie, les Français ne sont pas des Alexandre le bienheureux qui se détournent de la vie pour se goinfrer du matin au soir. Mais l'image du Français bon vivant persiste en Allemagne, on se l'imagine volontiers avec sa baguette de pain et sa bouteille de rouge sous le bras, deux attributs typiques d'un repas français. Cette image est souvent exploitée dans la publicité française outre-Rhin : ainsi la Région Languedoc-Roussillon invite le lecteur allemand à découvrir sa beauté en partageant ses habitudes culinaires : « Pour nous connaître, il faut manger avec nous ! » Invitation touristique à des fins économiques bien évidemment, mais aussi état d'esprit. L'aspect convivial et social d'un repas partagé, l'importance du choix des mets, de la qualité des produits, en dit long sur la relation et sur l'estime dans laquelle l'hôte tient ses convives. On peut dire en résumant que lorsque deux amis se retrouvent en Allemagne, ils vont boire une bière ensemble, tandis qu'en France ils partagent un repas.

Historische Einflüsse

Was wir essen und trinken hängt auch von klimatischen und geographischen Gegebenheiten ab. Generell kann man in Europa sagen, dass die kulinarische Vielfalt in dem Maße zunimmt, wie wir uns von Norden nach Süden bewegen. Mit den heutigen weltweiten Transportmöglichkeiten nehmen diese klimatisch bedingten Unterschiede sicherlich ab. Aber Essgewohnheiten sind nicht nur physikalischer Natur, sondern auch und vor allem das Ergebnis von langen zivilisatorischen Prozessen.

Die Ursprünge dessen, was man heute als kulinarische Gewohnheiten beobachten kann, reichen teils weit in die Geschichte zurück. Der römische Einfluss hat in den Gebieten, die westlich des Limes lagen – und dazu gehören neben Frankreich auch die südlichen und westlichen Gebiete Deutschlands – Spuren hinterlassen. Die Dreiteilung des Tages in Frühstück, Mittag- und Abendessen stammt ebenso aus dieser Zeit wie die Angewohnheit des Brotreichens bei den Mahlzeiten und die

Influences historiques

Ce que nous buvons et mangeons dépend aussi des conditions climatiques et géographiques dans lesquelles nous vivons. D'une manière générale, on peut dire que plus on descend vers le sud de l'Europe, plus on découvre de richesse et de variété dans les habitudes culinaires. Aujourd'hui, grâce aux moyens de transport à l'échelle mondiale, ces différences climatiques perdent sans doute de leur importance. Mais manger et boire ne dépend pas uniquement de facteurs géographiques, il s'agit aussi et surtout du résultat de longs processus de civilisation.

Les origines de ce que nous observons aujourd'hui dans les habitudes culinaires remontent très loin. L'influence romaine s'étendait jusqu'aux confins de l'Empire, englobant les régions d'Allemagne occupées par l'armée et délimitées par le Limes. La division de la journée en trois repas (petit-déjeuner, déjeuner et dîner) date de cette époque. L'art de la préparation des sauces, le *garum*, était déjà très développé. Autre héritage : le pain comme partie intégrante du

Festtafel im gallischen Dorf
Le banquet gaulois

Kunst der Saucenzubereitung. Schon die Römer tranken neben Wasser auch Wein, roten wie weißen.

Das Mittelalter entwickelte seine eigene Kochkunst. Dabei treten Früchte und Gemüse in den Hintergrund. Hauptbestandteil eines mittelalterlichen Büfetts ist, neben dem Brot, das Fleisch. Die katholische Kirche prägt mit ihren Vorschriften, den Fastenzeiten wie den Feiertagen die Essgewohnheiten. Bis heute wird in großen Teilen der christlich geprägten Bevölkerung am Freitag Fisch gegessen. Aus dem Mittelalter stammt auch Frankreichs erstes berühmtes Rezeptbuch, der *Viandier de Taillevent* (14. Jh.), in dem die Kochkunst zur Wissenschaft erhoben wird.

Entscheidend aber für die bis heute gültige Vorstellung der großen französischen Küche war die Epoche der höfischen Kultur. Die *Grande Cuisine,* die den weltweiten Ruf Frankreichs als Heimat raffinierter Küche begründet, entwickelt sich im 17. und 18. Jh. Neue Produkte und Zutaten aus der Neuen Welt und Fernost erweitern das Spektrum. Pompöse Essen werden zum Symbol der Macht und des Reichtums, zunächst bei Hof, dann auch in den wohlhabenden adeligen und bürgerlichen Schichten. Zum Ideal der Kunst des Essens gehören aber nicht nur aufwendige Gerichte und teure Produkte, sondern auch eine komplizierte Etikette und gewisse Umgangsformen, die bis in die heutige Zeit nachwirken.

Die französische Revolution führte zunächst zu einem Bruch mit der Stilisierung der elitären Kochkünste. Das oberste politische Ziel war es, den Hunger in der Be-

repas. Les Romains avaient déjà l'habitude d'accompagner les repas d'eau et de vin blanc et/ou rouge.

Le moyen âge développa son propre art de cuisiner. Les fruits et légumes perdent en importance, le pain et la viande sont les piliers d'un buffet médiéval. L'influence de l'église catholique sur les habitudes alimentaires est très forte. C'est elle qui dicte les règles de jeûne et de carême, qui impose ses jours de fête et de grandes cérémonies, traditions ancestrales qui ont gardé une certaine validité, tout au moins dans une partie de la population chrétienne d'aujourd'hui (le poisson du vendredi etc.). Un des premiers livres de recettes fut le Viandier de Taillevent (14ème s.), où l'art culinaire est élevé au rang de science. Mais c'est aux 17e et 18e siècles qu'ont été jetées les bases de ce qui est devenu la grande cuisine française, cet art de la gastronomie qui allait faire de ce pays, pour le monde entier, la patrie de la bonne table. Les produits importés du Nouveau Monde et les épices de l'Orient enrichissent le menu. Les festins somptueux deviennent un symbole de pouvoir et de richesse, à la cour d'abord, puis dans les couches nobles et bourgeoises aisées. Mais le raffinement va bien au-delà des mets et des produits coûteux, car les arts de la table comprennent tout un code de comportement en société dont on rencontre encore des traces aujourd'hui.

La Révolution française mit fin momentanément à cette évolution de l'art culinaire. L'objectif majeur était désormais de combattre la famine du peuple. Avec l'apaisement politique du pays et l'amélioration de la situation économique, on peut observer tout au long du 19e siècle une démocratisation progressive des habitudes alimentaires. Le

völkerung zu bekämpfen. Nachdem sich die gesellschaftliche Situation in Frankreich wieder beruhigt hatte und die wirtschaftliche Situation es erlaubte, ließ sich im Laufe des 19. Jh. eine Demokratisierung der französischen Küche beobachten. Sie war nicht mehr nur der Elite vorbehalten, sondern das Volk griff nach ihr. Die französische Küche wurde schrittweise zum Nationalgut, jeder hatte ein Recht darauf, jeder sollte in ihren Genuss kommen, und jeder war stolz auf sie. Weißbrot und das Glas Rotwein zum Essen wurden zum Symbol der sozialen Gerechtigkeit.

In Deutschland orientierte sich die Elite, die sich im Laufe der Jahrhunderte für die Verfeinerung der Speisen interessierte, an diesem Ideal der *Grande Cuisine*. Es war Mode, *à la française* kochen zu lassen. Dies galt im Grunde bis in die Nachkriegszeit, feine Küche war französische Küche.

Aber im Allgemeinen ist die deutsche Küche volksnah. Eine eigene deutsche *haute-cuisine* wird zwar in einigen zum Teil auch von Michelin bzw. Gault-Millau mit Sternen ausgezeichneten Restaurants entwickelt und verfeinert. Sie ist aber noch lange kein Volkssport, geschweige denn Nationalstolz, wie er in Frankreich gepflegt wird.

Essgewohnheiten

Die Abfolge der Mahlzeiten
Das *petit-déjeuner,* das „kleine" Frühstück, trägt in Frankreich zu Recht seinen Namen *„petit"*. Mehr als ein Stück Weißbrot mit Butter und Marmelade, manchmal auch ein *croissant* und einen Milchkaffee oder Tee nimmt der Franzose meist nicht

peuple français s'est approprié une cuisine qui ne devait plus être le privilège des élites. Chacun y avait droit, chacun en était fier, elle devint partie intégrante du patrimoine national. Le pain blanc et le verre de vin accompagnant le repas symbolisèrent en quelque sorte ce processus de démocratisation.

En Allemagne, une minorité de privilégiés savait également apprécier une forme de culture culinaire perfectionnée, en référence à la grande cuisine française dont la réputation n'était plus à faire. Tout au long des siècles et jusque dans l'après-guerre, ceux qui recherchaient le plaisir et le raffinement s'inspiraient de la gastronomie à la française.

Mais, en règle générale, la cuisine allemande reste proche du peuple. S'il est vrai qu'aujourd'hui on trouve en Allemagne des restaurants « haut de gamme », fiers de posséder une ou même plusieurs étoiles Michelin ou Gault-Millau, cette tendance n'a jamais été généralisée.

Les habitudes alimentaires

Le rythme des repas
Le petit-déjeuner, frugal du temps des Romains, reste petit pour les Français, se réduisant généralement à un café au lait ou un thé avec des tartines (parfois un croissant).

En France, déjeuner et dîner sont en principe deux repas complets chauds, mais le dîner garde un caractère plus convivial, il est le plus important dans une journée souvent stressante où le déjeuner est de plus en plus un simple en-cas pris sur le pouce par manque de temps, et où la famille ne se trouve réunie que le soir.

zu sich. Hauptmahlzeit bleibt das *dîner*. Bis heute ist in Frankreich das Abendessen eine vollwertige Mahlzeit, bei der warme Gerichte gereicht werden, was ein Mittagessen nicht ausschließt. Bei der berufstätigen Bevölkerung nimmt die Wichtigkeit dieser Abendmahlzeit eher noch zu; sie ist oftmals der einzige Moment des familiären Zusammenseins im hektischen Alltag.

Der Deutsche nimmt sich Zeit für ein richtiges Frühstück, es gibt Brötchen, oft Wurst und Käse, Nutella und Marmelade, dazu Tee, Kaffee oder Kakao. Sehr beliebt sind auch Müsli mit Milch oder Joghurt. Am Sonntag wird es dann gemütlich: Das Frühstück dehnt sich aus und wird gern zum Brunch umfunktioniert. Es gibt Salate, frisch gekochte Eier, und auch schon mal ein Glas Sekt. Man lädt sich privat zum Frühstück ein, eine in Frankreich undenkbare Sache, wo die Hausfrau zu der Zeit schon in den Vorbereitungen für das ausgiebige Sonntagsmittagessen steckt.

Im Gegensatz zur Gewohnheit des ausgedehnten Abendessens ist in Deutschland an normalen Wochentagen das Mittagessen die Hauptmahlzeit des Tages. Im Vergleich zu Frankreich haben Schulen und Büros frühere Anfangszeiten, dementsprechend ertönt auch schon ab 12 Uhr in deutschen Landen der fröhliche Gruß „Mahlzeit!".

En Allemagne, le petit-déjeuner est un vrai repas. On prend le temps de boire son café (ou son chocolat chaud) accompagné de tartines ou de petits pains, au fromage, au jambon, à la confiture ou au *Nutella*. Céréales et muesli ont envahi le marché allemand. Consommés avec du yaourt ou du lait, ils remplacent parfois le pain. Le dimanche, le premier repas de la journée prend souvent le caractère d'un brunch. On prépare des œufs à la coque ou brouillés, des salades, des jus de fruits pressés, et parfois même un verre de mousseux pour bien commencer la journée. Recevoir une invitation à un *Sektfrühstück* constitue un signe d'estime particulier, car il s'agit là d'une invitation plus intime et familiale qu'une quelconque invitation à déjeuner ou à dîner.

En Allemagne, c'est le déjeuner qui est le principal repas de la journée. Les écoles et bureaux commençant dès 8 h du matin, on déjeune généralement plus tôt qu'en France. A partir de midi, la population active se salue en se souhaitant *Mahlzeit !* (bon déjeuner !).

Le dîner est plus frugal qu'en France. Pris souvent relativement tôt, vers 19 h ou même 18 h, ce repas froid est souvent constitué de quelques crudités et de tranches de pain avec de la charcuterie et/ou du fromage – d'où son nom de *Abendbrot* (pain du soir).

„Ich verbrachte viel mehr Zeit mit meiner Gastfamilie als ich normalerweise mit meiner richtigen Familie in Deutschland verbringe. … Ich durfte nicht essen wann ich Hunger hatte und die ganze Familie musste mit dem Essen auf die Mutter warten." (Austauschschüler)

« Je passais beaucoup plus de temps avec ma famille d'accueil que je passe normalement avec ma vraie famille en Allemagne. … Je n'avais pas le droit de manger quand j'avais faim et toute la famille devait attendre la mère pour manger. » (Elève en échange scolaire)

Quelle/source: OFAJ (éd.): L'immersion dans la culture et la langue de l'autre. Une recherche évaluative du programme Voltaire. No. 23, 2006, p. 89

Zu Abend gegessen wird früher als in Frankreich, dafür aber weniger üppig, oftmals nur ein paar Brote, deswegen auch der Ausdruck „Abendbrot" für Abendessen. Abendbrot gibt es in den meisten Familien zwischen 18 und 19 Uhr.

Nationale Eigenheiten

Trotz regionaler Unterschiede in beiden Ländern kann man gewisse nationale Gepflogenheiten beobachten. So gehört Deutschland zu den größten Kartoffelessern Europas. Kartoffeln gibt es entweder als eigenständiges Gericht in Form von Pellkartoffeln oder Reibekuchen, oder als weit verbreitete Beilage, noch vor Reis, Nudeln, Knödeln oder Gemüse. Hingegen ist es in Deutschland nicht üblich, Brot zum Essen zu reichen. Die deutsche Küche bevorzugt fleischhaltige Speisen, vor allem Schweinefleisch, und man findet eine unendliche Vielfalt an Wurstsorten. Pferdefleisch gibt es so gut wie gar nicht, auch Lamm ist traditionell nicht sonderlich verbreitet, im Unterschied zum Geflügel. Von den Seefischen ist der Hering am meisten verbreitet. Die Forelle ist der beliebteste Süßwasserfisch, neben Barsch und Karpfen. Die deutsche Küche ist nicht besonders scharf, nur zur Wurst gibt es würzigen Senf, – außer in Bayern, wo es eine süße Senfvariante zur Weißwurst gibt. Ein Genuss für Auge und Mund sind die Bäckereien mit den vielen Brotsorten und Brötchen, den Brezeln und den süßen „Teilchen". Besonders auch Mehrkornsorten, sowie dunkle Brotarten sind sehr beliebt.

Du pain, du vin, et du boursin, dieser in Frankreich bekannte Werbespruch lässt

Particularités nationales

En France comme en Allemagne, la cuisine régionale est importante, ce qui n'exclue pas certaines traditions nationales. La cuisine allemande apprécie énormément la pomme de terre et tous ses dérivés. Elle peut constituer un plat principal, poêlée ou à la vapeur et accompagnée de fromage blanc, ou bien être servie en garniture, plus souvent que les pâtes, le riz, et surtout les légumes verts. En Allemagne, on ne sert généralement pas de pain pendant les repas.

Les Allemands aiment la viande, le bœuf bien sûr, mais surtout le porc sous toutes ses formes. On préfère la viande bien cuite, non saignante. Il existe d'innombrables sortes de saucisses et de charcuterie. L'agneau et la viande de cheval sont rares, contrairement aux volailles. Les poissons les plus appréciés sont le hareng, la truite, la carpe et la perche. Les plats sont rarement très épicés, exception faite de la moutarde servie avec les saucisses. En Bavière, il existe même une moutarde sucrée accompagnant la *Weisswurst*, sorte de boudin blanc.

Les boulangeries allemandes sont un vrai plaisir pour les yeux comme pour le palais : on y vend toute sorte de pains et de petit pains, blancs, gris, complets, aux graines de sésame ou de pavot, aux noix ou aux raisins. Du *Pumpernickel* très noir au bretzel en passant par d'appétissantes viennoiseries, le choix est difficile.

Du pain, du vin et du Boursin, ce slogan publicitaire connu de tous les consommateurs français depuis des décennies, résume à merveille les ingrédients de base d'une table française. Le Boursin peut être remplacé par n'importe quel fromage local, il ne man-

sich beliebig umformulieren, der Boursin-Käse durch einen anderen Käse ersetzen, es passt immer. Man schätzt die Zahl der französischen Käsesorten auf etwa 350. Der Käse ist Bestandteil einer Mahlzeit, er schließt sie ab und ersetzt oft den Nachtisch. Mehr und mehr wird er auch als eigenständige Mahlzeit angesehen. Deutschland ist der größte Abnehmer von französischen Käseprodukten.

Brot und Wein sind unverzichtbare Bestandteile der französischen Esskultur, ob im Feinschmeckerlokal oder im einfachen Straßencafé. Im Geschmack, in der Qualität und im Preis variiert dabei eigentlich nur der Wein. Das Brot, fast immer in Scheiben geschnittenes, weißes Baguettebrot, kommt dem Ausländer vergleichsweise unscheinbar vor, und auf der Rechnung bleibt es unbemerkt – eine Errungenschaft seit der Französischen Revolution. Niemandem dürfen, auch nicht im Restaurant, Brot und (Leitungs-) Wasser verweigert werden!

Was dem deutschen Supermarkt die Wursttheke, das ist dem französischen die Fischtheke. Die Auswahl an Meeres- und Süßwasserfisch ist riesig, und Meeresfrüchte aller Art sind längst keine Luxusgüter mehr. Dies gilt natürlich vor allem für die Gegenden in der Nähe des Meeres, aber auch im Inneren des Landes wird man niemals vergeblich nach frischem Fisch suchen.

quera pas au rendez-vous d'un repas en France. L'Encyclopédie des fromages français recense 350 fromages de toutes les régions de France, mais il paraît qu'il en existe environ 500 si l'on compte les productions locales qui n'apparaissent pas dans les chiffres du marché officiel. Le fromage conclut un repas, parfois à la place du dessert. Mais il peut même constituer un plat à part entière, accompagné de pommes de terre comme la raclette savoyarde, ou d'une salade et de baguette comme par exemple le chèvre chaud. L'Allemagne est par ailleurs le plus grand importateur de fromages français.

Qui dit fromage, dit pain, servi d'office à toutes les tables de restaurant, ainsi qu'une carafe d'eau. Ces deux produits sont dus au consommateur et ne sont pas comptés dans l'addition.

Tandis que le consommateur français sera étonné par la grande variété des charcuteries dans n'importe quel supermarché allemand, le client allemand restera bouche bée devant l'étalage de poissons et de fruits de mer en France. Autrefois produits de luxe, poissons, coquillages et fruits de mer sont aujourd'hui omniprésents dans le menu des Français, et pas seulement dans les régions côtières.

L'Allemand est grand amateur de pâtisseries, mais il les préférera « fait maison » sous forme de cake, gâteaux aux fruits, au chocolat ou au fromage blanc. Le Français, lui, ira plutôt choisir sa tarte – ou tartelette – chez le pâtis-

---

„Ein Land, das in der Lage ist, der Welt 300 Käsesorten zu schenken, kann nicht sterben."
« Un pays capable de donner au monde trois cents fromages ne peut pas mourir. »
Winston Churchill, Juin /Juni 1940
« Que voulez-vous, cher ami, on ne peut rassembler à froid un pays qui compte 265 spécialités de fromages», Charles de Gaulle

Quelle/source: Jean-Raymond Tournoux: La tragédie du Général, Paris : Plon 1967, p.111.

In vielen deutschen Familien werden die Kuchen und Obsttorten noch zuhause gebacken, während man in Frankreich seine *tarte* eher beim Konditor kaufen geht. Trockenkuchen, Obsttorten oder Käsekuchen gehören zur typisch deutschen Kaffeetafel am Nachmittag und bilden so fast eine eigene Mahlzeit. In Frankreich hingegen schließen *tarte* oder *tartelette* als Nachtisch eine Mahlzeit ab, vorzugsweise am Wochenende. In der Woche trifft man viele französische Schulkinder, die sich ihre kleine Zwischenmahlzeit am Nachmittag in Form eines *pain au chocolat,* einer *brioche,* oder eines *chausson aux pommes* beim Bäcker holen.

Zur deutschen Kaffeetafel gehört der beliebte Kaffee, in den letzten Jahren auch die italienischen Zubereitungsformen wie cappuccino oder latte macchiato. Die klassische Auswahl in den französischen Cafés reicht vom *café,* dem kleinen Schwarzen, über die *noisette,* den kleinen Schwarzen mit einem Tropfen Milch, bis zum *crème,* dem Milchkaffee.

Nach einem gelungenen (Abend-)Essen und einem kleinen, aber starken Kaffee wird in Frankreich ein *digestif* empfohlen. Entweder bleibt man beim Alkoholischen und trinkt einen Armagnac, einen Cognac, einen Obstschnaps oder Calvados. Oder man geht über zur *infusion,* auch *tisane* genannt, einem Kräutertee. Dagegen ist es nicht üblich, nach dem Essen noch weiter Wein zu trinken – die „gute Flasche" nach dem Essen im gemütlichen Wohnzimmer, wie sie in Deutschland bei einem Abend unter Freunden gerne zelebriert wird, gibt es in Frankreich nicht.

sier du coin pour la manger au dessert, surtout le dimanche. Et les écoliers français, sur le chemin de la maison, s'achètent leur goûter sous forme de pain au chocolat, chausson aux pommes ou autres viennoiseries.

Il existe en Allemagne une vraie institution, la *Kaffeetafel*, comparable au *teatime* anglais, surtout très appréciée des retraités allemands qui se retrouvent vers 16 h chez eux ou dans des pâtisseries salons de thé pour manger d'impressionnantes parts de gâteaux et boire du café. Les Allemands consomment beaucoup de café, ce dernier étant de torréfaction plus légère qu'en France. Et les différentes sortes de café à l'italienne (cappuccino, latte macchiato etc.) font fureur.

En France, un bon repas se termine parfois par un petit café et un digestif qui peut varier d'une région à l'autre. Ce sera un armagnac pour certain, ou un cognac, une prune ou un calvados. Pour tous ceux (et celles) qui préfèrent ménager leur foie, on proposera la traditionnelle tisane, verveine, camomille ou autre infusion du soir. En Allemagne, il existe une habitude, étrange aux yeux des Français, qui consiste à se partager entre amis une « bonne bouteille » de vin après le dîner, en faisant la conversation dans les fauteuils confortables du salon.

Spécialités régionales

Indépendamment des traditions nationales, les spécialités régionales ont une importance considérable en France comme en Allemagne. Les cuisines régionales allemandes sont fortement influencées par la cuisine des pays frontaliers. La cuisine du sud-ouest allemand et celle de l'Alsace sont similaires. La cuisine du Bade-Wurtemberg a une bonne réputation auprès des gourmets, c'est

Regionale Spezialitäten

Abgesehen von den genannten allgemeinen Essgewohnheiten spielt die regionale Küche in Deutschland und Frankreich eine wichtige Rolle, wobei vor allem in den deutschen Regionen der Einfluss der Nachbarländer spürbar ist.

So ähneln sich die Küche des deutschen Südwestens und des Elsaß. Neben den Toprestaurants in den Metropolen wie München, Berlin und Hamburg findet man im südwestlichen Deutschland die größte Dichte an Feinschmeckerlokalen. Die Nähe zu Frankreich lässt sich beim Genuss von Weinbergschnecken und Innereien beobachten, im restlichen Deutschland stoßen diese Bräuche eher auf Unverständnis. Je weiter man Richtung deutscher Südosten vordringt, desto stärker spürt man den österreichischen Einfluss. Mehlspeisen und Knödelgerichte prägen die Speisekarte, zusammen mit den typischen Fleischgerichten wie Tafelspitz, Leberknödel und Weißwurst.

Im Nordwesten Deutschlands sind Fisch- und Kartoffelgerichte beliebt, dunkles Brot und Grünkohl. Die Speisekarten werden eintöniger, je mehr man in den Osten reist. Stolz ist man hier auf den Beelitzer Spargel, die Spreewaldgurke, und sogar die Berliner Currywurst hat es zu internationalem Renommee gebracht. Es ist allerdings fraglich, ob ein Franzose dies als Delikatessen bezeichnen würde. Viele der deutschen Spezialitäten sind regional geblieben und finden sich nicht auf den Speisekarten oder in den Supermärkten des ganzen Landes.

Abschließend muss der große Einfluss der ausländischen Küche in Deutschland ge-

d'ailleurs la région allemande où l'on trouve le plus de restaurants étoilés à l'exception des métropoles comme Munich, Berlin ou Hambourg. Dans ces régions proches de la frontière française, on ne dédaigne pas les escargots, ni les ris de veau, rognons, tripes ou cervelles, pourtant considérés comme immangeables dans le reste de l'Allemagne. Le sud du pays est en partie influencé par la cuisine autrichienne et son goût pour les desserts qu'on retrouve dans le *Kaiserschmarrn*, une sorte d'omelette sucrée, ou le *Germknödel*, grosse boule de pâte à la levure servie chaude avec une sauce vanille ou du beurre fondu. La cuisine bavaroise a aussi des spécialités très connues : le *Tafelspitz*, morceau de queue de bœuf cuit dans son bouillon, les *Weisswürste*, espèces de boudins blancs traditionnellement mangés avec des bretzels et de la moutarde sucrée, et accompagnés d'une chope de bière vers 10 h du matin, comme deuxième petit-déjeuner. La cuisine du nord-ouest allemand est connue pour son poisson et ses plats à base de pommes de terre et de chou vert. Le pain y est plus noir, plus consistant.

Plus on se dirige vers l'est de l'Allemagne, plus la variété des spécialités locales est restreinte. C'est une cuisine frugale, influencée par la Silésie et la Prusse orientale, basée sur les produits des terroirs : cornichons du *Spreewald*, asperges de Beelitz (plus grosses que celles qu'on a l'habitude de voir en France), *Currywurst* très appréciée à Berlin. Beaucoup de ces spécialités ont gardé leur caractère régional et ne se trouvent pas sur le menu ou dans les magasins de toute l'Allemagne.

La présence des cuisines étrangères est très visible, surtout dans les centres urbains. Les

nannt werden. Deutsche Innenstädte sind geprägt von einer großen Auswahl an italienischen, griechischen und chinesischen Restaurants. Türkische Döner gelten schon fast als deutsches Nationalgericht und machen der Currywurst ihre Monopolstellung als beliebtes Schnellimbissgericht streitig. Beliebt sind natürlich auch die amerikanischen Fast-Food-Ketten, vor allem bei den Jugendlichen.

Auch wenn man in Frankreich insgesamt durch die Verbreitung und Demokratisierung der kulinarischen Standards eher als in Deutschland von einer nationalen Küche sprechen kann, werden regionale Eigenheiten gepflegt. Auch hier gilt: je weiter südlich desto aufwendiger. Die Küche des Südwesten Frankreichs hat mit den *confits* und der *foie gras* oder dem *cassoulet* einen ausgezeichneten Ruf. Kenner streiten sich, aus welcher Region am Atlantik die besten Austern kommen, und jedem Franzosen fällt bei der *bouillabaisse* sofort Marseille ein. Viele Gerichte sind untrennbar mit einer Stadt oder einer Region verbunden, auch wenn sie landesweit angeboten werden: die *ratatouille provençale,* der *bœuf bourguignon,* die *crêpes bretonnes* oder die *rillettes du Mans.*
Wie in Deutschland haben die Einwanderergruppen in der kulinarischen Realität tiefe Spuren hinterlassen. Dabei stehen in Frankreich vor allem Restaurants aus den Maghreb-Staaten im Vordergrund, und *couscous* ist zu einer französischen Spezialität geworden. Asien ist durch chinesische und viele vietnamesische Restaurants vertreten.

traditions des différents groupes d'immigrés (italiens, grecs, turcs) se fondent tout naturellement dans le paysage gastronomique allemand. Ce dernier s'approprie les mets qui plaisent, comme par exemple les pizzas italiennes et les *döner kebab* d'origine turque, presque considérés comme allemands tellement ils font partie des habitudes alimentaires. Ils rivalisent d'ailleurs avec les fast foods américains, pourtant très bien implantés sur le marché allemand de la restauration rapide.

Bien qu'on puisse parler en France, grâce à la généralisation et à la démocratisation d'un certain style culinaire, d'une cuisine « nationale », les particularités régionales restent fortes. Une fois de plus, on constate une diversité et un raffinement croissant en allant vers le sud. La cuisine du sud-ouest de la France jouit, grâce aux confits, au foie gras et au cassoulet, d'une excellente réputation. Les connaisseurs se disputent pour savoir de quelle région voisine de l'Atlantique proviennent les meilleures huîtres, et les Français pensent tout de suite à Marseille quand ils entendent le mot bouillabaisse. De nombreux plats sont associés à une région ou une ville : le cassoulet toulousain, la puiche lorraine, les crêpes bretonnes ou les rillettes du Mans. Comme en Allemagne, les immigrés ont laissé des traces profondes dans le développement des coutumes alimentaires, surtout ceux des pays du Maghreb qui ont fait du couscous un plat français courant. L'Asie est très présente aussi avec ses restaurants chinois, mais aussi de nombreux Vietnamiens.

Regionale Spezialitäten / Spécialités régionales
Confit: gepökeltes und in Fett eingekochtes Fleisch von Schwein, Gans oder Ente
Foie gras: Gänsestopfleber
Ratatouille provençale: gemischtes Gemüse aus Paprika, Zwiebel, Knoblauch, Zucchini, Auberginen und Tomaten mit Kräutern der Provence
Bœuf bourguignon: Rindfleischragout in Weinsoße mit Champignons, Speck und Karotten
Crêpes bretonnes: sehr dünne, salzige oder süße Pfannkuchen, zu denen man oft Cidre trinkt
Rillettes du Mans: Schweineschmalz mit in Fett gekochten Fleischfasern
Rote Grütze: compote de fruits rouges épaissie, accompagnée d'une sauce vanille ou de crème fleurette
Currywurst : espèce de boudin blanc épicé au curry qu'on mange souvent avec du ketchup debout à un stand dans la rue
Maultaschen : spécialité souabe, ce sont de grands ravioli farcis de viande hachée ou de légumes qui se mangent au bouillon ou poêlés
Labskaus : spécialité du Nord de l'Allemagne, mélange de pommes de terre bouillies, viande saumurée, hareng, oignon, cornichon, betterave rouge

Wein oder Bier?

Vin ou bière ?

Prost!

In Deutschland bleibt das Bier Nationalgetränk Nr. 1, während die Franzosen weiterhin den Wein bevorzugen. Der deutsche Alkoholverzehr hat im Durchschnitt in den letzten Jahren zwar abgenommen, ist aber immer noch verhältnismäßig hoch im europäischen Vergleich, vor allem bei den Jugendlichen. 2004 war Deutschland weltweit auf Platz 2 in der Liste der Bierkonsumenten, mit knapp 118 Litern pro Kopf und Jahr wurde es nur von Tschechien übertroffen (158 Liter). Das Bier hat eine starke regionale Bindung: Im Westen trinkt man hauptsächlich Kölsch und Altbier, im Süden Lager- und Weizenbier, im Norden und Osten Pils. Gebraut wird meist immer noch nach dem deutschen Reinheitsgebot von 1516, und gereicht werden die verschiedenen Biersorten in unterschiedlichen Gläsern, vom typischen schmalen

Tchin-tchin !

En Allemagne, la boisson favorite, on l'aura deviné, reste la bière, tandis qu'en France on est fidèle au vin. La consommation d'alcool a diminué en Allemagne ces dernières années, mais elle reste forte par rapport aux autres Européens, surtout chez les jeunes. En 2004, l'Allemagne se plaçait au deuxième rang mondial derrière la République tchèque (158 litres) pour sa consommation de bière (118 litres par personne/an). Il existe un fort patriotisme régional à propos des différentes bières allemandes, qu'elles soient blondes ou brunes : à l'ouest on boira plutôt la *Kölsch* (de Cologne) ou l'*Altbier* (de Düsseldorf), dans le sud du pays ce sera la *Lager* ou la *Weizen*, au nord et à l'est c'est la *Pils* qui prime. L'Allemagne est fière de ses brasseries et de ses recettes ancestrales qui respectent les lois de brassage établies à la fin du moyen âge (1518). Ce « décret sur la pureté de la

Kölschglas (0,2 Liter) bis zur imposanten, bayrischen Maß (1 Liter).

Auch die deutschen Weine haben in den letzten Jahren erheblich an Qualität gewonnen. Aber in Frankreich zieht man zwar den Hut vor einem deutschen Bier, allerdings weniger vor einem deutschen Wein. Einige deutsche Weine können im internationalen Wettbewerb durchaus mithalten. 87% der Weinberge entlang der Mosel, des Rheins und des Mains sind dem Weißwein vorbehalten. Eine erfrischende Variante ist die Weinschorle oder Gespritzter: Weißwein gemischt mit Mineralwasser. Den hessischen Eppelwoi, den baden-württembergischen Most sowie andere Obstweine findet man hauptsächlich in Obstanbaugebieten. Sie sind dem aus der Normandie und der Bretagne stammenden *cidre* ähnlich.

In Deutschland trinkt man, im Gegensatz zu Frankreich, gerne kohlensäurehaltiges Wasser. Erst langsam etabliert sich das stille Wasser, vor allem auch mit aus Frankreich kommenden Marken.

In beiden Ländern ist ein Trend hin zum jeweiligen Lieblingsgetränk des Nachbarn zu beobachten. Die Deutschen sind große Abnehmer der französischen Weine (zweitgrößte Abnehmer hinter Großbritannien), das deutsche Bier hat in Frankreich einen sehr guten Ruf, und in vielen Bars findet man die großen deutschen Marken.

Die Weinkultur

Was dem Deutschen das Bier, das ist dem Franzosen der Wein! Frankreich ist mit 47,3 Millionen Hektolitern (2003) zur Zeit noch größter Weinproduzent weltweit und lässt nichts auf seine Weine kommen,

bière » définit les seuls ingrédients autorisés pour fabriquer une bière pure : malt d'orge, houblon et eau. Au moment d'être servie, chaque bière a son verre spécifique, mince et haut pour la *Kölsch* (0,2 l), ou *Mass* d'un litre en Bavière.

Le Français connaît et apprécie la bière allemande. Par contre, il est moins informé sur la production de vins allemands, bien sûr beaucoup moins impressionnante qu'en France. Pourtant, certains crus provenant de vignobles très anciens comme ceux de la Moselle, dont l'origine remonte aux Romains, valent le détour. Sur les rives du Rhin, du Main et même de l'Elbe, on produit des vins essentiellement légers et fruités, le plus souvent des blancs (87%). Les Allemands aiment parfois « couper » leur vin en y ajoutant de l'eau gazeuse. Ils font de même avec le jus de pomme pour rendre la boisson plus désaltérante. L'arboriculture allemande produit aussi des « vins » à base de pommes comme le *Eppelwoi*, une sorte de cidre en provenance de Hesse, ou le *Most* du Bade-Wurtemberg.

En règle générale, lorsque l'on commande de l'eau au restaurant, on vous sert de l'eau gazeuse. Mais les habitudes ont changé ces dernières années, on trouve de plus en plus de marques d'eau plate, surtout des marques françaises bien établies sur le marché allemand.

En France comme en Allemagne, on observe un intérêt grandissant pour la boisson nationale de l'autre : les Allemands apprécient énormément le vin français (second importateur après la Grande Bretagne) et le champagne. La bière allemande jouit d'une excellente réputation en France, et on trouve les grandes marques comme *Warsteiner* ou *Bitburger* dans de nombreux bars.

auch wenn die rosigen Zeiten vorbei zu sein scheinen. Der französische Wein muss um seine Vormachtstellung kämpfen, die Konkurrenz aus Italien und Spanien, aber auch aus Übersee ist groß.

Der Weinkonsum ist in Europa rückläufig, auch in Frankreich, wo er in den letzten fünf Jahren um 10% zurückgegangen ist. Jeder vierte Franzose trinkt regelmäßig Wein zum Essen, vor 20 Jahren waren es noch doppelt so viele. Trotz alledem bleibt der *pichet de rouge* Standardgetränk, und der Franzose sein eigener bester Kunde. In Frankreich scheint es aber eine Trendwende zu geben: Der Gewohnheitstrinker wird zum Gelegenheitstrinker. Der Weinkonsum ist zunehmend abhängig vom Anlass und von der fürs Essen zur Verfügung stehenden Zeit. Je gediegener die Mahlzeit, desto eher greift man auch zur Weinkarte, und desto tiefer wird auch ins Portemonnaie gegriffen. Dies trifft vor allem auf die ältere Generation zu, die Jüngeren (bis 35 Jahre) trinken weniger regelmäßig Wein, wirtschaftliche Gründe und gesundheitliche Überlegungen sind dabei ausschlaggebend.

Zum ersten Mal in der Geschichte der französischen Weinkultur kann man eine Verunsicherung beim Konsumenten feststellen. Einerseits gilt die von renommierten Gesundheitsspezialisten vertretene Meinung, ein oder zwei Gläser (Rot-) Wein seien durchaus förderlich für eine ausgewogene tägliche Ernährung. Andererseits sorgte das Inkrafttreten der *loi Evin* (1991), des Gesetzes gegen den Alkohol- und Tabakkonsum, für Verunsicherung. Seither wurde die Alkoholwerbung in Frankreich eingeschränkt, sie darf nicht mehr ohne Hinweis auf die Gefahren für den Konsu-

La tradition viticole

Symbole par excellence du savoir-vivre français, le vin est la boisson alcoolisée la plus consommée en France. La France reste le premier producteur mondial de vin (47,3 millions d'hl en 2003), mais la concurrence ne dort pas, la réputation des vins d'Italie, d'Espagne, et du Nouveau Monde a fait progresser les ventes. Et la consommation de vin diminue d'année en année, rien qu'en France de 10% entre 2000 et 2005. Un Français sur quatre boit régulièrement du vin à table, contre le double il y a 20 ans. Ceci indique un changement d'attitude envers la boisson nationale : le vin n'est plus consommé comme boisson ordinaire, mais plutôt selon l'occasion, le temps disponible et l'importance du repas qu'il doit accompagner. Pour « marquer le coup », on n'hésitera pas à investir dans une bonne bouteille, au déjeuner comme au dîner. Mais ce n'est plus une habitude comme chez les aînés. Les jeunes (moins de 35 ans) ont une consommation plus modérée, à la fois pour des raisons d'hygiène de vie et d'économie.

D'un côté, on trouve des avis favorables émanant d'imminents spécialistes de la santé, qui estiment que la consommation d'un verre de vin par jour fait partie d'un régime nutritionnel équilibré de l'adulte. De l'autre côté, la loi Evin (1991), qui vise à diminuer la consommation d'alcool en restreignant la publicité pour les boissons alcoolisées, semble en avoir déconcerté plus d'un. Les viticulteurs français voient dans cette réglementation le responsable n°1 de la chute du marché viticole en France, lui reprochant de porter atteinte au patrimoine national dont fait partie la culture du vin. Depuis que les contrôles d'alcoolémie des automobilistes sont deve-

Ernährungsgewohnheiten in Deutschland und Frankreich
Habitudes alimentaires françaises et allemandes

Produkt (in Kg oder Liter pro Kopf und Jahr) Produit (Kilos ou litres par personne et par an)	1970		2003	
	F	D	F	D
Brot / Pain	80,6	61,8	54,1	83
Kartoffel / Pommes de terre	95,6	102	69	66,8
Frischgemüse / Légumes frais	70,4	63,8	86,3	96
Rindfleisch / Bœuf	15,6	22,1	14,7	12,5
Geflügel / Volailles	14,2	8,6	21,4	17,6
Eier / Œufs	11,5	16,3	14,3	13,1
Fisch, Meeresfrüchte / Poisson, fruits de mer	9,9	11,4	13	14,21
Milch / Lait	95,2	92,5	60,2	94
Käse / Fromage	13,8	10,2	17,8	21,7
Yoghurt / Yaourt	8,6	3,75	21,4	16,9
Wein / Vin	105,9	19,4	57,39	24,3
Bier / Bière	41,4	184	34,22	117,5
Spirituosen / Spiritueux	2,55	3,92	2	2
Mineral- und Quellwasser / Eau minérale	39,9	12,5	168	129,1

Quelle/Source : Insee/ Destatis /IFO/ ZMP

menten verbreitet werden. Dies hat vor allem bei den Winzern für Aufruhr gesorgt, sie fühlen sich im Stich gelassen, eben auch, weil der Wein ein Teil der französischen Identität darstellt und dementsprechend besonders geschützt werden sollte. Nachdem die Bestimmungen für Alkohol am Steuer verschärft wurden, ist der Weinabsatz vor allem in den Restaurants erneut zurückgegangen.

Trotzdem bleibt bei einem gepflegten Essen, ob zu Hause oder im Restaurant, die Qualität des Weins ein entscheidendes Kriterium. Der Name des getrunkenen Weins

nus plus systématiques, la consommation de vin dans les restaurants a de nouveau chuté. Et pourtant, le vin garde une place de choix dans un repas de qualité, à la maison comme au restaurant. C'est souvent l'homme qui fait le choix du vin et qui le sert, et c'est lui que l'on félicitera explicitement (ou non) pour son choix, tandis que la femme sera louée pour ses prouesses culinaires.

wird genannt, die Flasche anerkennend herumgereicht. Beglückwünscht man die Hausfrau zum gelungenen Mahl, so wird der Hausherr für die Weinauswahl gelobt.

Jugend und Alkohol

Auch wenn der Alkoholkonsum der Jugendlichen (12-25 Jahre) insgesamt beunruhigend ist, gibt es doch zwischen Deutschland und Frankreich deutliche Unterschiede. Die so genannten Alkopops spielen seit einigen Jahren eine erschreckend große Rolle. Diese Mischgetränke bieten einen idealen Einstieg in den Alkoholkonsum, da der harte Alkohol (Wodka o. ä.) durch Cola, Limonade oder Fruchtsaft geschmacklich „verharmlost" wird. So stellte die Bundeszentrale für gesundheitliche Aufklärung für Deutschland zwischen 2001 und 2004 eine Zunahme des regelmäßigen Alkoholkonsums bei 12 bis 25-Jährigen von 4% auf nunmehr 34% fest, Tendenz steigend. In Frankreich haben die Alkopops weniger Einfluss auf den Alkoholkonsum gehabt, der insgesamt deutlich niedriger ist als in Deutschland und vielen anderen europäischen Ländern. Sowohl in Deutschland (2004) als auch in Frankreich (schon seit 1997) hat man eine Sonderbesteuerung der süßen Mixgetränke beschlossen; das Mehraufkommen durch diese Steuern soll in die gesundheitliche Aufklärung (D) bzw. in die Krankenversicherungen (F) fließen.

Les jeunes et l'alcool

Si la consommation d'alcool des jeunes (12 à 25 ans) peut être inquiétante en France comme en Allemagne, l'évolution est plus dramatique en Allemagne. La tendance va aux premix dont le marché a explosé ces cinq dernières années. La moitié des ventes de ces boissons, dont la forte teneur en alcool (à base de vodka, whisky, rhum etc.) est masquée par des limonades sucrées, va à des jeunes, souvent mineurs. En France, les premix ont eu moins d'impact sur la consommation d'alcool qui reste d'ailleurs stable depuis des années et qui est nettement inférieure par rapport à l'Allemagne et bien d'autres pays européens. Conscients du danger des premix, les gouvernements des deux pays ont réagi en décidant une hausse de la taxation sur ces boissons. Le bénéfice tiré de cette taxe, qui existe depuis 1997 en France (2004 pour l'Allemagne) et qui est supérieure à la taxe allemande, est reversé à la caisse nationale d'assurance maladie (en France) ou sert à financer des campagnes de prévention (en Allemagne).

Repas et convivialité

La pause de midi

A Paris, les sandwicheries ont la cote. Il suffit d'un emplacement stratégique, d'un design minimaliste, d'une carte vaguement bio, et une mine d'or s'ouvre à l'investisseur. C'est peut-être la réponse française au fast food américain, et sûrement une alternative pour tous ceux qui cherchent à déjeuner à n'importe quelle heure, rapidement et pas trop cher.

Mahlzeiten und Geselligkeit

Die Mittagspause

Eine Investition mit guten Erfolgschancen in Paris ist das Eröffnen einer *sandwicherie*. Ein strategisch günstig gelegener Ort, ein mittelgroßes Ladenlokal mit viel Durchgangsverkehr, ein schicker, minimalistischer Designerstil und schon boomt das Geschäft. … die französische Antwort auf den amerikanischen Fast Food. Ein ganz neuer Trend, der den Ansprüchen der Zeit gerecht werden will: schnell, möglichst günstig und trotzdem appetitlich!

Vor 10 Jahren verbrachte der Franzose noch 1,5 Std. am Mittagstisch. So ein langes Mittagessen kann sich heute höchstens noch ein Firmenchef in einer Kleinstadt leisten. Dort gehört es bis heute zum Arbeitsalltag: Man verwöhnt seine Kunden, pflegt seine Kontakte, und dafür können täglich schon mal zwei Stunden investiert werden. Auch in Paris gehört das Geschäftsessen für neun von zehn Firmenchefs immer noch als wichtiges Mittel zur Kundenpflege, aber ein Drittel erklärt sich auch bereit, das Mittagessen ausfallen zu lassen, wenn die Arbeit es erfordert.

Die Franzosen essen vor allem in den größeren Städten in der Woche auswärts, ab 13 Uhr füllen sich die Restaurants, und man bekommt nur noch mit Mühe einen Sitzplatz. Dies erklärt auch das wirtschaftliche Gewicht der Restaurationsbetriebe in Frankreich: 2002 gab es knapp 100.000 vor allem kleine Betriebe mit weniger als 10 Angestellten (92,7%) in diesem Sektor, über 800.000 Menschen waren hier beschäftigt. Das System der steuerlich begünstigten *tickets-restaurants* ermöglicht vielen

Il y a 10 ans, le Français disposait d'une heure et demi de pause déjeuner, c'est dire l'importance de ce moment privilégié dans la vie quotidienne. Ce genre de déjeuner n'est plus possible aujourd'hui que pour quelques-uns, surtout en province. Pour entretenir et consolider les relations avec leurs clients, les patrons y passent parfois des heures au restaurant. A Paris, c'est devenu plus rare. Les hommes d'affaires font alterner déjeuners de travail et pauses de midi sautées par manque de temps.

En règle générale, la population active à Paris et dans les autres grandes villes prend aujourd'hui en moyenne 34 min pour sa pause déjeuner. On peut choisir le restaurant où, en raison du système des tickets restaurant, il est difficile d'obtenir une place assise à partir de 13 h. Pas étonnant de constater le poids économique du secteur de la restauration avec 800 000 employés. En 2002 on compte presque 100 000 restaurants, dont beaucoup de petite taille (92,7%) avec moins de 10 salariés.

Pour tous ceux qui n'ont pas les moyens ou pas le temps, il reste deux possibilités : la cantine d'entreprise, ou le sandwich. La moitié des Français qui travaillent mangent dans des cantines.

Les Allemands ont depuis longtemps l'habitude de se contenter d'une pause assez courte à midi. Ils prennent généralement 45 minutes. Plus de la moitié d'entre eux rentrent déjeuner à la maison où ils retrouvent les enfants, sortis de l'école vers 13 h ou 13 h 30. Les cantines sont fréquentes dans les garndes entreprises. Il existe naturellement des déjeuners d'affaires, mais ils restent peu

Mitarbeitern den täglichen Restaurantbesuch, und garantiert den Restaurants regelmäßige Kundschaft.

Allerdings ist die Mittagspause in den Ballungszentren, zumal in Paris, auf statistisch durchschnittlich 34 Minuten zusammengeschrumpft. Die Hälfte der Arbeitnehmer geht in die Kantine zu einem Durchschnittspreis von 5 Euro pro Mahlzeit.

In Deutschland beschränkt sich die Mittagspause schon lange auf durchschnittlich 45 Min. Viele Berufstätige essen mittags zu Hause und treffen dort ihre Kinder, die gegen 13-13.30 Uhr aus der Schule kommen. Wer nicht nach Hause geht, hat meistens Zugang zu einer Kantine. Geschäftsessen wie in Frankreich sind natürlich sehr beliebt, aber sie bleiben die Ausnahme und sind eher weniger protokollarisch und kürzer, weil man ja an den Arbeitsplatz zurück möchte.

Umgangsformen

Mit der Entwicklung der Esskultur geht ein Prozess der Zivilisation einher, zu dem auch bestimmte Umgangsformen gehören. Je nach Erziehung, sozialem Status und auch je nach Situation haben sich die früher strenger eingehaltenen Benimmregeln bis heute erhalten. Was in Frankreich als soziale Norm entwickelt wurde, hat sich auch in anderen europäischen Ländern durchgesetzt. Der Mann hält der Frau die Tür auf und lässt sie vorgehen. Er wird die Frau einladen und nicht zulassen, dass sie zahlt. Gemäß diesem Ideal wird der Mann seine Rolle als galanter Begleiter ernst nehmen, trotz der Emanzipation der Frau. Da es sich um einen Verhaltenskodex handelt, der mit Erziehung und sozialem Status zu-

courants dans un pays où l'on a l'habitude d'un repas rapide qui permet de reprendre le travail plus tôt et d'anvancer ainsi l'heure où se termine la journée de travail.

Les formes de politesse

L'évolution des arts de la table est étroitement liée à un certain savoir-vivre, synonyme de courtoisie et de politesse dont les règles et les codes, sans doute moins rigoureux aujourd'hui, restent d'actualité dans certains milieux et/ou à certaines occasions. Si ces formes de politesse ont été, en grande partie, développées dans un contexte français, les autres pays européens les ont adoptées comme idéal. L'homme tiendra la porte à la femme, lui laissant le privilège de passer la première. Il tolèrera difficilement que la femme sorte son porte-monnaie au moment de payer au restaurant. L'homme, selon cet idéal, joue volontiers de son charme un brin « serviteur galant », malgré l'émancipation de la femme. Comme il s'agit d'un comportement lié à l'éducation et au niveau social des personnes, il est difficile de juger si cette tradition reste plus forte en France qu'en Allemagne. A chacune et à chacun de faire sa propre statistique…

Lors d'une invitation à la maison, les règles de conduite diffèrent quelque peu. Faut-il mettre ou non une cravate, faut-il apporter un cadeau à la maîtresse de maison, quand le tutoiement est-il de mise ?

Concernant la ponctualité, sans vouloir généraliser outre mesure on peut constater une différence entre l'Allemagne et la France. Au delà d'un quart d'heure de retard, l'hôte allemand s'inquiétera ou, pire, interprètera ce retard comme une impolitesse. Par contre, en France, et surtout à Paris, il n'est pas rare

sammenhängt, ist es sehr schwer zu sagen, ob diese Tradition in Frankreich lebendiger geblieben ist als in Deutschland. Jeder wird seine eigene Statistik anfertigen müssen … Bei privaten Einladungen zu Hause gibt es ebenfalls einige Unterschiede, auf die man achten sollte. Wie pünktlich sollte man sein, kommt man mit oder ohne Krawatte, bringt man der Hausfrau einen Blumenstrauß mit, und wie schnell verfällt man ins Duzen? Der sprichwörtlichen Pünktlichkeit der Deutschen steht in Frank-

d'arriver avec trois quarts d'heure de retard sans choquer personne. En France, on laissera le bouquet de fleurs dans son emballage, très sophistiqué en général. En Allemagne, l'invité veillera à enlever lui-même le papier d'emballage du bouquet de fleurs avant de le donner à la maîtresse de maison. Il n'est pas rare, par contre, que le cadeau apporté ne soit pas ouvert pendant toute la soirée, tandis que la tradition française veut que les chocolats, le dessert ou autre cadeau soit offert le soir même.

Unterschiedliche Konzeptionen einer Mahlzeit
Des conceptions différentes du repas

Quelle/source : Le Monde décembre 1980.

reich ein großzügigerer Umgang mit der Zeit gegenüber. Bedingt durch längere Arbeitszeiten in den Abend hinein, und dem oftmals langen Nachhauseweg, lädt man in Frankreich, vor allem in Paris, für 20.30 Uhr ein, erwartet den Gast allerdings

Lors d'un repas au restaurant se posera inévitablement la question de l'addition, à moins bien sûr qu'il ne s'agisse d'une invitation. En France, l'addition est généralement divisée de façon égale entre les convives, indépendamment de la consommation de chacun.

nicht vor 21.00 Uhr. Wer Blumen mitbringt, sollte diese in Frankreich in der (meist sehr kunstvollen) Verpackung überreichen und nicht, wie in Deutschland üblich, vorher auspacken. Und wenn etwas mitgebracht wird, kunstvoll verpackte Schokolade oder eine Flasche Wein, dann wird das Geschenk in Frankreich auch ausgepackt und angeboten.

Wenn man auswärts essen geht, und es sich nicht ausdrücklich um eine Einladung handelt, stellt sich spätestens am Ende der Mahlzeit die leidige Rechnungsfrage. In Frankreich wird die Summe in der Regel pauschal durch die Zahl der Anwesenden geteilt, unabhängig davon wer nun mehr, wer weniger bestellt hat. Der Kellner wird auch nicht fragen, ob er „getrennt oder zusammen" kassieren soll, sondern die gesamte Rechnung auf den Tisch legen. Wenn in Deutschland jeder genau abzählt, was er konsumiert hat, kann das leicht kleinlich wirken, ist aber keineswegs unhöflich gemeint.

Zu einem Essen gehört das Tischgespräch. Untersuchungen haben gezeigt, dass es tatsächlich zwischen einem typisch deutschen und einem typisch französischen Tischgespräch Unterschiede gibt, die immer wieder auftreten. So versucht man in Frankreich, möglichst alle am Gespräch zu beteiligen. Dabei wird oft das Thema gewechselt, man beißt sich nicht an einer Sache fest. Und wenn ein Gespräch als angenehm und gut empfunden wird, dann betont man in Frankreich eher „man habe sich gut amüsiert und viel gelacht", in Deutschland wird man eher herausstreichen, dass man „etwas gelernt" habe.

En Allemagne, il arrive qu'on observe les différents protagonistes se livrant à un calcul minutieux de la consommation de chacun pour éviter que l'un ne paye plus que ce qu'il a véritablement consommé. Les serveurs ont d'ailleurs tendance en Allemagne de demander s'il faut une facture pour chacun (« chacun pour soi ou tous ensemble ») et d'établir des notes individuelles.

Autre élément important de la convivialité à table : la conversation. On est poli, cherche à inclure tous les participants au dialogue et à trouver un ton agréable. Des études ont montré qu'il existe (statistiquement) des différences entre une conversation à table en France et en Allemagne. La conversation française changera plus facilement de sujet, et on veillera à ce que tout le monde participe à l'échange. Et l'on juge de la qualité d'une conversation à table, dans une logique française, lorsque l'on peut affirmer qu'« on s'est bien amusé » ou qu'« on a bien ri ». Dans la conception allemande, on mettra plutôt en avant le fait d'y avoir « appris quelque chose ».

Noël

Les habitudes sociales concernant les mets et les boissons deviennent particulièrement visibles lors des grandes fêtes. Noël est la plus grande fête (chrétienne) de l'année, et elle est abordée différemment des deux côtés du Rhin. Peut-être l'influence de l'église catholique en France et celle de l'église protestante en Allemagne y sont-elles pour quelque chose.

En Allemagne, on vit activement les quatre semaines de l'Avent qui précèdent les fêtes de Noël. Fin novembre, on fabrique à

Weihnachten

Die sozialen Eigenheiten beim Umgang mit Speis und Trank werden beispielhaft bei großen Festen erkennbar. Bei der zeitlichen und kulinarischen Vorbereitung des Weihnachtsfestes stellt man zwischen Deutschland und Frankreich Unterschiede fest, die wohl auch mit den unterschiedlichen religiösen Hintergründen zusammenhängen.

In Deutschland, das stärker protestantisch geprägt ist als Frankreich, bestimmen die kirchlichen Traditionen den Ablauf der Adventszeit. Der Adventskranz mit seinen vier Kerzen markiert die vier Wochen bis zum Fest. Die Adventskalender versüßen den Kindern die Wartezeit und steigern die Spannung bis zum 24. Dezember. Der Advent soll eine Zeit der Besinnlichkeit und der Einkehr sein, in den Kirchen werden Bachs Weihnachtsoratorium oder Händels Messias angestimmt. Familie und Freunde treffen sich zuhause beim Adventstee, es wird gemeinsam gesungen und musiziert. Das heimische Backen der Plätzchen, der Duft von Zimt und Nelken gehört genauso zur Adventstradition wie das rechtzeitige Backen des Stollens. Der Tannenbaum wird zum 24. Dezember geschmückt, teilweise noch mit echten Kerzen, Holzschmuck aus dem Erzgebirge, Glaskugeln, Strohsternen und viel Selbstgebasteltem. Die Kinder entdecken den geschmückten Baum zusammen mit den Geschenken zum Heiligabend, im Norden bringt sie der „Weihnachtsmann", im Süden das „Christkind". Krippenspiel und Gottesdienstbesuch im Familienkreis gehen dem Festessen voraus, das manchmal auch erst am 25. Dezember stattfindet. Traditionelle Weihnachtsge-

l'aide de branches de sapin une couronne de l'avent qui, avec ses quatre bougies, marquera les quatre semaines d'attente. Le calendrier de l'avent, qui comporte 24 fenêtres remplies de petits chocolats ou autres surprises, « adoucit » les 24 derniers jours d'attente avant le 24 décembre. La famille allemande se réunit pendant cette période de l'année pour préparer ensemble des objets de décoration pour la maison et pour le sapin, confectionner les petits gâteaux de Noël faits maison, chanter ou faire de la musique ensemble. Dans les églises, on assiste à des concerts de Händel ou de Bach. Le 24 décembre, le moment magique est arrivé : l'après-midi, le sapin est décoré d'objets en bois, en paille, et souvent de vraies bougies. Ensuite la famille se retrouve au temple ou à la messe. De retour à la maison, on ouvre les cadeaux qui, selon la région, ont été apportés par le *Christkind*, l'enfant Jésus, ou par le *Weihnachtsmann*, le Père Noël. Puis c'est l'heure du festin, qui peut aussi avoir lieu le 25 décembre à l'heure du déjeuner. La tradition culinaire familiale exige une carpe (surtout en Allemagne orientale et en Franconie) ou une oie farcie de pommes comme plat principal, suivie des petits gâteaux de Noël et du *Christstollen*, préparé des semaines à l'avance. Les Allemands ont un jour de plus que les Français pour se remettre de toutes ces émotions, le 26 décembre étant officiellement un second jour férié.

En France, tous les préparatifs se concentrent sur la fête de Noël, ce qui ne veut pas dire que l'on ne s'y prend pas bien à l'avance. Effectivement, les premiers sapins de Noël apparaissent dès la fin novembre, les vitrines des magasins sont décorées depuis des semaines, les restaurants proposent des me-

richte sind, je nach Region, der Karpfen (im Osten und in Franken), oder die mit Äpfeln gefüllte Weihnachtsgans. Auf keinen Fall fehlen dürfen der Christstollen, die Lebkuchen und andere Plätzchen!

In Frankreich, ein traditionell katholisch geprägtes Land, ist alles aufs eigentliche Fest ausgerichtet. In Deutschland besinnt man sich auf den inneren Kreis der Freunde und Familie, in Frankreich geht man aus sich heraus. Firmen organisieren aufwendige Festessen für ihre Mitarbeiter und guten Kunden, die Restaurants laufen auf Hochtouren, spezielle Weihnachtsmenus werden für den Abend des 24. angeboten. Der Tannenbaum wird schon Anfang Dezember aufgestellt und geschmückt mit elektrischen Lichterketten, Girlanden, bunten Schleifen und Kugeln. Der Weihnachtsmann steigt mit seiner Kiepe in der Nacht vom 24. auf den 25. Dezember durch den Kamin, die Bescherung findet meist am 25. Dezember morgens statt. Der 25.12. ist im Übrigen der einzige Weihnachtsfeiertag in Frankreich, der 26. Dezember ist ein normaler Arbeitstag. Das Weihnachtsessen ist der kulinarische Höhepunkt des Jahres, es gehören wenn irgend möglich dazu: Austern, Gänsestopfleber, die Pute oder anderes Großgeflügel, und zum Abschluss die *bûche,* ein einem Baumstamm nachempfundener Cremekuchen.

Wie in vielen anderen gesellschaftlichen Bereichen stellt man aber auch beim Weihnachtsfest eine progressive Angleichung in beiden Ländern fest, zunächst durch die zunehmende Kommerzialisierung und nus de Noël. Les entreprises organisent des repas pour leurs employés et des sapins de Noël pour les enfants. Contrairement aux Allemands, qui se concentrent sur le noyau familial, les Français sortent pour partager ce moment de fête et de joie avec la famille, bien sûr, mais aussi avec les amis et les collègues. Certains réservent une table au restaurant pour le réveillon du 24 décembre. Le 25 au matin, petits et grands découvrent les cadeaux au pied du sapin ou dans la cheminée, puis on se prépare pour le déjeuner. Ce repas de fête se veut à la hauteur de l'événement, huîtres, foie gras et dinde aux marrons sont de mise, vins et champagne coulent à flots, et la bûche ne manque pas au rendez-vous.

Et pourtant, malgré ces traditions différentes, les moeurs sont en train de changer, comme dans d'autres domaines socioculturels. La perméabilité entre les deux pays, l'influence de la consommation à l'américaine ainsi que l'accélération frénétique de la vie quotidienne effacent de plus en plus la dimension spirituelle de Noël. On constate aussi en France un regain d'intérêt pour les traditions d'outre-Rhin à ce moment de l'année. Les Parisiens investissent le marché de Noël de Strasbourg, institution pourtant typiquement germanique, et on trouve partout des calendriers de l'avent, et même des couronnes de l'avent à Paris. Quant aux Allemands, ils commencent à prendre goût au foie gras et au champagne, histoire de marquer le coup « à la française » au moins une fois par an !

« 2 janvier. J'ai laissé Noel passer lentement comme en Allemagne. Je me suis laissée aller dans ce sirop doré de miel, de flammes de bougies, de pain d'épice, d'encens, de rubans dorés et de papier brillant. » Brigitte Sauzay, Retour à Berlin. Journal d'Allemagne 1997, Paris 1998, p.9

Amerikanisierung des Festes über alle europäischen Grenzen hinweg. Darüber hinaus kann man aber in Frankreich eine Entdeckung der germanischen Traditionen beobachten. Tausende von Franzosen fahren zum Straßburger Weihnachtsmarkt, der diese historische Institution beibehalten hat, in Paris findet man zunehmend Adventskränze und -kalender. Auch wenn die meisten Franzosen den Hintergrund nicht kennen, finden sie sie schön und dekorativ. In Deutschland wiederum findet man Gefallen an den Delikatessen und Schlemmereien aus Frankreich, der eine oder andere kennt mittlerweile sogar den Unterschied zwischen Pastete und *foie gras*. So vermischen sich in beiden Ländern immer mehr kulinarische Sitten und traditionelle Riten.